Journal d'un prisonnier

JOURNAL D'UN PRISONNIER

Marcel Lavallé

 L'AURORE

La publication de cet ouvrage a été rendue possible grâce à l'aide du Ministère des Affaires culturelles du Québec.

Vignette couverture : Philippe Béha

1° **droit d'impression** 3000 copies
Les Éditions de l'Aurore Inc.

2° **droit d'impression** 3000 copies
Les Éditions des Messageries Prologue Inc.

DISTRIBUTION

Les Messageries Prologue Inc.
1651 Saint-Denis, Montréal, Québec.
849-8120 / 849-8129

Montparnasse - Édition
1, Quai de Conti, Paris 75006,
France

Foma - Cédilivres
5, avenue Longemalle, 1020 Renens, Lausanne,
Suisse

Les Presses de Belgique
25, rue du Sceptre, 1040 Bruxelles,
Belgique

PRÉFACE

Si l'on excepte le témoignage social ou politique, la littérature de prison est généralement complaisante. On y met en prose et en rimes bien des apitoiements suspects. Chaque cellule semble contenir un Narcisse. Le laisser-aller de l'âme n'est que la triste continuation du laisser-aller des instincts. Dans ce livre rien de tel. «Tous mes actes, écrit Marcel Lavallé, sont en prévision de mon engagement prochain dans la plus stricte, la plus sauvage, la plus exagérée des disciplines. Je vais être seul, studieux, frugal. C'est inutilement que j'ai tenté de saisir un possible bonheur. J'en devais être indigne».

On peut craindre les superlatifs. On se sent obligé de les employer ici tant la volonté de ce prisonnier de droit commun à se parfaire est admirable. Il me semble que ce *Journal*, tenu de 1948 à 1951 à la prison de Bordeau ou peut-être au pénitencier de Saint-Vincent-de-Paul, restera dans le *corpus* de la littérature québécoise comme un moment exceptionnel de souffrance, de désespoir même mais tout tourné vers les causes intérieures et non pas les superfluités. «Consoler et guérir, écrit encore le prisonnier en parlant de *Si le Grain ne meurt* d'André Gide, c'est le rôle de la littérature». Si son Journal n'a pas été pour Marcel Lavallé une guérison, il aura certes été une consolation; qui sait s'il aurait pu survivre sans les lignes qu'il traça au fil des ans et dont il châtia le style avec tant d'obstination et de succès que l'on est sidéré d'apprendre qu'il n'avait qu'une cinquième année de scolarité.

Châtié! voilà la chose qui frappe dans ces pages merveilleusement écrites. N'est-il pas étrange que l'un des êtres sur qui le grand André Gide eut la plus grande influence fut ce Québécois du demi-siècle, inculte et isolé? C'est, en effet, en lisant des pages du *Journal* d'André Gide que Marcel Lavallé formula le projet de tenir le sien propre. Ferveur et sincérité furent, comme il se doit, ses mots d'ordre. Certaines tournures de phrases sentiraient le pastiche chez tout autre que chez cet homme de bonne foi, qui n'avait certes pas le coeur à rire. Quand Gide meurt, c'est pour Marcel Lavallé l'occasion d'un chant funèbre discret mais poignant. Ferveur et sincérité? Gide avait aussi appris à Marcel Lavallé l'importance du style dans sa clarté et son économie. Peut-être aussi la séduction de l'impossible et de la gratuité si chers à l'auteur de l'*Immoraliste*. «La photographie de Gide apparaît cette semaine dans le Time, écrit Marcel Lavallé. Il prépare, à la Comédie-française,la mise en scène de *Lafcadio*. J'y vois d'abord l'aventurier que cet homme fut. Son visage est beau; un peu sévère, un peu rieur.» Et ce thème de la sévérité rieuse, on le retrouvera courant parmi les lignes. «Je voudrais pouvoir ne prêter à ce qui m'entoure, écrit-il, qu'une attention mi-détachée, mi-sarcastique.»

Mais que raconte-t-il? Le tout et le rien d'un univers clos, morbide où la vulgarité et la médiocrité, la laideur aussi, sont la norme. Une rencontre, sensuelle parfois, pourra prendre de l'importance. Parfois encore un petit événement du banal quotidien. Mais le tout est souligné d'aphorismes et de réflexions qui situent le banal comme hors-contexte et nous transporte dans le domaine de la vie intérieure. S'exalte-t-il qu'il souligne aussitôt: «Rarement j'ai pu supporter la joie; elle m'énerve». Parle-t-il d'un confrère qu'il en trace aussitôt le portrait aussi précis qu'impitoyable: «Vu L. au concasseur. Il m'a fait signe de l'aller voir. J'ai été poli, mais ai dit peu. Je préférais attendre. Quand les silences se prolongeaient, je posais une question sur une banalité quelconque, puis je surveillais, entre nous, l'hypocrite jeu des complices, quand l'un a triché. Ce qu'il a dit... Ce que je pensais... Ses yeux ailleurs, que je n'aimais point voir. Un malaise d'âme tombait entre nous comme une haine. J'ai réalisé que nous n'avions jamais été amis...» C'est avec une sorte de détachement bougon qu'il s'attache aux faits de la prison; le fouette-t-on qu'il souligne le ridicule de la scène, et la gêne des gardes, bien plus que sa peine et son humiliation.

Et surtout les lectures.

Marcel Lavallé a littéralement exploré rayon par rayon la bibliothèque des prisons où il a vécu. Tout et tous y passent de Mauriac à Huxley, de Simenon à Romain Rolland. Lit-il qu'aussitôt il commente, critique, précise. Et là encore apparaît le paradoxe de cet être qui, pris de court par la vie, se réfugie dans des livres dont on se demande parfois comment il a pu les lire. Plus encore, il cite en latin, apprend, en le lisant, l'espagnol et l'anglais, naturellement. Chaque page lue, bien qu'il avoue par une sorte de fausse modestie sans doute qu'il lit «goulûment, par vice, sans penser», est un univers qui le trouble et l'émerveille. Son goût est étrangement sûr et il est difficile de le prendre en défaut. Il dit de Maeterlinck qu'il a la «tranquillité olympienne» et d'Anatole France qu'il a une «sensualité moqueuse». Balzac l'émerveille. Loti l'ennuie qui est tout de «fades sentimentalités, de redites sur les malaises raffinés de l'âme».

Pourtant agnostique selon ses propres dires, c'est la bible qui le retient le plus et quelques théologiens ou Pères de l'Église dont il parsème son *Journal* de citations et de commentaires précis. Mais il ne se laisse pas avoir. «L'heure n'était pas venue pour moi de lire *les Pensées* de Pascal, écrit-il. Je n'y étais pas préparé. Je n'ai pu donc, à part certains passages, élever mon intelligence au niveau de cette exaltation infernale. Une grande partie de ce qui fait horreur à Pascal me plaît infiniment»!...

On en a assez dit pour avoir fait comprendre que ce Journal intime n'est rien moins qu'un livre de scandale même si, à l'occasion, Marcel Lavallé livre quelques détails de sa vie secrète. Car il est des amours en prison, comme il en est au collège, mais les premières ne profitent pas de toute une littérature d'enjolivements. Là encore, si Marcel Lavallé peut voir dans la bouche rouge d'un plus jeune prisonnier comme le vagin d'une femme, il ne se complaît pas à ses désirs quand l'amour semble manquer. Mais aime-t-il, peut-il aimer dans le milieu où il vit. Et, plus grave encore, peut-il, peut-on aimer vraiment avec le passé qui est le sien? «Hébétude vicieuse, écrit-il. Après trente ans de vie, je me retrouve presque aussi niais, aussi crédule, qu'au temps où ma grand-mère marmottait dans mes oreilles délicieusement épouvantées ses contes effrayants d'apparitions, de fantômes et de démons surgis. De tout cela j'ai gardé une nigauderie sentimentale, impardonnable». Cette «nigauderie sentimentale», il s'en défendra donc tout au long de ses prisons et à chaque fois qu'il sera troublé par un être en qui il croira retrouver, en symbole tout du moins, son parallèle féminin.

Cependant rien, ici, qui puisse rappeler le poétique cynisme de Jean Genêt dont Marcel Lavallé dira, après une lecture de *Haute surveillance*, «mais c'est un harem». Est-il homosexuel? Il est d'abord prisonnier. À son officier de probation qui lui demanda, un jour, pourquoi il était resté célibataire, il répondit: «Je n'ai jamais eu le temps de penser à me marier». Or le désir l'assaille. «Je m'amuse à tourner autour de ce désir qui me travaille pour le petit R. comme un chien pour une femelle mouillée. Ma sexualité me tourmente et, bien que permissible en elle-même, c'est la grande faute qui m'amène à toutes les paresses. Je suis aussi maussade que le jour et traîne mon corps avec une sorte de dégoût. J'y donnerais, car immanquablement je faiblis devant la tentation...» Le désir est pour lui encore un acte de réflexion. Au moment de céder, il déclare: «C'est maintenant qu'il me faudrait relire *Destins*, de Mauriac, afin que me soient révélés les moindres secrets de son être». Ou encore, ainsi qu'il le note plus loin: «Chez certaines âmes, comme la mienne, le goût de la débauche s'unit à une grande vertu».

Il ne faut d'ailleurs pas chercher dans ce livre une condamnation explicite d'un système pénitentiaire que Marcel Lavallé ne semble vivre qu'implicitement, comme une espèce de rêve qui s'enroule autour de lui-même. Sans doute, note-t-il que la vie «ici, est infernale». ICI est l'endroit «où ne se peuvent que les rêves» et où l'on médite sur une «adolescence gaspillée». ICI, c'est surtout «la tristesse, l'ennui et la lassitude» mais qui lui permet de comprendre que «c'est à treize, quatorze ou quinze ans que j'ai manqué à moi-même».

De fait, Marcel Lavallé était un être extrêmement sérieux; les gens qui l'on connu le décrivent souvent maussade, renfermé, parlant peu, saturnien dans le fond. De lui-même, il dit: «Je ne ris pas, mais je ne pleure pas non plus; je suis tranquille d'aspect, au-delà de mon âme bouleversée». Né en 1922, il devait mourir à 41 ans à la suite d'une opération au cerveau effectuée à l'hôpital Queen Mary; mais, déjà en 1950, il avait subi l'ablation d'un oeil. De fait, sa vie carcérale semble avoir été celle d'un grand malade si l'on en juge par son dossier médical. Quant à ses délits, il n'était, de fait, qu'un petit voleur, peu adroit car il se fit toujours prendre. Son dernier crime fut un vol à main armé. Si l'on peut en juger par les clichés des journaux, ses photos nous le montrent patibulaire et peu séduisant physiquement: un long visage ravagé.

Le paradoxe de ce livre est qu'il nous confronte avec cette double réalité d'un écrivain merveilleusement doué, génial par certains côtés, en tous cas d'une intelligence au-delà de la moyenne, et celle d'un être humain sans éducation, comme l'on dit, dont la vie entière semble contredire la hauteur morale qui se dégage de son Journal intime.

Le paradoxe de ce livre est qu'il nous confronte aussi avec toute une littérature «officielle» et souvent maussade et une oeuvre «marginale», celle-ci, qui lui est, par bien des côtés, supérieure, même s'il est malaisé de comparer des oeuvres d'imagination et un livre autobiographique. Sans qu'il soit besoin d'élaborer longuement, le *Journal* de Marcel Lavallé est d'évidence un phénomène exceptionnel qui mérite d'être chaleureusement reçu malgré ses défauts de détails et ses longueurs. Sans doute, pourrait-on être ému par le pathétique véritable qui s'en dégage. Sa vérité nous paraît résider ailleurs: dans sa recherche d'un langage sans lequel ne peut s'articuler clairement aucun être. «J'aime de plus en plus les mots, écrit-il, et j'ose espérer que c'est un signe d'avancement intellectuel. Je lis le dictionnaire avec le même intérêt que je prends à lire un beau livre. D'un terme à l'autre, j'éprouve une excitation sans cesse croissante, par quoi je découvre un monde nouveau. J'ai pris comme étude la connaissance du terme exact. Il me semble que c'est le fond d'une méthode logique de penser». S'il a aimé les mots, les mots le lui ont bien rendu car, au-delà de son contenu direct, c'est le désir d'une âme secrète, tourmentée et magnifique qu'ils nous ont transmis.

Daté de 1948 à 1951, il est difficile de dire en ce moment à quel moment exact ce Journal a été définitivement rédigé. Il ne paraît pas possible, en effet, qu'il l'ait été directement en prison où Marcel Lavallé ne disposait pas d'une liberté suffisante pour dire tout ce qu'il dit, sans parler de la possession et l'usage d'une machine à écrire car c'est sous une forme dactylographiée, sauf la dernière page, qu'il l'a confié à un confrère lequel devait le conserver jusqu'à aujourd'hui. Il se peut bien que ce texte soit une rédaction de notes, auxquelles auront été ajouté, au moment de la rédaction finale des souvenirs divers dans le but d'en faire un tout acceptable littérairement. La rédaction aurait eu lieu, alors, entre deux séjours en prison. Quelqu'un a-t-il relu le texte, un «spécialiste» a-t-il aidé à sa correction? Le manuscrit ne permet pas de le dire, non plus d'ailleurs qu'une bonne analyse stylistique. Sous son langage châtié, on devine en effet parfois l'emprunt, sans négliger de nombreuses fautes et maladresses, ainsi que les mots à la couleur plus familière que Marcel Lavallé emploie de temps en temps.

Il est clair, pour nous, qu'il ne peut pas s'agir d'une mystification. Les spécimens d'écriture ont été comparés avec soin. De même, les brèves notes sur le quotidien d'une prison à Montréal dans les années 40 sont trop explicites, trop précises pour que l'on puisse douter un seul instant que l'auteur de ce Journal les ait vécues directement.

Le hasard et le soin d'un ami nous valent donc cet impressionnant document. Comment ne pas remercier celui qui, sous l'anonymat, a conservé le temps qu'il a fallu cet ouvrage. De même, nous devons remercier Ben Jauvin qui nous l'a transmis.

Jean Basile

NOTE DE L'ÉDITEUR: le texte qui suit est la version intégrale du *Journal* de Marcel Lavallé, tel qu'il nous a été transmis par son dépositaire. Il nous a paru opportun de corriger quelques fautes d'orthographes. Nous avons conservé néanmoins les particularismes et les néologismes, ainsi que certaines tournures de phrases, grammaticalement fautives, mais qui marquent très bien la personnalité de l'auteur.

Premier cahier
1948

---

*«Il y a deux hommes en moi, car je ne fais
pas ce que je veux, et je fais ce que je hais.
Le vouloir est à ma portée, mais non le
pouvoir de l'accomplir.»*

(Paul, Romains 7, 18)

20 mars 1948

Pour commencer ce cahier, il me semble opportun d'insister sur une phrase, trouvée dans un roman et qui me paraît toute chargée de vérité devant ma situation actuelle : «La culpabilité n'est pas dans les actes, elle n'est que dans l'âme de celui qui accepte d'être coupable.» Armand Hoog, *L'Accident*. Une phrase que je peux reprendre à mon compte puisque, déjà, et avant même que j'aie rééduqué ma pensée, elle englobe tout ce que j'accepte de la vie, c'est-à-dire que tout est permis et qu'il faut garder sa conscience au-dessus des actes.

Pourtant, je forme de jour en jour une manière en moi toute littéraire d'envisager la vie ; cela veut dire aussi une morale. Culture ? Oh ! j'en doute. Ici, en tout cas, aux yeux des autres, c'est une prétentieuse erreur ; d'où l'isolement, le dédain, le moyen de rester incompris. Car il ne faut pas étaler de façon trop pimpante la possible ferveur de ses pensées. La joie de bien faire, en elle-même, doit suffire. Et le «bien-faire» dont je veux parler n'est pas ce que l'on entend d'ordinaire ; je parle de sainteté.

Être sage, fier, actif aux études.

*

Décidé de me faire excommunier ; depuis des mois j'y songeais, mais la décision finale ne m'est venue que ce matin. Oh ! Je ne veux pas dire que je traverse une angoissante perte de foi, une orgueilleuse crise sentimentale, mais bien plutôt que je veux me reprendre à neuf et mettre un terme à ce que j'appelle ma trop longue enfance. J'aurais d'ailleurs toutes les raisons de devenir passionnément cruel et barbare.

Seul, comme il faut être modeste.

Méditer, lire, écrire, cela m'est absolument nécessaire. Cela m'est comme une fonction naturelle, et la raison de ces cahiers en est issue. Je suis fatigué du sentimentalisme et des jeux grossiers qui m'ont occupé jusqu'à maintenant. À cette heure, je veux assister au spectacle de l'intelligence, et peut-être m'en rendre digne moi-même.

1er avril

Fait ma sortie de religion. (Je vous en prie, ne me sermonnez pas, ne me traitez surtout pas de voyou. Aidez-moi plutôt. Je dois combattre une excessive timidité, par conséquent une grande difficulté d'expression. Oui, c'est un fait malheureux que je sois inéduqué, tandis que vous êtes un homme cultivé, un prêcheur, un professeur de morale. Mais vous ne pouvez tout de même pas imposer la foi comme vous imposez les mains. Je me cherche une vérité; je cherche la vérité *pour moi*. Vous l'avez trouvée, dites-vous; mais d'abord, par combien d'heures de doute êtes-vous passé? — ou serait-ce que cela se fît sans crise?... Je me prémunis contre vos points de vue, comme vous contre les miens, qui me sont pourtant aussi nécessaires à moi que les vôtres à vous. Au demeurant, je ne suis pas en révolte; pas en haine non plus; je laisse simplement agir la grande indifférence qui m'est venue à ce sujet. Et puis, surtout, je veux me libérer. Il faut obligatoirement le faire...)

N'empêche que, chaque matin, je veux lire un chapitre de la Bible.

Une vieille légende (sotte comme toutes les vieilles légendes) raconte que, lorsque Adam mourut, son fils Seth plaça dans sa bouche un grain de l'Arbre de Vie et que, plus tard, de ce grain germa l'Arbre du Calvaire.

*

Je me délaisse un peu. La paresse me tient; et sur le plan sexuel, j'éprouve une évolution inavouable... Ceci est cause de cela, sans doute.

*

Sous peine de mort, une forte nouvelle de Simenon. La suggestion répétée d'une menace de mort sert d'arme au crime parfait. Écriture très imagée. Cet auteur est à lire, quand on a besoin d'un désennui.

*

10 avril

Je recopie mon carnet bleu, dont je noue le mieux possible les notes hâtives.

2 mai

De très bonne heure, grand réveil d'instinct; tout était presque silence et la nuit pâlissait. Effroi de lumières teintées. Rien ne restait de mon lourd sommeil; trou d'abrutissement. Pas même un rêve, pas même une phrase que le subconscient parfois rejette. Et c'est là tout le recul de mon enfance.

Mais en attendant le signal du lever, j'ai lu deux pages de ma Bible. Ces pages dans lesquelles revivent dans une grandiose poésie les premières générations hébraïques. J'aime et j'approuve le choix recherché des noms de fils. Moïse appela l'un Guerson: c'est-à-dire «étranger», car, dit le patriarche: «J'ai séjourné dans un pays étranger», et l'autre Eliezer: «Dieu m'est secours»; car «Le Dieu de mon père m'a secouru et m'a délivré de l'épée du Pharaon». N'est-il pas étrange pourtant, et presque insensé, que je lise la Bible ici, dans ce demi-jour, dans ce mauvais lieu, dans cette cuve d'inertie; que je lise le livre qui chante l'action et l'encouragement à la ferveur! Mais j'y trouve un tel plaisir, un apaisement que j'ai cherché vainement ailleurs. Je n'ai aucune espèce de foi; je n'y cherche donc pas Dieu. Ayant traversé toutes les nuances de la folie religieuse, du plus niais au plus fanatique, et sans trouver de bonne raison à aucune, il ne me reste qu'une immense lassitude de ce côté.

Ce dimanche était le premier depuis mon exemption religieuse: mon athéisme, quoique vraiment le plein sens de ce mot n'existe que pour l'être cultivé. Il ne reste pas assez d'imagination au vulgaire pour qu'il s'amuse à sensibiliser sa négation. Jules Soury, je crois, disait: «J'ai mis vingt années d'étude avant d'oser nier ce que le premier gamin venu saura nier entre deux tentations.» Parmi les diverses horreurs de mon enfance, j'ai choisi de nier Dieu et d'acquiescer aux tentations, cependant que mon coeur rêvait de mysticisme et d'ascétisme studieux. Non, vraiment, je n'ai rien fait pour me réserver une vie saine.

*

Tard la nuit; à la pâle lumière d'une lampe de veille, fiévreusement, je lis le chapitre «History», dans *Outline of Man's Knowledge,* de Clement Wood. Un volume très utile pour moi, mais c'est bien le moindre d'une bibliothèque garnie.

Douleur croissante à la jointure du petit doigt de ma main droite; c'est la partie la plus sensible de mon corps; mon imagination s'y porte jusqu'à ce que se crispent tous mes nerfs. Déjà, il me fait assez souffrir, j'ai peine à le plier et dois tenir ma plume à son extrémité pour écrire difficilement. Fièvre qui m'énerve.

Mais enfin il faut le dire. Je veux parler de B., ce beau gamin que je désire, qui est le sujet de mon évolution sexuelle. Ce matin, sans le regarder, sans sourire, sans le voir même, semblait-il, je suis passé près de lui, et ma manche a effleuré la sienne. Mon visage est resté figé, mais mon coeur brûlait. L'éternelle et décevante plainte : «Si près et pourtant si loin» a traversé ma pensée.

Je sens en moi de belles choses pour lui, que je ne parviens cependant pas à articuler ; sans doute ai-je encore besoin de silence.

Pauvre gamin trop rêveur, ta défaite est marquée. Oui, oui, insatiablement je pense à lui et insatiablement je le désire.

La vie s'explique peut-être mieux lorsqu'on aime une jolie personne. Et je dois bien comprendre que, parfois, un grand silence et des yeux baissés signifient plaisir intérieur ; l'âme écoute la voix chuchotante de l'amour.

3 mai

Nuit blanche, fiévreuse. Curieux, le silence ici, la nuit ; un silence effrayant, coupé de désirs, de ricanements, de cris d'effroi. L'appétit sexuel est une torture qui se balbutie le long du rêve. Ah ! nuit ! tendre nuit, qui double notre vie, qui en calme les bouleversantes épreuves. J'y accumule, en de longues rêveries, tous les petits faits étranges de ma vie et de mes lectures. Elle me remplit tour à tour d'émois vengeurs ou de ressouvenances paisibles. Tendre ou odieuse nuit...

Ma main était déformée par l'enflure de l'empoisonnement ; le doigt malade, d'une grosseur monstrueuse et chargé à la jointure d'un volcan de pus qui fermentait et semblait bouillir. Au dispensaire, j'ai attendu le médicastre une petite heure, supportant sur mon genou cette tonne de purulence active — auréole à la divinité de l'homme. Mais ces choses, si répugnantes à notre nature tendue vers une âme, ces choses si simples et si complexes à la fois, inutilement honteuses, détruisent la belle harmonie ; faut-il vraiment songer aux microbes amis qui combattent le fiévreux travail des microbes ennemis ? Enfin, l'infirmier, scalpel à la main, fit deux gestes élégants : «Ah ! la chirurgie, la chirurgie...» Il disait ça fixement, avec un petit ton intérieur, le trémolo de celui qui exprime enfin son obsession. Le pus bondit par la béance de l'abcès ; mon doigt fut pressé dans un paquet de gaze, et je le sentis comme se vider jusqu'à l'os. Le soulagement et la honte furent intenses et simultanés.

Les infirmiers sont comme nous tous de jolis névrosés, des cas psychopathiques et tous foutus de complexes. Je ne révèle pas tout ce que je sais, mais si l'on se donnait la peine d'une enquête sérieuse...

*

18

«We are by ourselves in a class apart», intellectuellement c'est-à-dire. Mon camarade L. semble prendre contact avec cette phrase et, par elle, porter jugement sur sa propre personnalité. Tout de même, je voudrais être plus modeste ; je ne fuis pas les autres, mais un suppliant besoin de solitude, parfois... Combien de fois, en écoutant mon meilleur ami, n'ai-je pas désiré être seul. Mais cela ne veut pas dire que, par dédain, par vanité, je me croyais supérieur. Je suppose que, le plus souvent, il faut taire ces choses entre amis, afin de ne pas blesser les sentiments, les susceptibilités de l'autre.

Il me scrutait pendant la conversation.

4 mai

Mauvais sommeil, plein de mauvais rêves.

À la clinique, encore ; l'infirmier m'apercevant s'exclama : «Mon opéré d'hier ! C'est mon opéré d'hier ! Et voyez donc s'il va mieux ce matin.» Mais quand le médicastre coupa court d'une voix brutale avec l'offensante remarque qu'il fallait un diplôme en chirurgie pour se permettre d'entailler les chairs et qu'il s'occuperait personnellement de mon cas, il se figea tout près, croisant fièrement les bras sur son paquet de complexes.

Vu quatre malades affreusement maigres ; j'imaginais leurs aveux tout le long du jour.

Couché de bonne heure parce que je souffre d'un violent mal de tête. Sensation que mon cerveau brûle et qu'une tumeur forme du pus dans les tempes.

*

Je sens dans mon cerveau — hésitation parfois devant un problème — le grand vide, le ravage qu'y a fait chacun de mes plaisirs solitaires. Personne, ni aucune loi — si ce n'est l'humaine —, n'est à blâmer que moi-même.

Là-dessus, dire encore qu'il y a certaines rêveries dont il faut avoir honte et qui doivent rester secrètes ; mais cette insatiabilité qui me touche présentement est abominable.

La révision de mon enfance sera toujours mon drame intime.

*

De plus en plus, de mieux en mieux oserais-je dire, je tiens monologue, quoique point si intelligemment encore. Je n'ose pas beaucoup d'opinions, et une seule parfois finement exprimée me suffit. Ce qui m'empêche surtout, c'est que je suis à la dérive, projeté du oui ou non, cerné d'une foule d'est-ce ceci ou cela désespérants; puis, trop d'indolence naturelle me défend de définir lucidement ce qui se passe en moi et qui, parfois, vaudrait bien la peine d'être dit.

*

Vie intellectuelle, octobre 1947. Une revue française essentiellement catholique et très très très intellectuelle.

Tout ce que je fais m'exaspère par son insuffisance et parce que, surtout, j'ai la certitude de traîner la patte, de ne voir que le déjà vu. Je voudrais bien échapper à l'apprentissage, mais j'en suis encore au stade des illusions d'enfant. Il faut plus que jamais m'occuper de mes études, exclusivement; prolonger mes veilles dans une ferveur profonde.

Je balbutie ma joie d'espérer. Mon enfance fut trop longue; je veux dire: cette période où l'on est tout stupide d'émerveillement. L'homme seul en révolte ouverte contre la société est impuissant. Pour lui, l'action est impossible ou si tôt bornée. Il faut un fort individualisme; une culture.

13 mai

B. Si j'étais superstitieux, je marquerais ce jour soigneusement, car sa gentillesse pourrait un jour devenir une cause de chagrin pour moi. Ce matin, tout à coup, je lui dis: «There was a boy, a very strange, enchanted boy. It is you and...

«The greatest thing you'll ever learn
Is just to love and be loved in return.»

For you know, this song, Nature Boy, was written expressly for you.» Après avoir parlé cependant, j'eus la sensation dégradante que j'étais saoul et que je me tenais près d'un lit où l'amour — la débauche vaudrait-il mieux dire — venait d'être joui ignoblement.

Parmi certaines gens dont les sentiments ne sont pas trop raffinés, on peut facilement suggérer l'amour; l'amour et la peur. Gens à l'âme pauvre et désoeuvrée.

27 mai

Lettre de L.; un peu confuse.
Vu de loin, il me parut soudain vieilli.
À B., dans une conversation plaisante: «Have you listened to your song, last night?
— Oh, yes!»

20

Ce trop confiant sourire qui m'attriste.
Près de lui, je ne touche plus à la réalité.

29 mai

«Why are you here?
— To love you.»
Il me sourit, de la tendresse plein les yeux. C'est impeccablement ridicule, l'amour.

*

Tous les magazines servis ici sont pleins d'un américanisme outrageant pour l'intelligence, imprimés pour bluffer le monde. C'est de cours, aujourd'hui. Mais, pour moi, le climat intellectuel de Paris est au-dessus de tout cela.

30 mai

B. Il est de la nature des anges. Il n'appartient pas à la terre. Il ne connaît pas — ou peut-être connaît-il trop — l'éblouissante gentillesse de son sourire. Je guette sa jeunesse, le seul fait visible de mes jours...
«You know, someone once said: «To disturb is my role», but I wonder if he could really disturb you.
— Oh yes. I think he could.
— Well then, I imagine he would say to you: «Aesthetism is to look for the beautiful». You are beautiful and I have found you. Come!...
— He would disturb me, surely.»

Accompagné de cet acquiesçant sourire. Comment ai-je pu penser un seul moment que je pouvais m'assagir? Certes, il n'est pas facile d'aimer.
Chacun vit ici dans un monde à soi, différent, presque imaginaire, où le plus réaliste ne l'est plus du tout. B., par exemple; il vit dans ses lectures, il s'y découvre et n'en ressort jamais. J'aimerais lui dire: «My dear B., just get out of your dreamland, it will be much more simple.» Pourtant, qu'ai-je à y faire? N'a-t-il pas tous les droits humains de vouloir embellir ses désirs? Les sentiments sont d'ailleurs toujours un peu faux. On s'accorde même une façon de souffrir et d'aimer. Comme le disait très bien La Fontaine: «Toujours un peu de faste entre parmi les pleurs.»
Mais le sentiment excessif que j'éprouve soudain pour ce gamin est la seule chose qui n'aurait jamais dû m'arriver maintenant.

«I don't believe you are so detached from life as you sometimes seem to be. I know you are a very passionate being and it is why I am so fond of you…»

Pourtant, je hais l'étroit cubique de son I.

J'aimerais qu'il me dise les choses mêmes qu'il n'ose s'avouer.

*

Je végète dans mes aptitudes routinières. Il ne faut surtout pas que je m'abreuve de regrets et finisse par tomber dans un romantisme absurde. Mes inaptitudes sont morales à leur source, et je les ai laissé s'infiltrer en moi sans les combattre, par mille et une tentations, acceptées comme les plaisirs, sans jamais trop de goût pour ce qui aurait dû être leur satisfaction durable.

En somme, m'imposer une discipline plus stricte et cesser de m'abrutir dans une triste déchéance…

*

Je n'ai jamais eu d'amis. En ce sens que je suis capable de prévoir tous les désirs et tous les besoins d'un tel être, et que je ne me suis jamais vu le faire. Comme l'amour, je sais ce qu'est l'amitié; l'amour n'est pas d'employer la même brosse à dents, comme en veut rire le terrible Maugham, mais c'est un peu la sensation perçue d'un moment présent arrêté, sans passé; c'est un moment de beauté mis à part, l'entente parfaite de deux âmes. L'amitié, un partage d'égoïsme.

*

Mémorisé le beau poème de Baudelaire, *L'Invitation au Voyage,* dont je veux faire mon rêve familier:

«… Vois sur ces canaux
Dormir ces vaisseaux
Dont l'humeur est vagabonde:
C'est pour assouvir
Ton moindre désir
Qu'ils viennent du bout du monde.»

Ah! magnifiques les promesses chuchotées dans ce poème! Parler ainsi des joies possibles, de la beauté des cieux lointains et enchanteurs, des espoirs multiples rendus réalisables enfin; comme c'est bien tout ce que je voudrais faire et chanter.

*

B. Les avant-propos dont je m'étais muni et que je voulais lui dire, mais qui ne comptent plus dès les premiers mots qu'il murmure. Près de lui, je réabsorbe mon misérable désir... «J'oublie, en le voyant, ce que je viens lui dire.»

Pourtant, j'écoute en moi de si belles choses — peut-être excessives — que j'aimerais lui dire. En d'autres moments, quelque chose ricane en moi; je voudrais rire, je voudrais crier mon rire; cet agaçant sérieux m'exaspère. L'amour ici! Allons donc! C'est comme les morts de Barrès; il faut voir l'auréole tout en or lumineux qui les coiffe; à la longue, c'est trop peu facile.

*

Si mes projets sont lents à se réaliser, c'est que j'exagère et aime exagérer l'application que je porte aux études, quoique vraiment je flâne outrageusement. Je lis trop irrégulièrement d'ailleurs pour bien progresser.

*

L'entraînant style de Rabelais, lorsque Gargantua est père, qu'il est hésitant entre la peine et la joie, à la mort de sa femme et la naissance de son fils: «Ho! mon petit fils, mon peton, que tu es joli. Ho, ho, ho, ho que je suis aise! Buvons. Ho! Laissons toute mélancolie; apporte du meilleur, rince les verres, boute la nappe, chasse ces chiens, souffle ce feu, allume la chandelle, ferme cette porte, taille ces soupes, envoie ces pauvres, baille-leur ce qu'ils demandent, tiens ma robe que je me mette en pourpoint pour mieux festoyer les commères.»

Ma faim appauvrissante de lire ces livres. Terrible. L'homme est un animal adorateur et, homme, j'adore la chose écrite.

Sur son lit de mort, quelqu'un disait, rapporte Barrès, ceci que j'aime bien: «Il n'y a qu'une chose que je regrette et ce sont les livres que je n'ai pas lus.»

*

Le carnet bleu. Ce projet que j'ai de m'isoler, de faire abnégation des sentiments; cette déspiritualisation enfin, cela peut être odieux. Mais je ne voudrais point reculer. Je dois réfléchir sans cesse sur ces actes et ces pensées qui furent cause de mes regrets. Bref, je veux être meilleur.

Mais de tout cela, qu'aurai-je? Serai-je jamais satisfait? reposé? sûr de moi? Même au milieu de mes plus secrets désirs, de mes passions les plus effrontées, des plus intimes satisfactions de mes rêves, que m'adviendra-t-il de bon? Un peu plus de peine, un peu plus de honte peut-être...

Ah! Cette sensualité dégoûtante, insatiable, dont je rêve; sans cesse, je rôde dans un gouffre de sexualité et de sang.

*

«Ô frères! tristes lys, je languis de beauté
Pour m'être désiré dans votre nudité,
Et vers vous, nymphes, nymphes, ô nymphes des fontaines,
Je viens au pur silence offrir mes larmes vaines...»

Je ne suis pas perceptif comme j'aimerais l'être à la poésie de Paul Valéry. Tristement, je réalise que ma nature, là, est en faute. Point n'est besoin d'être un génie pour pleinement goûter cette oeuvre admirable. Du moins, j'aimerais m'en convaincre. Je lis, par exemple, le «Narcisse parle»; cela ne me dit rien, presque rien. Même si chaque vers, parfaitement ciselé, brûle en moi comme une flamme ardente, la sensation reçue, je ne la perçois point qui serait extérieure à la simple tonalité des mots. C'est pourquoi je suis en peine, car je crains de ne pouvoir jamais goûter cette oeuvre que l'on dit admirable et dont le sens m'échappe entièrement.

Pourtant quelque chose me dit que je tiens dans mes mains le plus beau livre d'heures: «La jeune Parque» et le «Narcisse»; que seule mon atrophie spirituelle m'empêche d'y puiser les plus grandes joies de la compréhension poétique. Je l'ai lu ce soir, et, durant la nuit, je vais le transcrire. Comme un enfant qui croit créer en imitant, il me semble qu'à retracer chaque mot j'avancerai vers la perception de son secret.

Ah! que j'ai de la peine de n'être pas plus sensible à la beauté! et de ne jamais trouver dans la chose écrite qu'un stupéfiant à mon ennui. Que j'ai honte à savoir les plus grandes oeuvres de l'esprit humain pour toujours impénétrables à mon intelligence! Et cette merci me vient aux lèvres: ô dieux, je vous en conjure, permettez qu'il n'en soit pas toujours ainsi et que puisse un beau jour goûter aux fruits de votre don le plus parfait: le génie. Qu'il me soit permis d'assister, ne serait-ce que de loin, et subrepticement, à votre beau don de l'intelligence.

Maintenant, il me semble que les usures du corps, par le passé mauvais, empoisonnent peu à peu ce qui était resté pur de mon âme...

«Un grand calme m'écoute, où j'écoute l'espoir...»

*

Avec quelle joie je prends ce livre que m'offre le camarade L., *Pages de Journal,* André Gide (1929-1932). Un mince volume, de pages choisies sans doute. Je m'étonne un peu d'abord que cet auteur, dont on dit tant la probité, ait accepté une représentation réduite de sa pensée. Mais quel plaisir ai-je pris à cette lecture! Je m'y suis perdu avec la même ferveur de disciple que pour ma première lecture de Barrès, celui des *Cahiers.*

24

L. m'écrit : «Mon âme est lasse, a besoin de repos, car depuis quelque temps je l'ai sursaturée de sensations.» Cela est d'un sentimentalisme vulgaire, et j'ai l'impression d'avoir déjà lu cette phrase quelque part, mais il ajoute aussitôt un je-te-veux-avec-moi qui me charme.

*

Pages de Journal. Cette lecture m'enchante tout à fait, encore qu'en maints passages elle me mystifie comme un jeune enfant. J'en veux faire maintenant un de mes besoins spirituels, et parvenir avec mon coeur plutôt qu'avec ma pensée — ce que Gide désavouerait sans doute, lui qui, le plus souvent, ne trouve de valeur que dans la raison même —, parvenir avec mon coeur au sens de certaines phrases. Ah! cet homme est un maître. Il s'adresse essentiellement à tous ceux qui se veulent sincères ; il s'adresse à l'Homme. Et quel beau style il a pour tenir ce journal ; on assiste à la formation de sa pensée, elle s'étale, s'agrandit, est dite toute simple et comme suggérée. C'est sur lui que je m'appuierai pour me former une base de culture, une définition d'ensemble nouvelle d'un fervent humanisme.

*

Le plus important, au cours de ces heures forcloses que j'ai à servir, c'est de me délivrer de l'ambiance d'ici et de me perdre complètement dans les études, passionnément dans toute lecture instructive ; ne plus, ah! surtout, ne plus jamais cajoler ce bas retour à la vulgarité. Ce qu'ils font, les gens de justice, n'est pas bien sans doute, mais ce que j'ai fait n'est pas très bien non plus.

*

Si jamais je dois parvenir à me personnifier au maximum dans un travail quelconque, que je trouve d'abord la nature de celui pour lequel je suis né.

Méditer intelligemment chaque heure.

Est-ce que je ne cherche pas souvent à mettre ma vie «en gage», pour le rachat de cette autre vie que, déjà, je voudrais précédente ? Le dangereux, au début d'une conversion — et j'étais en train de me reconvertir à mon rôle d'homme pensant —, c'est de prendre trop au sérieux le rôle nouveau qu'on se donne. Refuser l'amusement, comme le jeu d'échecs par exemple, sous prétexte qu'on croit comprendre que la vie doit être absolument sérieuse, c'est plutôt ajouter encore à la bêtise. Non, il faut une vie simple, équilibrée, intelligemment sincère... Mais, si elle est trop intelligente, peut-elle être vraiment simple ?

Pouvais-je ne pas prévoir de loin que j'aurai à traverser une longue période difficile, où j'aurai surtout à souffrir de l'incompréhension de certains de mes camarades. Car ma recherche d'une culture apportera une transition, un état d'âme, habituellement inacceptable ici, surtout aux complices d'hier. Déjà, j'ai dû cacher, ou plutôt modifier, un peu dans mes propos l'enthousiasme — maladroit d'ailleurs — où me soulève la lecture de ce *Journal* d'André Gide. J'ai toujours vécu dans une ambiance semblable à celle d'ici, et j'y étais fréquenté pour ce que j'y donnais d'effronté, de vulgaire. Maintenant, appliqué vers une éducation toujours plus haute, plutôt que dans une banale admiration pour les petits gangsters de jadis; ma nouvelle attitude enfin leur déplaît, leur semble une prétention, une pose — et peut-être l'est-elle, ce que je n'ai pas encore su définir vraiment —, mais je veux absolument me reprendre, m'éduquer par les plus grands efforts, avec tout ce que ce terme peut vouloir dire d'impossible. Je veux trouver en moi une vie possible meilleure...

*

Ce que dit Gide sur Barrès n'est pas sans me choquer un peu; première note, page 18. Il écrit «son ignorance», là où je voyais l'intelligente perception du poète, du styliste de classe... Ce qui m'a plu d'abord chez Barrès, et me plaît encore quant à cela, c'est une certaine sensualité mauvaise dans son fond, même si j'ai pour cela une âme à la Mimi Pinson. Je suis pourtant trop réaliste pour ne pas me prémunir contre ces indéfendables et ridicules sentiments dont Barrès aime se sursaturer. J'ai été délicieusement surpris par Barrès, quoique je sois resté sur le qui-vive; car j'étais parti de trop bas pour m'assurer tout d'un coup et, pour ainsi dire, par une seule lecture une connaissance littéraire bien fondée.

Et Gide ricane: «Les confortables idées fausses».

L'anecdote (p. 8) sur Barbey d'Aurevilly se trouve ici depuis des années, mais se décrit avec, en plus, d'abondants détails de mesure.

Mais je trouve, ah! quelle jolie page qui me touche, qui pénètre en moi, au plus profond de mon être: «Certains auraient encore le coeur suffisamment tendre, qui manquent d'imagination au point de ne pouvoir se représenter, fût-ce faiblement, les souffrances de ceux qui ne sont pas du tout près d'eux. Ce qui est lointain ne leur paraît plus réel, et ils lisent les descriptions de ces détresses du même oeil que les récits d'horreurs des temps passés. Cela ne les touche pas. Un habile romancier saurait mieux les émouvoir; il y a dans leur sympathie pour des infortunes imaginaires quelque complaisance flatteuse; la connaissance des douleurs réelles ne fait que gêner. Ils pensent: «Qu'est-ce que vous voulez que j'y fasse?» et, dans la certitude de leur impuissance à secourir, trouvent une permission de repos. Quant à se sentir, par leurs opinions mêmes, quelque peu solidaires des oppresseurs et des bourreaux, cela ne leur vient point à l'esprit. Évidemment, ils sentent et se disent que, s'ils vivaient dans les pays où ces abominations se produisent, ils seraient, eux, du bon côté. Et n'est-ce pas parce que je me dis que je serais de l'autre, que ces récits m'émeuvent à ce point. Se sentir du côté de ceux que l'on opprime cela fait partie de mon optimisme; et je sais que, supportant avec eux leurs souffrances, mon optimisme n'en serait pas abattu. Il n'est pas à la merci des contraintes. L'optimisme profond est toujours du côté des martyrisés.

«Ce n'est pas du tout que je me sente plus humain aujourd'hui que du temps où l'on ne pouvait trouver trace de ces préoccupations dans mon oeuvre. Simplement, j'avais souci de leur en interdire l'accès, estimant qu'elles n'ont rien à voir avec l'art. Mais comment oser encore parler d'art, aujourd'hui. Plutôt cesser d'écrire que taire ce qui surtout gonfle mon coeur.» (p. 56)

Ce simple murmure d'émotion pour finir; mais trop de gens, et moi-même le premier, imaginent que les grands écrivains ont tout vu sans peine, et que, dorénavant, ils restent froids devant les grands malheurs du monde et ne s'occupent plus que de les décrire le plus heureusement possible. Mais, au contraire, n'est-ce pas une nature touchée à vif qui leur permet de décrire les nuances précises d'une émotion?

Au fait, je ne crois pas à la nécessité absolue de l'altruisme, mais il me paraît raisonnablement humain d'avoir parfois une pensée pour l'autre.

Ce livre de Gide, je l'ai relu avec un renouveau de plaisir, et d'ici septembre il ne faudrait pas que je lise d'autre livre, avec ma Bible, afin de ne pas briser le fil neuf que m'ont tissé ces pages.

«Une oeuvre d'art, c'est l'exagération d'une idée.»

*

Dans ce cahier ou, de temps à autre, j'aime inscrire quelques lignes, il me prend envie ce soir de m'y passionner et d'en faire une sorte de journal à tenir régulièrement, comme discipline. N'écrire pourtant que lorsque l'exige en moi l'être plus qu'humain.

18 juillet

Lassitude dégoûtante. Je me retourne dans un marasme, parmi les mêmes mots, les mêmes idées, en quête comme un chien l'est de nourriture. Et puis, mais faut-il le redire, je m'efforce de m'éloigner de B., qui m'a si bien tenu et me tient encore, et que je veux quitter à cause de moi-même surtout car il n'est pas en faute de rien. C'est en moi la défaite; chaque erreur. Oh! ce parler livresque, ce sérieux, ce faux intellectualisme; mais cela n'a pas de sens! Je voudrais m'en moquer: éducation, pose soignée, culture; ricaner de toutes ces attitudes, et retrouver la joyeuse vulgarité de mon avant-première lecture. Je voudrais crier mon rire jusqu'à ce que les larmes m'étouffent; on ne saurait alors si elles sont larmes de joie ou de peine...

Comme il faut détruire à leur germination les sentiments dont l'usage n'apporte qu'un déficit.

20 juillet

Je perds un peu facilement courage et cherche l'excuse dans la promesse que, demain, je ferai mieux. Le but proposé s'éloigne ainsi de moi. Depuis que je tends à m'éloigner de B., ce beau gamin qui énerve mes sens, c'est atroce comme je souffre. Je suis mécontent de tout, dégoûté, honteux. Le malaise de regarder autrement qu'avec fixité m'épuise. Sensation de me vouloir à six pieds sous terre, n'importe où ailleurs qu'ici. Tout le long du jour je suis conscient de sa personne, de ses yeux étonnés qui cherchent les miens pour y comprendre le pourquoi de mon attitude évasive. Je parais même le fuir et il ne comprend pas pourquoi. Il doit comprendre mes tourments, venus de mes désirs inavoués — inassouvis. Je me sens pris en faute, et mon attitude me rappelle la stupide bouderie d'un enfant gâté.

Ah! comme elle m'écoeure cette complaisance aux regrets des heures mal osées.

Je songeais tout autrement ces phrases que je viens de relire. Phrases trop semblables, trop longues, trop nombreuses et mal pensées. Une seule eut suffi à décrire avec justesse mon état d'esprit; il faut dire aux cyniques: Ne médisez pas de l'amour, c'est l'espérance des faibles.

Ceci, surtout à cause de leurs yeux qui peuvent voir et de leurs oreilles qui peuvent entendre, je hais maintenant ceux contre lesquels je n'éprouvais qu'indifférence auparavant. Rien ne pourra plus m'apaiser et assouvir la haine que j'éprouve pour ce lieu de honte. Il me faudra maintenant la poursuivre, cette haine, car elle sera le gage de mon individualisme.

21 juillet

J'écoute attentivement les discours gueulards du parti — de la politicaille vaudrait-il mieux dire — de l'Union Nationale. Le premier orateur à se faire entendre est le député de Champlain, M. Bellemare. Rien n'est plus simpliste, plus vulgaire; hoquets de basses insultes. Puis M. Houde, maire de Montréal, qui se lance dans le camp adverse, lui aussi; c'est un acteur-né qui aurait fait sensation dans les foires, dans des mimiques d'ivrogne.

Il connaît l'esprit de la masse et sait la flatter avec le meilleur effet. Il ne dégueule lui-même qu'une politique de ruelle.

22 juillet

M. Godbout, ministre sortant de charge, j'en suis sûr, et qui parle avec un peu plus de pondération, mais de choses dites et redites; on sent la gêne, l'humilité, le besoin d'être accepté.

M. Duplessis, chef de parti et matamore; un affreux sans-gêne et la connivence du puissant clergé du Québec, cela surtout, l'ont conduit à son absurde notoriété.

Quelle tristesse m'écrase lorsque j'écoute ces bêtises. Nous sommes les objets de ces gens-là.

24 juillet

Légèreté et insouciance; c'est la mentalité de ce lieu-ci, et on ne tente rien pour la corriger.

Il faut me secouer avec violence pour sortir de la léthargie où la pensée de B. me plonge. C'est la première fois qu'une telle chose m'arrive, et je ne sais plus que dire ou que faire. J'ai beau y penser sans cesse, m'accuser et chercher l'excuse, l'aimer ou le haïr par-dessus tout, rien ne se présente qui m'offrirait une libération même momentanée. Je comprends bien obscurément que mon sentiment est excessif, ridicule, et de même mon dégoût, mais cela ne m'avance guère, je sens plutôt chaque jour venir plus près la crise nerveuse. Je voudrais oublier tout cela en me jetant dans une grande débauche, me jeter dans n'importe quelle page d'un roman vicieux. Mais, las! Comme je me sens moral, et presque chrétien dans l'amertume d'un goût de prière. Ah! reposer enfin dans l'illusion ma lassitude de cette illusion. Et c'est un peu à quoi se délimite la signification d'un rêve de la nuit passée; rêve d'enfant nerveux, où se mêlent la folie et la simplification des complexes, de l'idée fixe et perverse.

Ah! mais mon cher B., que toujours tu sois et personnifie cet instant de beauté dans ma vie autrement remplie, jusqu'à la hantise, de turpitudes et de bassesses.

Car faut-il, Seigneur, que j'aie péché!...

*

Un fait étrange trouble l'atmosphère ici; comme si les sentiments de chacun étaient transmis à chacun; la haine, la méfiance, le dégoût prônent parmi ces sentiments.

27 juillet

B., combien il est sensible; pourtant, je ne dois pas le lui dire. Dans la plus grande intimité, comme il reste fermé, inquiet, tourmenté presque par le doute que cette intimité ne soit point sincère. La vie lui fait peur, le lit que tous exigent de l'amour. Je voudrais bien combattre les anxiétés de source sexuelle qui me viennent devant lui, et annuler les impulsions qui surgissent du plus profond de mon être... Je jure, Seigneur, que j'eusse souhaité n'être jamais seul avec lui. Ah! son petit être parfait...

*

Je n'écris plus que par obstination à vouloir désembourber mon esprit, mais comment surmonter ce malaise qui, de ma pensée à la plume, devient inintelligence? Hélas, je suis l'esclave de ce que j'ai laissé se perdre; et je sens, mais je sens que je ne puis revenir sur le passé et rendre belles des heures laides.

*

Zigzags autour de nos parlers, Louis-Philippe Geoffrion, Éd. le Soleil, 1925. Un petit volume instructif, trop mince mais utile. J'y reprends cette citation prise chez Molière, et qui m'amuse fort:
     «Mon Dieu! je n'avions pas étudié comme vous,
     Et je parlons tout droit comme on parle cheu nous.»

*

Micheline, ma nièce, le rôle pervers qu'elle joue dans mes rêves. C'est une diversion que je cherche inconsciemment. J'ai de solides principes moraux, mais je suis aussi de nature indolente et sensuelle, facilement porté aux excès. Contre le sens des proportions, ce grain de sensualité l'emporte et bouscule tout le reste.

Bien s'expliquer le pourquoi de ses actes. Essentiel.

Parfois, à cause d'un sourire, l'on m'a pris pour un pervers offrant le plaisir. Je me moquais avec ravissement.

Un peu de solitude et de silence nettoie les saletés morales des échecs; il faut dire la bonne solitude, le bon silence.

«Tout dans la vie doit être intentionnel, et la volonté constamment tendue comme un muscle.» Comme je voudrais savoir obéir à cette belle phrase-action...

*

Seven Pillars of Wisdom, Lawrence. Beau livre, livre merveilleux sans doute, mais que j'ai mal lu et vitement afin de le remettre au matin.

*

«It is possible to cull many an absolute delight, and to taste before we die some moment of utter enchantment. I have snatched them repeatedly from the chase, from music, from wind and from love. The rest is slavery. I have been the occasion of pleasures to other as pure as those I have enjoyed. I am content to have transported and redeemed for a moment from vulgarity those who have loved me in my days.» Il serait difficile de dire plus sensuellement ces phrases à la signification parfaitement sensuelle, et que Santayana met dans la bouche d'Alcibiade, et que j'aimerais entendre de la bouche de B. Ce matin, je les lui ai citées, et il a souri de toute sa bouche.

*

Parfois je souffre, mais uniquement à cause d'un humiliant MEA MAXIMA CULPA; il n'en tiendrait qu'à moi d'être heureux; car de ce que je pourrais dire et faire, amoureusement me viendrait le bonheur.

B., combien je le sais sensuel et pervers.

Je voudrais contredire les mots déçus qu'on a écrits sur l'amour.

*

Dans la musique se trouve l'expression de nos âmes solitaires; et par la musique qu'ils préfèrent, certains nous révèlent la pauvreté ou la richesse de leurs désirs.

J'aimerais ce soir entendre la voix d'un être qui aurait beaucoup et bien vécu. Mais tout au plus puis-je entendre mes voix intimes me charger des pires fautes.

*

Lettre de L., qui sort du «solitary». Tout le ton en est un d'effroi.

Conversation avec F. Mais comme cet homme est bon, est excellent. Chaque jour, je le reconnais davantage. Il est aussi jeune que moi et pourtant j'aime imaginer que c'est mon père, tellement notre amitié tient à mon coeur. J'y vois comme une sorte de parentage. Il est celui à qui, souvent, je me confie avec abandon.

D'autre part, je m'éloigne d'anciens camarades, d'anciens complices. J'en suis heureux, comme disait l'autre.

31

S'il fallait prévoir les échecs, la vie nous serait impossible.

*

Je traînerai toujours après moi un misérable sentiment d'infériorité; j'imagine avoir tort, ne comprendre que superficiellement les détails des faits compris des autres. Il me semble que je ne vois certaines idées que rapetissées, que médiocres, que puériles, quand les autres y voient de grandes choses.

Je me soumets trop passivement à certaines exigences de ceux que j'estime; à mes amis, j'ai ce défaut de leur laisser tous les droits.

*

B. Ce petit oiseau voleteur, et je serais assez reptile pour le fasciner.

8 août

Je lis d'un trait le *Journal,* de Marie Bashkirtseff. C'est un joli volume de la pudique collection Nelson. J'ai été à la fois passionné et dédaigneux, refusant de me voir dans certains aspects de cette âme de femme. Mais vraiment, après cette lecture, comme je me sens pauvre d'esprit et de tâche. Il en est ainsi de chaque lecture qui me montre une précoce intelligence. Je vois bien qu'il me faudrait me taire et n'espérer plus rien de mon indolente nature.

Cette femme qui se plaint de sa solitude, malgré sa culture et son talent, qu'aurait-elle trouvé à dire dans ce lieu-ci? La même chose que lamente le *Journal,* je suppose.

Une très sainte phrase, crue dans sa vérité même : «Un certain volume de péché est aussi nécessaire à l'homme qu'un certain volume d'air pour vivre.»

D'ailleurs, ce livre ne peut pas me satisfaire; c'est un de ces livres qui tourmentent; un bon livre qu'il faut jeter après l'avoir lu; le lancer à Dieu, au Diable.

Je suis le premier ici à lire le livre entier; plusieurs pages de la seconde moitié n'étaient pas coupées.

Une femme supérieurement intelligente, seule avec son démon, assoiffée de vie, de sensations.

C'est le livre même que je voudrais donner à ma fille, comme lecture particulière, de chevet, d'émancipation intellectuelle d'entre ses compagnes.

Très singulier que ce livre soit ici, voué au dédain de gens vulgaires.

Il me semble malheureux de ne pouvoir être plus que soi-même, lors des grandes occasions.

Mais ce *Journal* commencé à douze ans? Je voudrais être respectueux des conventions, mais tout de même! Il me paraît quelque peu excessif qu'à peine à l'âge de raison cette fillette puisse écrire si bien. Sans doute, l'on pouvait, sans le dire, se permettre quelques retouches; non, ici, ce serait tel quel; et d'autant plus qu'elle était étrangère, quoique de bonne, d'excellente éducation française. Ce qui m'inquiète, et j'écris le mot juste, c'est, dès la première page, cette forme d'art avancé; «Les larmes me viennent aux yeux; elles sont dans les yeux et vont couler à l'instant; elles coulent déjà...» Eh bien, je dois avouer pas trop effrontément qu'à vingt-cinq ans je ne suis, à côté de ce qu'était cette fillette à douze, qu'un vulgaire phraseur, sans émotion aucune ou que très banale. Pourtant, à cet âge, je me souviens avoir eu, durant les promenades nocturnes où me poussaient mes révoltes contre le chicanier bien-être de la famille, des états de surexcitation, de singuliers élans poétiques que j'ai depuis perdus dans une bête débauche. Le Moi de moi-même, imaginé presque, mal compris sûrement, que j'aime et déteste à la fois, est forclos d'hébétude parce que j'ai manqué à moi-même. La seule lecture de ce beau journal de jeune fille me jette dans la honte...

*

B. «Of course, I am in love with you but I think it is nonsense.» Quel plaisir me donnent ces moments où je l'écoute et l'aime. Moments délicieux passés près de sa gentille personne. Je ne trouve presque rien à lui dire, même si je suis plein de pensées, de suggestions, d'amour. Je le regarde et le désire, tandis que subsiste cette familiarité; surtout n'en rien perdre. Sa voix murmurante, et la passionnante curiosité avec laquelle il parle d'un livre qui lui a plu, d'un être qui l'a aimé, d'une joie qu'il a connue étant jeune.

Il n'appartient pas au commun des gens.

Je ne sais plus que croire, non plus ce que je pourrais trouver satisfaction à croire. J'en suis à découvrir les vices multiples qui s'attachent aux passions mal gardées; la jalousie, la méfiance, la méchanceté. Ces vices s'agglutinent sur tout, la plus pure beauté même, et font de la vie une chose absolument macabre.

«...living eyes can see but a short distance.» (Santayana)

Il arrive que la déchéance est ce qui reste de plus honnête et de plus satisfaisant dans la vie.

*

«Spengler and Toynbee», Owen Lattimore, *Atlantic Review,* avril 1948.

Cette lecture me fait voir sous un autre jour la manière d'étudier l'histoire. Étudiée à fond, elle complète toute culture; chaque science, chaque profession qui est branche de cette science. Dans mon nouveau programme d'études, je devrai prendre cette meilleure manière, indiquée ici, de grouper les notes. Toynbee les met en fiches parallèles pour comparer ainsi, en contemporanéité, l'histoire de chaque race et de chaque civilisation. Voir aussi Gibbon; ses conseils sur la lecture.

«But this once possible over all erudition is no longer: Faust is now inadmissable.» Malheureux, cela.

*

Ici. Durant certaines conversations, où sont débattues des questions intimes, il faut se tenir à l'écart et ne rien perdre des propos, des physionomies, des égoïsmes. Quelques-uns: rien ne leur peut être appris.

Chez quelques autres: le besoin d'être courtisé, le besoin de courtiser.

Les lectures qui me manquent ici ne pourront être suppléées par aucune autre.

*

B. Non, je ne l'aime pas. Je suis incapable d'amour maintenant; à trop perdre de moi-même, j'ai manqué. L'amour, c'est surtout se perdre dans l'être aimé. Je suis l'enfant de deux natures parentes; c'est-à-dire encore gourmand de plaisirs, sans me donner d'être facilement joyeux et de jouir sans regret; de tout désirer sans compter et de sacrifier à mes sens toutes joies possibles.

Je suis aussi obsédé par le désir d'être sage, mais cette sagesse, l'ayant apparemment atteinte, aussitôt me dévore, et le regret des joies perdues me paraît une faute grave.

Pauvre, pauvre, pauvre moi-même trop jouisseur.

N'y aurait-il pas entre nos désirs et nous, à mi-chemin entre nos désirs et notre situation présente, la définition, l'explication, sinon la limite de notre être? J'y crois presque à cette fantaisie mal simplifiée par les mots.

Quelle indolente enfance j'ai eue surtout; sans études, sans aucun devoir, sans rien qui ne fût plaisir immédiatement.

Il est très tard, passé minuit certainement. Je souffre d'insomnie, mais sans autre malaise que l'énervement de la pensée; pensées fixes, sermonneuses, bornées et tournant autour du même point, comme attachées à un pieu.

La nuit est douce, ma fenêtre est ouverte, et de mon lit où j'écris ces mauvaises lignes je n'ai qu'à lever la tête pour voir la lune énormément proche, belle, froide et quelque peu fascinatrice, comme une irisation phosphorescente. On dirait que c'est le phare de la tourelle principale et qu'elle veille à déceler toute fuite probable.

Longtemps j'ai songé à B.; à ce qu'il m'est et à ce qu'il peut m'être, surtout.

Mais ce temps-ci ne compte pas; je voudrais m'en voir échappé déjà; tenir cette misère présente loin en arrière dans ma vie. J'ai comme une hâte d'être vieux, au repos, car mon adolescence frivole m'a très fatigué. Cette période-ci, rien n'en restera; pas le moindre souvenir attachant. J'aurai oublié même ceux que j'ai aimés. Cet infâme présent, mais c'est encore pour moi le rêve, la cène, la gestation d'un avenir sans pareil, et je m'y perds complètement. Je voudrais bien ne pas vivre l'heure qui passe et m'éveiller libre dans l'avenir.

L'étrange, l'attirante et merveilleuse jonglerie de nos nuits ici est une soûlerie opiomatique...

*

Sans fin durant les heures du dégoût. J'écris mal et avec lassitude les nuances de mon ennui. J'écrirais volontiers autre chose mais, ce soir, je n'ai rien d'autre à dire que ceci, peut-être:

«Dis-moi, petit, quel âge as-tu?

— Vingt-deux ans, monsieur.

— Oh! mais tu me sembles bien plus jeune encore...

— ...

— Tu souris avec beauté. Viens près de moi, afin que je te regarde, te touche et t'aime.»

C'est tout, car la passion est indescriptible.

*

Si tu me critiques, c'est donc que je n'ai pas donné ce que tu attendais de moi; mais si tu attendais quelque chose, il fallait bien me le dire.

Presque toujours j'ai désiré être seul: culpabilité.

Et seul je me promène, aussi las que le jour.

F-3602 — *Le Tatouage bleu,* Horace Van Offel. A.M. 17.

Un tout sentimental roman à l'eau de rose gâtée, mais il s'y trouve parfois un réalisme, un saisi-sur-le-vif surprenant. J'en ai vécu l'expérience. Et ce passage relu: «En attendant (de commettre un crime), j'étais énervée. J'avais pris Robert dans mes bras et je l'embrassais sur la bouche. Maintenant, j'étais contente de le savoir infâme. Ça le rapprochait de moi ; on se valait, on faisait la paire. Ses baisers me rendaient folle. A la fin, il me renversa sur le gazon.

«...Je n'avais plus aucune pudeur. Quelle joie d'être ainsi vautrée dans le gazon, les mains crispées aux herbes, les yeux remplis d'étoiles. Au moment où la volupté allait tendre mon corps comme un arc bandé, le passage brutal d'un train fou nous surprit. Il traversa l'espace comme une flamme, en lâchant un grand cri de bête égorgée. Je criai aussi. Il me semblait que l'on m'ouvrait le corps d'un grand coup de couteau et que toute la terre et tout le ciel m'entraient dans le ventre. Pourquoi survit-on à certaines heures ? »

Et cette phrase : «Tous les amants sont hors-la-loi.»

Ce livre ne m'était pas un besoin, mais un plaisir.

*

Mais en quoi donc réside ma sagesse toute jeune encore. Un de ces beaux jours, tu auras, toi aussi, ton cri de joie, de libération ; tu auras trouvé la vraie nature de ton anormale normalité. Mais attendrais-tu peut-être que je t'avoue l'avoir trouvée ?... Un bon matin, on s'éveille fourbu, sans force, incurable ; ah ! comme il est difficile d'accepter ; on essaye encore un peu ; on s'efforce de réparer sa vie.

Il y a de grands amours de toutes durées...

Il ne me paraît plus y avoir que deux genres d'hommes ; le hâbleur et celui qui l'écoute. Mais je déteste en moi de trop aimer le silence...

Il est facile d'être parfaitement égoïste : *«Odi profanum vulgus et arces.»* (Horace)

*

F-5019 — *Maurice de Guérin,* E. Décahors, Paris, 1932.

Une forte étude psychologique. Je m'intéresse à ce livre pour le nouveau témoignage d'égoïsme de cet Amiel second genre dans la littérature française. Ce gros volume de plus de cinq cents pages, je veux le lire en dégageant ma pensée de ce catholicisme exagéré qui m'est toujours répulsif. Il faut, par contre, suivre cette vie qui resta jeune et donna une belle leçon d'énergie à la jeunesse fervente du début du siècle.

Maurice de Guérin : son visage de voluptueux en remords.

Il montait du plaisir délirant à la prière délirante.

*

Comme j'aime la promesse de Rimbaud : «Cela s'est passé. Je sais aujourd'hui saluer la beauté.»

Les heures passent brèves
Et elles éclosent la trève
Entre pensées.

*

Maurice de Guérin — Nature faible, chercheuse de compassion. Ce genre est le plus répugnant de toute l'époque romantique. «Les siècles précédents avaient connu le Livre de raison et le Journal de voyage. Le Romantisme créa le Journal intime, mémoires anticipés, confessions morcelées au jour le jour, où une âme qui s'écoute et se regarde vivre écrit avec amour ou cruauté, lucide ou lyrique, les détails de ses variations.»

*

Le Pain de chaque jour, Gustave Thibon.

J'aimerais bien lire ce livre, dont on me sert de petites parts dans un article de revue, l'aliment poétique.

«Je suis cloué sur l'humanité, empêtré dans ce noeud de mensonges et de vertiges, mais si je pouvais me recréer, je me recréerais tel que je suis.» — Et ce cri haletant : «Prie, prie... les pieds dans le risque!»

«Si tu ne mets rien dans le jour qui vient, c'est lui qui t'enlèvera quelque chose.»

«Je suis trop triste et trop pâle pour être aimé», disait Delacroix. Je dois faire le même aveu.

*

Il me paraît bon d'appliquer à mon adolescence les phrases mêmes qui ouvrent le merveilleux poème de Rimbaud. J'ai aussi vécu quelques courts instants de joie; hélas, jamais plus ce temps ne reviendra dans ma vie. «Jadis, si je me souviens bien, ma vie était un festin, où s'ouvraient tous les coeurs, où tous les vins coulaient.»

Quelque bonheur, je n'en vois plus d'espérable que dans les livres, lorsqu'il me sera possible de lire en ayant tous les livres à portée de la main.

Une saison en enfer. Que de remords à tant de faciès criés dans les pages de ce mince volume! Ce délire en prose, je veux que mon coeur s'en saisisse.

«Oh! Ces jours où il veut marcher avec l'air du crime.»

Et à la fin du premier poème, ce désir de tout mauvais gars : «... il disparaîtra merveilleusement.» Le fantasque exprimé par un gamin timide, avec des phrases violées : «Ce fut d'abord une étude. J'écrivais des silences, des nuits, je notais l'inexprimable, je fixais des vertiges.» Ces phrases sont les clés du livre ; fiévreuses innovations qui rendent l'impossible génialité de pouvoir tout dire, bien et avec finalité.

*

«La fonction de l'art n'est-elle pas de libérer, grâce à la prime du plaisir esthétique, d'autres possibilités de plaisir plus intense, liées à la satisfaction fictive de désirs très coupables et très refoulés.» M. Bonaparte.

Moi, simple, silencieux, presque sage, je n'ai pas de langage ; je suis comme aveugle, sourd et muet.

*

Voir *La Laideur dans l'art à travers les âges,* par Lydie Krestovsky.

Et tous ces livres dont j'inscris les titres sans espoir de les lire ici. Mais quand donc ?...

Les liens de fumée, J. Delpach
Les jours maigres, G. Gorry
Planète sans visa, J. Malaquais
The End is not Yet, Fritz von Unruth

Je lis un livre qui me déplaît parce qu'il ne m'amuse pas, alors que, présentement, j'aurais besoin d'être amusé. C'est *L'Inventaire de l'abîme,* de Georges Duhamel. Quoi que l'on en dise, cet homme est sérieux ; c'est un moraliste tranquillement sérieux. Il paraît souvent scandalisé, mais je me demande parfois s'il faut vraiment le prendre au pied de la lettre et si son oeuvre est indispensable. Il me semble que c'est un autre de ces grands écrivains qui écrivent trop, qui n'auraient pas dû écrire d'autre livre que leur journal. Il l'a fait pour sûr, mais de façon désordonnée sur plusieurs livres dont tous ne sont pas de bon poids. Une chose pourtant chez lui me plaît vraiment, et c'est le mot gentil qu'il sait trouver pour les confrères amis qu'il nomme. Il a écrit des pages d'un grand intérêt, sans doute, à travers d'autres de moindre portée. C'est surtout dans ces pages où le médecin parle qu'il arrive jusqu'à nous. Certes, il ne doit pas être déplaisant de l'écouter converser sur la morale, la philosophie, la littérature, la science...

«Si tu es vif, le lent t'échappe.» (Valéry)

— Le désir est beauté ; c'est la satisfaction du désir qui est souvent honte, peine, dégradation.

Je n'écris plus que des phrases éparses, où rien n'entre de ma vie, de mes sentiments, de ce terrible lieu-ci. Consciemment, j'écarte tout cela par peur de faire face à la terrible réalité.

— J'ai toujours aimé me déplaire, me placer mal, de façon à ressentir du trouble devant les autres. Dans un salon, par exemple, parmi une compagnie où m'intéressait une personne que j'eusse voulu intéresser. Avec la prudence du maladroit, de l'indécis, du timide, il m'arrivait de manigancer d'avance toutes les péripéties de ma honte.

— Je garde en moi ce malaise incessant d'une lourdeur appauvrissante, d'une impression gênante de porter des hardes de miséreux. Il n'y a plus de doute, la maisonnette enchantée de mon enfance est devenue une auberge sinistre; chaque recoin d'ombre recèle l'histoire d'un drame intime.

*

B. Dans ses yeux se gîtent d'inassouvissables voluptés.

Sa tendresse naïve, voulue, délicieuse. Pour lui, j'aimerais bâtir un musée de joie afin que la vie lui soit toujours une réalisation de ses rêves.

Je traîne un corps sans âme.

*

C'est avec une certaine appréhension que je veux relire tout ce qui se trouve ici de Barrès. André Gide m'a rempli de doute sur la valeur de cet écrivain. Mon admiration pour l'artiste aurait été surfaite? pour un artiste selon mon voeu, que je croyais avoir trouvé chez Barrès? Gide critique non seulement l'érudition, mais aussi le talent, qu'il juge surfait. Je crains maintenant qu'une relecture me désappointe.

*

Jamais je ne saurai dire assez bien la nuit ici; merveilleux bonheur de vivre dans les rêves l'être de ses désirs...

Avant Voltaire, il y eut toute une succession d'Arouet qui ne firent rien d'autre que de suivre la g̃énération.

*

Cette solitude, la nuit me fait brutalement ressentir la brutalité sans but qui marqua les jours de mon enfance, et une amertume dédaigneusement ironique me poursuit sans cesse, même au milieu de mes plus beaux espoirs.

39

Douce nuit blanche bleutée, aussi immense que mes rêves, comme j'aime m'instruire dans ton silence. Et j'y retrouve une voix facile à la prière. Je ne veux point dire que je m'offre à une idole, à une image, mais que je revois, mais que je regoûte, mais que je me repenche avec nostalgie sur mes plus chers souvenirs. Cela aussi est une prière; une prière à la vie. Ma vie, c'est mon Dieu; quoiqu'elle porte la marque du blâme, et du diable par conséquent.

23 novembre

Chez les menuisiers, un convict a été poignardé. Je l'ai vu être transporté dans quatre bras. Il dégoulinait de sang, était mort déjà. Tout pour l'histoire inconcevable d'un paquet de tabac. Le meurtrier, sentencé à vie pour un pareil meurtre, se vantait souvent qu'il aurait voulu monter à l'échafaud au lieu d'être commué à vie. Il aura cette fois son désir. Il est assez âgé, tandis que la victime était jeune. On dit que le ciseau de menuiserie a pénétré en plein dos, entre les omoplates, jusqu'au manche. Il n'y eut pas même un cri de jeté. C'est en voyant fuir l'assassin vers la porte de sortie — par peur des autres qui l'auraient battu — que l'on s'est aperçu de son coup. Il était trop tard; la victime était restée assise sur son banc, mais le haut de son corps était appuyé contre la table, sa face dans les copeaux. Il paraissait dormir avec ce manche qui lui sortait du dos. Ce soir, la prison est pleine de photographes, et un drôle de silence coupe les commentaires tout aussi drôles qui se font de cellule en cellule sur toute l'affaire. On ne saura jamais toute la vérité sur cet acte monstrueusement insensé...

*

Autant d'esprit que certains croient avoir fatiguerait bien vite mon indolence naturelle.

*

E-5602 — *I Remember, I Remember,* A. Maurois.

Je termine justement cette excellente traduction de l'autobiographie de Maurois. Attachante lecture par laquelle me sont présentées à nouveau, et plus complètement peut-être, les belles personnalités des artistes que j'admire tant. Puis, je retrouve intimement le grave visage d'André Gide avec son grand sens de critique, la silencieuse figure intelligente de Charles du Bos, l'ironique tranquillité d'Alain... Lecture à reprendre quand les jours seront moins durs.

*

Aujourd'hui, Jésus dirait: c'est dur d'être Dieu, ou même fils de Dieu. Il faut plus qu'un Sermon sur la Montagne. Bourget chantonnait dans la même veine:

«Il est dur au songeur le siècle dont nous sommes...»

Préserver son idéal, c'est l'essentiel.

*

Byron, André Maurois. La plupart de ceux qui sont inspirés par leur rôle dans la vie devraient être enchantés des similitudes de leurs rêves avec les actes vécus vraiment par Byron.

Maurois écrit: «...et j'ai inspiré, correctement sans doute.»

Dans tous ses actes, mêmes les plus grossiers, il cherchait l'assentiment de sa conscience; il ne trouvait qu'un droit humain sans borne, au-delà de cette conscience. Et c'est-à-dire au-delà du Bien et du Mal.

«Si l'univers entier n'est qu'une goutte de boue, au fond la seule chose qui m'intéresse, c'est que je suis, moi, sur cette goutte et que je dois faire de mon mieux pour moi-même aussi longtemps que ces choses existeront.»

Hobhouse, *Journal* cité dans
Les Jeux de Byron en Grèce

*

Rêve où m'apparut M.P.; une Calypso d'acrobatie savante. Elle ne savait pas le terme satiété.

*

Je réalise maintenant que tout sens de relation entre mon pays et moi, ma famille et moi, est défait, annulé. Je dois me préparer à l'aventure des sans-foyer, des hors-caste, des intouchables. Sans attaches, n'obéissant à aucune loi, n'ayant d'autre souverain que moi-même, je devrai me génialiser dans le seul devoir de ma vie: celui de devenir le plus individualiste des individus... *Buscamos Dios, se puede que hallemos el Diablo.**

La phrase la plus troublante de la littérature: Jette mon livre et pars.

Mes émois, les dire aussi; mais ils se cachent derrière tant de honte, de haine, d'inquiétude...

*

* Nous cherchons Dieu, mais il est possible que nous rencontrions alors le Diable.

En vérité, j'attends bien plus qu'intelligence de mon être ; j'attends que mon génie se décongestionne de la bêtise de mon enfance.

*

Deuxième cahier
1949

«Mes jours ont été plus rapides qu'un courrier ;
Ils ont fui, sans avoir vu le bonheur ;
Ils ont glissé comme une barque légère,
Comme l'aigle qui fond sur sa proie.
Si je dis : je veux oublier ma plainte,
Je veux quitter mon air triste et reprendre ma sérénité,
Je suis effrayé de toutes mes douleurs…»

(Job, 9, 25)

Samedi 1er janvier 1949

J'attendais ce jour avec impatience. Je veux établir une meilleure conduite. Étude. Bien faire. Tranquillité. Méditation.

Année neuve, année attendue, année de promesses, dont j'ose tout espérer, et dans le meilleur de moi-même. Celle passée m'a bien appauvri, choqué, ramené aux jours mauvais de l'enfance. Mais qu'importe; le passé est inévitable, et il ne faut pas raisonner avec ce monstre. Je dois m'accabler dans une sévère discipline où je retrouverai quelque peu de ferveur en mon être. C'est l'à-venir qui m'est promis; le passé est ignoble, le présent quasiment nul. Je verrai s'il est possible de réparer le passé, vraiment possible de préparer l'avenir.

Mécréant, je ne puis rendre compte qu'à moi-même.

En 1906, il avait alors trente-six ans, Gide écrivait dans ses Cahiers: «Jamais un homme: je ne serai jamais rien d'autre qu'un enfant âgé. Je vis avec toute l'incohérence d'un poète lyrique, mais deux ou trois idées, rigides comme des barres parallèles et s'entrecroisant dans mon cerveau, crucifient chaque joie.» C'est ainsi, sobrement, qu'il stylise sa faiblesse — ou sa force — de ne pouvoir se soumettre, se transmettre, de l'austérité classique de ses maîtres aux exigences immédiates de l'extérieur. Enfant, dit-il, mais l'artiste chez lui le sauve, qui possède cette sensibilité rare faisant de l'intelligence une chose si belle et accrue à chaque instant.

J'aime et j'admire Gide: il remplace le maître que je n'ai pas eu, il symbolise la discipline que je n'avais pas le courage d'accepter. Je l'admire parce qu'il est sincère.

Il recommande au disciple: Ose être toi-même. Me connaître, être moi-même, Dieu, me serait-il possible de me permettre un voyage intérieur, une sincérité, de ne plus affecter ce banal profond sérieux? devenir enfin celui que je suis.

Tout se perd, tout n'est qu'illusion, comme les jours; mais ne plus aspirer qu'au repos, c'est la déchéance finale.

2 janvier

Je rencontre L. et fais montre d'une certaine joie. Je le touche vers moi; mais son visage garde l'expression détestablement souriante que je lui connais parfois. Il me remet une lettre et, vitement, quelques pas plus loin, disparaît de ma vue. Je comprends soudain qu'il s'était posté là pour attendre B., qui venait derrière; il me faut dire maintenant que je les ai fait se connaître et laissé flirter ensemble. C'est très bien; il est permis de tricher, mais je n'aime pas beaucoup qu'il préfère cela plutôt que de converser avec moi.

Sa lettre est rapidement griffonnée, capricieusement ironique. C'est un résumé, un rejet en vrac de ce qui toucha sa pensée durant les quelques derniers jours: un peu d'une sainte colère d'enfant, un peu de cette révolte muffle, toquée, stupide qui lui est habituelle. Mais beaucoup aussi de cette sensualité qui me plaît, quoique peu convenable à cette heure. Vraiment, notre correspondance est curieuse; il s'y réfugie un énervement morbide d'expliquer, de clamer ce qu'on n'ose. Partant, elle peut nous être tout à fait profitable.

Il faudrait que je l'avertisse contre la pose, contre ce qui n'est que pur caprice de sa part et qu'il prend au sérieux. Il ne faut pas accepter d'être ce que les autres nous obligent à être; c'est trop vain, trop vulgaire.

*

E-6722 — *A Treatise on Government,* translated from the Greek of *Aristotle* by Ellis, Everyman's, 1912.

Je n'irai pas dire que j'ai compris ce livre, j'ai même éprouvé quelque difficulté à le lire en entier. Tout y est si hautement technique et puis hors de la sphère de chaque jour. C'est avant tout une lecture d'application.

Faisant une critique générale de Platon, Aristote dit que toutes les grandes connaissances sont venues à la pensée des hommes de science et que le génie humain ne se surpassera pas tellement dans les temps à venir. Il avait raison. On peut même dire que nous ne pouvons, que nos plus grands penseurs ne peuvent que répéter ou redécouvrir ce que les Grecs avaient en quelque sorte appréhendé, dans un plus beau langage et avec un génie innovateur.

À propos d'une composition de classe, je trouve un solide article sur l'enseignement. Article publié dans *Cahiers du monde nouveau* (juin-juillet 1948) par Simon Chambillon. Dès les premières lignes, il nous soumet que les grands défauts de l'éducation présente, de même que la plupart des moyens offerts dans le but de la perfectionner, souffrent de l'irréflexion générale. Chacun veut voir appliquée sa façon propre, mais oublie que tout enseignement doit être avant tout méthodique.

Toutes sortes d'excès ; on oublie (ou l'on pense trop) que tout enfant n'est pas un génie.

«L'enseignement doit avoir la témérité de toute franchise. Ou il sera direct, dur peut-être, mais solide et offert aux coups de la liberté ; ou il sera dirigé, c'est-à-dire, finalement, hypocrite et propice à toutes les léthargies.»

Il ne faut pas départir l'enfant de sa finesse psychologique naturelle, en lui inculquant des notions bondieusardes qui le portent à une sentimentalité niaise, confiante, bigote, et qui, pour tout dire, font de lui un médiocre.

Surtout, l'amener à une complète maîtrise de sa langue maternelle ; dès ses premières études. Les mots sont la grande force d'une pensée énergique : «... au niveau de l'enseignement secondaire, l'étude des mathématiques et du latin pour la formation logique de l'esprit et celles des grandes oeuvres du passé pour sa nourriture sont les seules disciplines qu'on puisse ajouter à la discipline essentielle : l'étude de la langue française, qui se confond à ce stade avec l'apprentissage même de la pensée.»

Le plus difficile est de donner à l'élève une discipline. Il est certainement impossible de lui donner une certitude. Mais, surtout, il faut prendre garde à cette graine de bigoterie qui se glisse si facilement dans une jeune mentalité et n'en peut plus être extirpée qu'au prix des plus grandes hontes. Le lourd fardeau qu'est l'éducation d'une fragile intelligence d'enfant pèse tout entier sur les épaules du maître, et si ce dernier est un médiocre, l'élève en souffrira sûrement, manquera sa vie peut-être, à moins d'être très précoce, et, dans ce dernier cas, il est de ceux, très rares, qui se passeraient d'un maître.

*

Certains critiques affirment que la plus belle page de Paul Valéry est celle où il analyse la littérature et fait ressortir que ce n'est qu'un brillant mensonge. Cette pensée, déloyale pour ainsi dire, je l'avais effleurée déjà. Je me suis lassé avant le travail et suis tombé dans l'indolence et la rêverie à cause de ma perception, trop tôt ressentie, que, de toutes les routes offertes dans le domaine de l'esprit, très peu menaient à quelque chose de valable et que ce quelque chose lui-même... Trop vite, j'ai cru comprendre que toute littérature ne servait que de passe-temps et ne fournissait que de mauvaises illusions aux hommes; qu'elle n'avait plus la même valeur qu'aux temps passés. Et je me demande encore ce que peut valoir la plus belle littérature dans la tête d'un tyran. Le juge qui m'a condamné, n'a-t-il pas lu Platon? la Bible? du moins, certains passages qui ne sont pas une glorification de la vengeance — les démences de Newgates? Un plus bel appel à la justice que celui de Socrate peut-il être fait? et pourtant tout le présent appareil judiciaire est-il autre chose qu'un encan? tout notre système pénal en est-il moins absurde?

4 janvier

Suis allé souhaiter l'au-revoir à B. Il m'a souri d'un air désabusé. Ce sourire m'a touché l'âme; mais je me suis efforcé de montrer une froideur, de reprendre ma certitude que j'agissais pour le mieux en m'écartant d'un rôle qui n'est pas le mien. Ma vie est perdue; je suis un fuyard que le passé pourchasse. Qu'ai-je à faire de ces vanités et des mille petites bêtises journalières qu'elles apportent avec de rares joies? Me leurrer un peu plus; réduire à de fades sentimentalités les heures où je décidai de rester pas à pas avec mon ombre: plein de haine, cruel et égoïste. Je le trouvai bien beau pourtant à cette dernière entrevue; le soleil rosissait son tendre visage d'enfant, et il me souriait malicieusement comme pour mieux me laisser comprendre ce que je perdais. Je tenais ferme à ne pas lui laisser deviner mon chagrin et murmurais de douces niaiseries. Quand il dut partir, il prit une démarche que je ne lui connaissais pas: hancheuse, exagérément lente; toute la féminité de la coquette faisait mouvoir son être. Il ne détourna pas un instant la tête, me sachant là, étouffé de regrets. Ah! le maudit; il était sûr de sa beauté boudeuse, de son petit corps désirable. Là, sous le soleil, et seul, je n'existais plus que par mes yeux, que par le désir qui resurgissait en moi. C'était fini. Je suis resté longtemps sans bouger, à le regarder sortir de mon être; lentement, goutte à goutte, comme les larmes. Il partait comme il était venu: sans se laisser connaître, mais deviner seulement. C'était une image dont les tracés peu à peu s'estomperaient dans les dégoulinures des souvenirs, des désirs bafoués, des gestes inachevés, et dont il ne resterait plus rien tantôt. Le froid me saisit à la même place, où je me tenais stupidement à le regarder s'enfuir vers son nouveau bonheur éphémère. Je suis retourné à ma solitude, à l'occupation mesquine que je fais de mes jours et qui consiste à me stupéfier d'un espoir que je ne vivrai jamais; où je peuple de mensonges des heures vides et de ces heures, à nouveau, tisse des jours insensés. Là-bas rêve déjà le beau gamin que je n'ai pas su retenir. Il rêve que, demain, vers lui viendra cette joie qu'il attend depuis toujours; mais il ne trouvera chez l'autre qu'une attitude semblable à la mienne, toute préparée par moi: la pose que j'ai tenue, la prétention que j'ai affichée, la mufflerie qui résultait de tout cela. Comme ici, près de moi, chaque matin, il devra revêtir de guenilles les ombres de ses rêves de la veille. Je n'ai pas osé le retenir, et c'est de n'avoir point osé qui me remplit d'amertume, bien plus que la réalité de son départ. Ceci me fait voir que, pour lutter avec la vie, pour parvenir à la satisfaction de ses désirs, il faut d'abord oser mettre dans la vie, dans le réel, dans l'instant même, l'instabilité de ce désir.

Comme je voulais lui dédier un adieu que, dans l'insomnie de la nuit, j'avais divagué, il m'a répondu — m'a fait répondre plutôt, car il n'oserait pas — que son cahier était devenu trop intime; c'est un mensonge d'ailleurs, mais je lui donne raison de ce mensonge, et j'ai honte de ne l'avoir point prévu.

Mais je suis atterré de complexes; je suis enchaîné à cette vérité implacable que tout peut être mieux fait quand je ne puis que faire pire.

L'amour est un fastidieux mensonge redit sans cesse.

*

Il espère trop de ses rêves. Je ne pouvais le retenir à cause de ses rêves; de son passé, de ses espérances. J'avais peur de son passé; je craignais la merveilleuse aventure que c'eut pu être, que c'eut dû être. Le comprendre entièrement m'était impossible; et je ne pouvais me satisfaire d'un simple sourire, qu'importe sa tendresse et son invite; mais je tenais — littéralement je m'accrochais — au rôle ridicule qui me faisait souligner la valeur de la sincérité, tandis que, vraiment, je n'y croyais plus du tout. Sa jeunesse exige bien plus que la présence de mon personnage indolent; il a besoin de rires, de légèreté, de folies, et j'étais prudemment, ennuyeusement sérieux. Maintenant, il est trop tard, et la farce est jouée. J'avais peur de son âme d'enfant; je me gênais dès que son sourire cessait; je me tenais prêt à déplaire plutôt qu'à plaire.

Il me faut répéter qu'il fut cher aux dieux; ils lui ont versé le don suprême de la beauté; le don qui permet de choisir, avec honneur, la nature par quoi consumer le plus passionnément son besoin d'amour.

Et, la nuit, je fixais un rêve insensé; je balbutiais les effrois de mon désir; je m'abandonnais au démon; d'étranges frissons me parcouraient, me transportaient dans un monde inconnu, joyeusement irréel, tout imaginé de ma fièvre et de ma dangereuse folie. J'imaginais des délices. Je suppliais des pensées.

« Thoughts...
Strange... fleeting
But dark, sensual,
Sodomic, incestuous
Of flesh to flesh

49

Trembling expectations.
Strange, ignoble thoughts
Moving forms
Breathlessly moaning
Belly to back, pressing,
Sweating strange enjoyments
In final throb of agonizing
Audaciously new pleasures.
But God!
Decayed thoughts of a decaying mind!»

C'est un gamin de sensualité parfaite, et son sourire poseur a les attirances d'une femme nue. Personne, jamais, n'a espéré de la vie ce que je voyais dans ses yeux. Quand ainsi je m'approchais de son sourire, la tendresse de son visage me rendait mendiant. Mais tout cela suffit; déjà, j'ai trop dit de cette faiblesse qui a occupé mes jours.

«Autant vault l'homme comme il s'estime.» (Rabelais)

*

Je voudrais préfacer ma vie d'immortelles débauches.

Et je cultive, par ailleurs, une grande passion dans le désir de m'élever par l'étude jusqu'aux sphères ultimes d'un intellectualisme divin, nécessitant la création d'aspects illusoires.

*

Les enfances de Montherlant, par Faure-Biguet.

À dix ans, Montherlant avait déjà écrit un recueil de nouvelles, deux romans sur l'antiquité, des notes sur Scipion l'Africain, une *Vie d'Auguste.* Au même âge, il écrivait à son ami : «Très cher, mes nouvelles n'avancent pas. Je suis plus sportif qu'écrivain. *Nadia* en est restée à la cinquantième page. *Moeurs et coutumes,* aussi. Il n'y a que *Harangues et Discours* qui marche...» À dix-sept ans, il avait cette jolie pensée : «Hélas! la moindre émotion de beauté porte en soi toute la tristesse du monde. Je ne me souviens pas d'en avoir reçu qui ne m'ait déterminé pour plusieurs jours; je ne me souviens pas d'avoir vu une chose de beauté sans me reconnaître en cet exilé, mon frère, qui, se soulevant des pieds vers la fenêtre, regarde le banquet des dieux. Mais pour les dieux eux-mêmes, il est encore d'autres dieux, et d'autres banquets où ils sanglotent de ne pas s'asseoir.» À dix-neuf ans, cette «inconcevable lucidité» : «Je suis comme les fruits. Il y a toujours quelque chose en moi qu'il faut recracher.»

*

«Mal parler heurte les âmes.» (Socrate)

*

Les lettres de B. sont curieuses: gamines et touchantes. Il ne manque pas de se croire un peu poète, et les effets stylistiques qu'il m'offre sont à faire pleurer. À chaque lettre, je réponds longuement et avec une passion vulgaire.

L'amour, c'est l'offrande d'un moi.

J'ai aimé ce gamin comme on peut aimer la vie: insatiablement. J'ai cherché en lui ce que tous recherchent vainement: le moyen d'être heureux. Ô dieux, offrez-moi de ne plus aimer!

*

Quant à L., lui, il devrait prendre garde aux miroirs; leur réflexion reforme l'âme et la rend identique à la complaisance qu'on prend de s'y voir.

*

Voir *La Difficulté d'être,* par Jean Cocteau.

Les responsabilités de l'écrivain envers le public sont comparables à celle du père envers la conduite de son fils dans la société. Ce dernier agira selon l'éducation qu'il a reçue, à rebours ou non des tendances de ses fréquentations, mais toujours sous l'influence de l'éducation reçue. Si le climat intellectuel de la famille est bon, si le père a fait tout ce qui est possible pour que l'éducation soit de première classe, et que le fils se dérobe, malheur à lui; mais si le père a manqué à ses devoirs, malheur à lui. De même, l'oeuvre d'un écrivain: Goethe avait raison de ne pas s'inquiéter des conséquences, chez les jeunes, de son romantique *Werther.*

*

Dans mon billet à B.: «Your spirit is there in half a page, a nice paragraph, a naked sentence: I still enjoy relationship to a man, always will.»

Mais l'amour, moi, j'en ris et je suis le plus malheureux des insensés de la haine.

J'imagine un esthète qui aurait admiré, chaque jour, durant une année, une statue derrière une vitrine. Après tant d'incertitude, il lui serait permis de pousser la vitre: ô honte! la statue est de cire plutôt que de marbre. Ce n'était qu'une pauvre statue de cire malléable! Cela produit un rire qui retient peu de délicatesse.

L'amour est une affaire de pigeons.

«It will be kept for memories», me dit-il, en écrivant «keep». Souvenirs ? souvenirs de quoi ? le silence n'est pas mémorable.

Il est pervers et un Kant détestable fait toute sa morale. Je hais les suspects.

17 janvier

J'observe P.M. ; vieux fou grimaçant qui s'amuse et encourage les jeunes à répéter ses folies. Il a une expérience monstre de la vie. Mais, ici, que de peines ! que de frustrations ! que de crimes qui resteront cachés et impunis ! La littérature n'est pas complète sans la description de ces vies qui forment, dans leur sens ultime, une humanité.

Mes jours sont malaises constants.

*

J'ai cru un moment que l'art pourrait être l'offrande de soi ; mais non ; ce n'est, comme le dit André Gide, que «l'exagération d'une idée».

Ce qui me manque, ce qui manque à tous ici, c'est un langage. Notre petit peuple se contente d'un vocabulaire restreint de quelque cinq cents mots. Et si je cherche à expliquer une chose le moindrement complexe, je suis comme niais — cela passe parfois pour de la gêne. Mais on n'a même pas l'intelligence facile de l'argot !

*

Je lis *History of English Literature,* par H. Taine. Une forte traduction de ce livre qu'aimait Gide. J'en fais mon manuel et, dès ma première lecture, l'accepte comme la meilleure source des oeuvres anglaises jusqu'à Mill. Je l'accepte comme un livre sacré ; sans critique. Je veux m'y faire une formation d'esthétique et de critique. C'est simple. Je dois apprendre à voir derrière chaque oeuvre, derrière chaque fait de l'histoire, un maître, ou un groupe d'intellectuels qui analysent ces oeuvres et ces faits, et sous la prééminence de ce maître. C'est par ce moyen qu'on reconnaît les oeuvres durables de celles qui sont sans lendemain.

Un maître représente toujours les idéals du siècle.

17 janvier

B. me fait l'offre d'un livre que j'attendais déjà depuis longtemps : *Si le grain ne meurt,* par André Gide. Mon émotion vraiment peut être difficilement dite. Gide, intelligence et discipline, style et bonne pensée.

J'ai tout lu d'une traite — je n'aurais pas dû sans doute, mais je pouvais mal retarder ma soif — et avec une ferveur sans cesse croissante. Ce livre m'ouvre un nouvel horizon.

22 janvier

Après cinq jours de bonne tenue, mon exaltation est tombée. Je suis trop profondément calé dans mon chagrin. Il fait nuit, et je songe depuis longtemps. Ah! comme je maudis l'approche du froid jour! Oui, que

«Périsse la nuit où je suis né,
Et la nuit qui a dit: Un enfant mâle est conçu!»

Il y a peu de sympathie dans le *Livre de Job*. Mes clameurs sont de même voix.

*

Nana, Zola. Je lis ce livre dans une traduction anglaise. Belle prostituée, imbécile et méchante. Satin: gamine sale et méchante. Chapitre où est décrite la course à Longchamp: ennuyeux. Cette scène où l'amant vieillard fait le bouffon, le chien, l'ours, afin de plaire à Nana était déjà dans une pièce de Otway, *Venice Preserved,* III, 1.

*

Après lui avoir écrit que j'avais lâché la religion, ma soeur m'envoie cette réponse: «Maintenant, tu m'en révèles une tannante de nouvelle: ta fameuse décision que tu dis avoir posée la semaine dernière. Je commence à croire que c'est vrai ce qu'on dit; que c'est une école d'apprentissage où tu es. Je n'en reviens pas. Mais à quoi donc penses-tu? J'espère que tu auras le temps de changer d'idée avant de mourir, car j'aurais peur de mourir à ta place, dans l'état d'esprit où tu es. Il ne faut pas se fier à sa jeunesse; c'est trompant. Il y a bien plus de mortalité chez les jeunes que chez les vieux. Sais-tu que, si cela continue, tu vas réussir à me faire peur pour de vrai. Je me dis que tu n'as plus de conscience pour poser un tel geste. Et pas de conscience, je crois que tout est permis, sans scrupule, et j'ai peur que ce soit un tueur que nous reverrons. Je sais que ce que je te dis te fait rire, mais pas moi. Je ne te pensais pas rendu si loin. Je me demande ce que cela peut te donner. Je crois que tu lis trop de choses et t'en forges d'autres. Mais, tout de même, tu ne peux toujours pas te débaptiser, et, si ça se faisait, tu ne pourrais peut-être pas te marier un jour. Je suppose que tu n'y tiens pas à ça non plus. Je ne te pensais pas si méchant. Les souvenirs de famille, notre enfance, maman; il me semble que ç'aurait dû t'inquiéter avant de décider un tel geste, une chose si grave. On ne joue pas avec son âme. Et je ne voudrais pas que tu donnes le mauvais exemple aux enfants qui grandissent et te verraient agir. C'est triste, à bien y penser ; tu ne crois pas ? Même si je ne veux pas en faire des épaves, je trouve que tu es devenu trop mauvais pour en revenir. Oh ! je ne suis pas une sainte, mais je n'oserais jamais faire un tel sacrilège ; le dernier, celui qui damne. J'aurais trop peur d'être punie sur place. Regarde donc ; ça faisait deux ans presque sans confesse ; j'avais mes raisons : Eh ! bien, samedi saint, je suis allée me soulager avec mon mari, et nous avons été faire nos pâques le lendemain. J'étais contente de moi. Je sens toute la différence que je puisse me réconcilier ; c'est toujours une consolation...

« Mais je suppose que ce que je viens de te dire aura sur toi le même effet que sur une momie. »

Je me trouve sujet de tels blâmes. Toute mon enfance est là : surprise, inquiète, marmotteuse. Cette foi ridicule devient comme une fonction naturelle, une habitude, un vice. Après cette lettre, jamais je n'ai mieux senti ma joie d'être échappé de cette enfance absurde qui fut mienne.

23 janvier

Les Thibaut, Roger Martin du Gard, cinquième volume, « La Sorellina », N.R.F., Paris.

C'est le seul arrangement des lectures, ici : par à-coups, au hasard, et dans l'embrouillement. Tantôt je lisais la Bible, et maintenant ce livre qui m'est prêté au cinquième volume sans que j'aie vu le premier. J'ai une soif inapaisable de lectures, mais ce livre-ci, très beau, m'a donné un plaisir entier.

Ces phrases qui viennent à chaque homme et qui plaisent à son égoïsme, qui étaient celles-là mêmes que je me disais devant B. : « Me devine-t-il ? Comme je voudrais qu'il me devine. Et dès qu'il semble me deviner, je ne peux pas, je ne peux plus, je me détourne, je mens, n'importe, n'importe quoi, il faut que j'échappe. »

Échapper est un beau mot, dont il faut se permettre le sens ; échapper à soi, aux sentiments esclaves, à la culpabilité ; échapper à l'à-peu-près sentimental des gens médiocres ; échapper au passé qui est mauvais ; échapper à autrui qui nous désire. À tout et à tous, échapper.

J'aime ce livre ; ce style coupé, montant, fiévreux : affres esquissées des ferveurs.

« Sans amis, roulé en boule, courbé sur son désordre, livré aux secousses... »

*

Une conversation à trois est détestable, et je m'en exclus sans gentillesse.

Je suis seul, je souffre; je suis affolé de souffrance; mais j'ai honte surtout, car souffrir est une honte, celle d'être un faible.

*

F-5003 — *Vie de Disraëli,* André Maurois.

Avant de commencer cette lecture, j'étais pauvre d'idéal, maintenant je le suis un peu moins. «Cette vie est trop courte pour être petite.»

C'est l'histoire d'une vie réussie.

«Les aventures appartiennent aux aventuriers.» Aussi l'échec; et c'est le thème de Gide. Oser est le grand acte qui part de l'être; l'échec ou la réussite n'est pas de lui.

*

Que j'aie pu croire un seul moment à la sincérité! Mais quelle détresse traversais-je donc? Toujours il faut mener son jeu. T., un camarade, me disait justement: il faut faire le chat.

24 janvier

Ma vie lentement s'écoule, est monotonement faite de jours inutiles. C'est le *diem perdidi* de Titus. Ce jourd'hui, j'ai voulu trouver une pensée de valeur, hors d'ici, de ce moi courbé de maintenant, et je n'ai trouvé que l'angoisse. Tout le long du jour j'ai cherché une forme de haine, tandis qu'il faudrait que j'esquive ce sentiment ou, du moins, le réforme, qui, le plus souvent, s'engendre de la vexation.

Tout le mal vient de ceux qui outrepassent leurs droits.

25 janvier

Je ne fume pas. Relu quelques pages de Disraëli. Quelqu'un d'autre a pris note de ces mots: «Je suis seul et n'ai rien pour me soutenir que parfois un peu de sympathie griffonnée sur le papier, et cela même avec parcimonie. C'est une terrible expérience, presque intolérable.»

Cher inconnu qui a souligné ces mots, je te vénère.

Ceci encore, noté par l'inconnu: «Il me faut ou la parfaite solitude ou la parfaite sympathie.»

Rarement j'ai pu supporter la joie; elle m'énerve.

Les Thibault, volume trois, «La Belle saison».

J'ai moins aimé ce volume que le cinquième. Les trois lignes de passion qui s'y trouvent m'ont paru un peu puériles.

*

Relations avec le jeune R.C. Très beau et savant de caresses, il donne le plaisir avec une sorte de faim qui fait peur. Je ressors de ça avec un certain dégoût de moi-même; dégoût mêlé de satisfaction.

Tenu une longue conversation avec A.S. Nous marchions sous une froide pluie hors-saison, sans en faire cas, et sommes rentrés avec des vêtements dégoulinants. Mais nous étions contents, presque heureux. Il fut très intime, plein de confidences même — les gens me font toujours de ces confidences stupéfiantes; et je me suis aperçu qu'il faut les pousser très peu pour que certains nous ouvrent spontanément le secret de leurs plus capricieux désirs. La timidité excessive qui leur est habituelle fait écluse alors et laisse tout passer, même ce qui ne se dit pas.

À peu près tous les gens portent un masque afin de cacher leurs pires défauts; le mien est un masque qui laisse voir un profond sérieux; mais, en vérité, je ris constamment: je ris du côté risible des choses.

De plus en plus, je prends connaissance des complexes multiples qui me bouleversent. Il me serait vain de connaître le pourquoi de ma lassitude; elle est naturelle; mais, avec la relève de ces complexes en moi, je me forme une autre conscience et, ici où il n'en faut point avoir, c'est une nouvelle entrave; on hésite, les occasions de mieux faire passent, et cela recule, ramène à la ligne de départ. Je m'y retrouve épuisé de l'effort, honteux de l'échec, tout à fait impuissant. Il faut encore le repos, et une nouvelle maîtrise de soi, avant qu'un espoir possible aide à la recherche de l'idéal. Gide disait intelligemment que «ce qui tire le plus à conséquence, ce sont précisément les inconséquences d'une vie».

*

Même jour: passé à B. une traduction anglaise du *Byron* d'André Maurois. Il voulait le lire depuis longemps et m'en faisait de charmantes allusions.

En retour, il me prête *Journey Within,* Romain Rolland, translated by Elsie Pell. Nous, chacun de nous, dans cette maudite prison, sommes le côté risible, les exclus de ce livre merveilleux. Avec quelle humble reconnaissance à ce maître, quelle piété, quelle soumission, il me faudrait relever mon âme vers l'enchantement d'un idéal.

J'ai passé une nuit blanche. Seul, dans la nuit brève et froide, je me suis tendu vers une exaltation qui libérerait mon pauvre être soumis d'ombres; mais rien n'est venu... ¡*Nada! siempre nada...** Les heures nuitées s'achèvent, et la clarté est pâle, figée, indécise du jour qui va poindre.

Je suis lourd de lassitude.

*

Journey Within; tout le magnifique chapitre «The Archer». Phrases saccadées, cris aigus, affolements nietzschéens; cette exaltation énerve et fait fléchir la pensée. Il faut se pénétrer de ce beau chapitre. C'est comme un rêve écrit, un rêve vécu, merveilleusement; d'une vie génialisée à l'excès, et qui s'est auscultée à chaque retentissement comme à chaque précipitation du mouvement spirituel.

Et, tout au long de cette plaisante lecture, l'attachant visage de B. veillant pour rendre confuse mon attention.

*

J'aspire à la conquête de moi-même.

F-1256 — *Bohème à New York,* Michel-Georges Michel.

Récit incongru. J'y déniche cette phrase: «...chacun se cherche soi-même, exacerbe sa personnalité, mais toujours en dedans de lui-même, car il a vite appris que chaque élan vers un autre le broie contre un mur inexorable. Aussi, quel retour, quel refoulement...»

1er février

Quelques mots échangés avec B. font de ce jour un jour. Il m'était si gentiment aimable que je devais me raidir contre la suggestibilité de son sourire d'ange. Comme cet être se donne facilement à chacun. Près de moi il est à moi, comme ailleurs il appartient à celui qui l'occupe. C'est un chat. Je le regardais pendant qu'il me balbutiait ses chères sentimentalités; curieusement, je ne tiens plus à lui comme antan. Je veux une nécessité, qu'il parte: nous n'avons plus rien à nous dire. Sans doute, encore je le pourrais retenir; je connais les mots qui, chez ces êtres, touchent le point sensible. Mais non; je comprends soudain que je n'ai plus besoin de cet amour qui m'attachait à lui. Il restera pour moi un gentil camarade, c'est tout. Et je ne fais pas un acte de volonté. J'accepte tout simplement que je ne suis pas un être d'amour.

* Rien! toujours rien...

J'étudie et m'occupe de mon avenir comme jamais encore je n'ai su le faire. Je suis devenu tranquille, presque indifférent envers les chocs extérieurs.

3 février

Nouveau départ de B., qui va quêter à un nouvel ami le rappel d'un souvenir. Comme il partait, il me sourit; un sourire mince, refusé, que mordait sa lèvre inférieure. Je sentais toute l'exigence de son espoir et cherchais à calmer son inquiétude. Mais à le voir partir j'ai connu un fugitif regret. Il faudrait que je sois plus que sot pour ne pas reconnaître la valeur immense de cette nature-amie que cette prison m'oblige à laisser. Bref effroi, soudain dompté, de défaite. J'ai perdu cet ami en voulant le faire mon amant. Mais il est trop sentimental, presque naïf même, et je craignais de perdre mes redites de vengeance en me liant à lui d'une amitié idéale. Déjà trop — jusqu'au silence — je suis garotté par les multiples complexes de ma nature indomptée, dont l'enfance n'eut qu'un sens: la révolte. Aussi me suis-je révolté contre sa gentillesse, si voulue des autres qui osent mieux que moi, mais dont il n'acceptait pas les trop empressantes approches.

Jours heureux, jours de désespoir; jours de supplications, jours de refus; jours de victoires, jours de défaite. Parfois même, je voulais jouir de ses inquiétudes; je m'amusais de ses fines allusions au plaisir. Je guettais sa jeunesse fière mais assoiffée de jeux, et, dans son regard, l'étonnement douloureux qu'y mettaient mes brusques revirements.

J'ai goûté, près de lui, des moments enchanteurs; écarté de lui, des moments d'ignoble dégoût et de folie. Je craignais de ne plus être accepté — et, je le sais maintenant, aux jours où il m'acceptait le mieux. Il en est d'ailleurs toujours ainsi chez les timides.

Inférieur aux dures demandes de cette vie cachée, figé dans une écrasante peur du ridicule, rendu amer par les poses prétentieuses et mensongères de mes compagnons de chaîne, quand je refuse à la plupart même le droit de vivre; tous ces complexes enfin, spécieusement constants en moi, m'obligèrent à un rôle excessif, selon lequel je prétendais nous exclure de ce monde-ci. Aussi, de part et d'autre, chaque désir de plaire était-il confondu par les exigences de chaque jour, à quoi nous ne pouvions faire face.

Je voulais intellectualiser mes émotions; surtout je ne les voulais pas banales, et je mettais de longues nuits à les revêtir d'angoisses. Et par tous les détours de monologues machiavéliens j'ai torturé la seule chose paisible en moi: le besoin d'aimer.

Tout cela maintenant est fini. Je repars vers ma solitude et ma méchanceté. Je veux pourtant réfléchir sur cette faiblesse qui me surprit comme une fièvre. J'avais en moi et cette tentative et cet échec, quoique de ce dont ils sont cause je me croyais immunisé. Je réalise soudain que mon premier mouvement fut toujours celui de la tendresse, mais que très rarement j'ai pu suivre cet élan primitif de mon coeur. Je ne me surveillais pas assez et ma volonté avait trop de lâche. Je croyais me connaître.

À l'avenir, il me faudra réagir, biffer instinctivement ces paroles spontanées qui, trop souvent, montent à ma bouche lorsqu'un inconnu — et ce sont tous des inconnus — se veut trop aimable à mon égard. Mais de cela, B., petite bête assoupie dans les rêves, n'en est point cause ; j'en suis le seul responsable ; et, excessivement, à ma façon, en restant seul, je veux me garer de toute faiblesse pareille.

À cette heure, chaque nuit, m'occuper exclusivement de moi-même. Il se trouve, il faut qu'il se trouve, puisque le génie de mon enfance l'exige, une forme d'expression, une personnalité neuve qui n'attend pour s'identifier que l'application de l'unique loi humaine : se connaître.

*

Un rien, la fulguration du plus petit fait, bouleverse notre destinée et l'accole à d'autres destinées étrangères à la nôtre ; on est poussé, aspiré, relancé comme un corps sphérique vers un but quelconque.

Dès que je prends la plume, j'explique l'une des mille formes de ma solitude ; j'excuse mon indifférence pour les choses autres que ce qui m'occupe personnellement. Je parle de moi ; moi, trop complaisant dans l'indolence.

Au demeurant, toute ma morale tient à ces paroles de Henri Taine : «Oh ! que je puisse voir le spectacle des grands vices, des crimes sanglants et immenses ! Épargnez-moi la vue de cette vertu qui a si bien dîné et de cette morale qui paye à l'échéance.»

*

Conte microscopique. Certain jour, je voulus pimenter ma vie d'une sensation nouvelle. J'en avais vomi des femmes. Je partir donc à la recherche d'un gamin. Je voulais un éphèbe idéalement parfait : visage tendre, yeux rêveurs, sensualité lourde et boudeuse. Et je le trouvai bientôt, près de moi, dans l'attente lui-même que la vie le vint libérer de son impatiente perversité. Dès les premiers mots d'invite il acceptait tout, sans réticence. J'aurais voulu lui offrir le monde dans une seule émotion, comme il m'offrait son corps dans sa joie enfantine, légèrement troublée d'une peur de l'inconnu. Nos illusions étaient les mêmes et nous nous approchâmes éperdument du plaisir ; lui, sans fausse honte, naïvement, il me tendait sa nudité soyeuse. «Mais, tout à coup que tu me ferais un enfant», souffla-t-il doucement par-dessus son épaule. «Mon cher, très cher petit», balbutiai-je en m'appuyant contre lui...

*

J'ai voulu mesurer mes jours comme l'on mesure le pain aux temps de disette; il s'ensuit des révoltes.

Mendicité déprimante.

La plupart des gens doivent tenir compte d'une morale tandis que, dès le début de mon enseignement philosophique, je suis dé-moralisé, libéré de toute entrave: famille, nation, lois. Rien de cela ne m'occupe plus. Contre toutes les autres, une seule loi ne m'est pas permise; celle des barbares. Il faut obéir aux appétences de son être. Se voir «disponible» sans cesse. Et plus tard, dans un même rire, m'amuser de toutes mes présentes angoisses.

*

De plus en plus se marque en moi la passion de bien faire. Je ne parle pas de m'appliquer à une morale chrétienne, mais de m'efforcer vers cet état d'âme, personnel sans doute, dont parle Gide, et qui est de bander sa volonté comme un arc. Cette guidance de chaque action, qui vient de soi, de sa guise, de sa raison. Jamais pourtant je n'ai eu si présente à l'esprit la gêne de cette solitude dans laquelle je m'engage avec joie ou hésitation. Souvent, je souffre de ce que certains camarades qui me sont chers se trouvent mal à l'aise avec moi, devant mon laconisme, mon indifférence totale à ces jeux identiques qui font la foi de leur vie, mais qui ne m'excitent point, ne provoquent plus aucun enthousiasme en moi. Faisant trop bonne foi de mes lectures peut-être, je suis loin de ce qui les occupe et n'ai plus rien à leur dire; de même que les répétitions de leurs exploits m'ennuient affreusement.

*

Tarass Boulba, Nicolas Gogol. Désappointé de ce livre. Je prévoyais une peinture plus forte de la vie extraordinaire du cosaque. Tout ici n'est que tableau court et imprécis. J'accepte mal que l'on range ce livre parmi les chefs-d'oeuvre; je ne lui trouve rien d'exclusif. Je mets à part un merveilleux passage: celui où le vieux Boulba exhorte ses compagnons à venger la mère-patrie, et qui campe magnifiquement ce guerrier orgueilleux.

Tant de choses se présentent pour me distraire de mes études que ce qui m'est difficile déjà me devient un supplice: rareté des livres, grossières chicanes qui remplissent le lieu de cris, confusion de mon esprit. Manque

60

de maître pour me parler et m'aider à retracer ma voie. Tout vient à la fois me désabsorber de mon culte à l'intelligence.

Aucun verbe français ne saurait rendre la force de cette onomatopée anglaise : «babbling».

Comme j'en aurai rêvé d'une vie ascétique! d'une vie tenue devant moi comme un objet et vue jusqu'à l'hypnose. J'ai rêvé de moi penché aux études, dans le silence d'un vieux château; de longs couloirs pleins de pénombre; de mon être irrité, tout près de la folie religieuse, prêt à la prière, au nirvana qui tue; d'un squelettique fou absorbé dans les textes immortels, et revoyant l'inutilité des actions humaines; d'un exalté murmurant dans la nuit aux fléchissements musicaux la poésie de l'amour incestueux qu'il a partagé jeune avec sa mère. De cette vie malsaine, j'en ai rêvé jusqu'à m'affecter d'une tristesse hagarde.

*

B., la chère confiance qui marquait notre amitié et nourrissait nos conversations n'est plus qu'un tissu de mensonges.

*

Je parais inattentif mais, en vérité, je suis tout pensant, antennes avancées comme un insecte vers les choses à connaître.

J'ai horreur de moi maussade.

Sculpter sa vie comme un beau marbre.

*

E-404 — *Trouble in July,* E. Caldwell. A la valeur d'un article de revue mais d'un fort article.

E-405 — *Tragic Ground,* même auteur. Ce que ce livre décrit est vrai, bref, vulgaire comme la vie de ces quartiers où j'ai vécu mon enfance, mais tout ce qui y manque encore est incroyable.

L'inimaginatif et apoétique Caldwell. Cet auteur fait des reportages sensationnels; c'est un peintre brutal qui délaye, une teinte encore trop pâle, ses couleurs.

*

Thérèse Desqueyroux, F. Mauriac. Un grand prestidigitateur se saisit d'une âme, et, comme si c'était un sac, s'y fourre la main pour énumérer, par divination, ce que palpent ses doigts. Le prestidigitateur, c'est Mauriac. Un créateur de culpabilités. Il amplifie, jusqu'à en faire des crimes, les hésitations des âmes sensibles. Thérèse accepte très volontiers d'être coupable; bien avant l'inconscience de ses actes, elle était déjà prête à les expier. C'est une grande tragique aux ongles sales de crasse; ce simple détail — à n'y pas paraître — sauve peut-être le livre, du moins marque le mieux le caractère de Thérèse, plutôt que le crime. Elle eut pu être l'empoisonnée tout aussi bien que l'empoisonneuse. C'est le type parfait de la vicieuse sublimée.

Je ne goûte pas trop cette littérature morbide à l'excès.

Mais quel style! souple, chargé de poésie, coulant comme un pinceau sur le lisse.

Livre décevant qu'il faut lire en y apportant l'angoisse exigeante de la foi.

«Chaque minute doit apporter sa joie — une joie différente de toutes celles qui l'ont précédée.» Cette phrase-cliché, Mauriac la cueille hors de sa religion; et c'est un péché de désir, comme celui de l'officiant qui remarque les genoux d'une fidèle.

*

Roland Dorgelès, «homme au grand coeur». «Pourquoi je voyage? Je vais acheter des souvenirs pour plus tard, quand je serai vieux... Le but m'intéresse peu. Le voyage, pour moi, ce n'est pas arriver. C'est partir... Je voudrais être la proue du navire que soufflette le vent et que mouillent les embruns.» Il me faut lire l'oeuvre de celui qui peut ainsi suggérer toute l'intensité des voyages. Comme lui, je fais plus de cas de la promesse que de la chose eue. La déception vient toujours plus tard.

Je cueille aussi cette belle phrase très vraie de Bernanos: «L'ironie est souvent, le plus souvent même, le gémissement d'un coeur blessé.»

J'aimerais lire *La Force de l'art vivant,* de C. Mauclair.

8 février

Vu L. au concasseur. Il m'a fait signe de l'aller voir. J'ai été poli, mais ai dit peu. Je préférais attendre. Quand les silences se prolongeaient, je posais une question sur une banalité quelconque, mais je surveillais, entre nous, l'hypocrite jeu des complices quand l'un a triché.

Ce qu'il a dit...

Ce que je pensais...

Ses yeux ailleurs, que je n'aimais point voir. Un malaise d'âme tombait entre nous comme une haine. J'ai réalisé que nous n'avions jamais été amis...

*

E-412 — *The Postman Always Rings Twice,* James M. Cain, 1934.

J'ai lu ce livre avec passion. Récit cru et brutal. Ce dégoût de la vie qui mène à l'action plutôt qu'à la veulerie.

*

Conversation avec J. Infiniment plaisant. Il garde le meilleur de lui-même pour un rire franc, presque enfantin. Vraiment, c'est un penseur, chez qui les expériences donnent une forte leçon. C'est même le seul homme qui sait penser parmi ceux de mon entourage. Après être revenu sur un de ses échecs, qu'il répare de justes remarques, il prend un ton plaisant pour m'expliquer sa philosophie, sa loi de l'absolu :

«Il n'y a que trois principes : le temps, l'espace et la mort.

— On dit pourtant que l'énergie est l'unique principe et que le temps n'existe pas, insinuai-je.

— Voilà ! Le temps, c'est la chute des corps qui produisent l'énergie.

— Mais...

— Il n'y a pas de mais. Les philosophes se bafouent en cherchant l'origine des choses ; c'est au terme de ces choses que commence leur existence. Mourir, c'est naître...»

Sans doute ; mais enfin je le fais rire ailleurs ; vers lui-même, sur une de ses plus dangereuses expériences... Un jour, il faudra que je me l'explique, cet être extraordinairement complexe.

9 février

Je commence la lecture de ce gros livre *Sans patrie ni frontières,* de Jan Valtin, une traduction de l'anglais *Out of the Night* par J.-C. Henriot. La lecture de ces nombreux témoignages est propice au tournant de mon éducation.

*

Courte entrevue avec L. À peine se glisse-t-il entre nous un peu de cette humeur de compagnons du même sort. Il comprend bien lui-même que tout est changé, qu'il est ridicule, le jeu qu'on découvre monté, après y avoir cru. Chacune de nos paroles équivalait à un adieu. Je désespère vraiment de pouvoir jamais me livrer, de trouver autrui digne de confiance, de mener mes jours autrement que selon les jours inscrits mauvaisement dans ce cahier, où je ne ressemble en rien à celui que je puis être. Je ne dénoue pas cet odieux complexe de honte et d'incertitude qui entrave le meilleur de mes facultés. Sans cesse, je tends entre deux extrêmes les tourments de cette incertitude: à un moment, je m'isole fièrement, rectifiant avec brutalité toute approche; puis, à un autre moment, j'accueille avec ravissement tout regard qui veut bien se tourner vers moi. Mais quoi! que m'importent ces mesquines angoisses? Je ne puis maintenant récuser mon besoin de ferveur. Je dois me conformer à ce détachement calme vis-à-vis des êtres; ici d'abord, à cause des dangers que l'amitié présente par ses multiples obligations; ailleurs enfin parce qu'il n'y faut pas non plus agir autrement. J'en ai reçu la preuve dans cette vaine agitation pour B. Ce que l'on peut dire de mon attitude ne m'intéresse pas; ne me regarde pas; car, en somme, je sais trop bien que restera intacte en moi cette tendresse innée et complète que j'ai vers les personnes qui me charment.

*

E-3682 — *Flamingo Road,* Robert Wilder.

La corruption dans les milieux politiques. Forte étude; personnages achevés, véritables. Ces hommes, quelques-uns cultivés, jouent à ce jeu cruel aussi sérieusement que les marmots à échafauder leurs blocs colorés. Pour sûr, il y va de leur vie, comme pour le cordonnier de retaper des semelles, mais le malheur vient de ce que la plupart de ces mauvais hommes jouent sur une confiance naïve qu'ils fourrent dans leur poche avec tout le reste.

Un livre passionnant.

11 février

B. Il ne perd pas sa pose d'être jalousement désirable. «Send me a book», me crie-t-il avec un curieux sourire suppliant. Je lance un titre, *Look Homeward Angel,* de Thomas Woolf. Aussitôt il se montre content, tout charmé, ému. Gamin, il repart; son visage tourné vers moi me sourit avec une tendresse de femme; il marche, pas lents, fesses hancheuses; tout son être provoque mon désir renouvelé. Je crie: «Go to hell but keep smiling, it will help you through.» Mais mon badinage était d'un grand sérieux.

Dans les pénitenciers américains, on dit de ces gamins qu'ils sont des «gal-boys». Ici, on les appelle des «serins». Le mot français est «petite frappe».

*

Sans P. ni F. Esquisse de la politique secrète qui mena toute l'histoire européenne de l'entre-deux-guerres. Dans ce monde de violence et d'ambition, comme elle tient à peu de chose, la vie d'un homme. Les plus puissants eux-mêmes sont jetés dans les actes. Il n'y a pas de coupables, le fort et le faible seuls se distinguent; l'un maître, l'autre victime. C'est un monde de bêtes sauvages.

Garder ce livre sur ma liste des livres à relire.

Je me souviendrai longtemps de ce docteur Halvorsen, autodidacte féroce, qui monta jusqu'aux universités et qui exprimait devant la vie un cynisme admirable. Il vivait pleinement sa philosophie nietzschéenne. Comment, pour s'assurer d'elles, il avortait des femmes et gardait, dans des bocaux remplis d'alcool, les foetus à leurs différents stades d'évolution.

Quelle peut être au juste la valeur de ce livre dénonciateur? B., ou R. sans doute, pourrait m'informer. Au fait, B.; c'est un homme grand, maigre, aux membres grêles. Son visage est fin, et serait beau sans le sourire qui s'y fige comme une grimace et en tord les traits. Ses dents aussi le défigurent, de longues fausses dents mal ajustées qui semblent prêtes à sauter hors de la bouche. Le costume du détenu lui va mal; veston court, pantalon traînant. Son apparence dégingandée le fait paraître un gamin grandi trop vite. Il est très doux, amical et soucieux de ne point blesser. Il parle peu. Il écoute cérémonieusement, en se penchant vers l'autre qui parle. Il se borne à de brèves réponses. Sans cesse, ses doigts, de longs doigts secs et agiles, pianotent sur leur paume... Un jour, quelqu'un s'empressait près de lui en l'interpellant: «Monsieur B». Aussitôt, des caustiques donnèrent de la voix; et je me suis laissé dire que B., peu après, avertissait ses compagnons de l'appeler Ray, tout simplement comme les autres, «ici, il n'y a pas de monsieur, il n'y a que des malheureux». J'admire ce mot très humain. Il soulignait «monsieur» comme pour bien démontrer qu'on employait prétentieusement ce terme. On s'en est tenu à cela; et depuis, il se voit grandement respecté de tous les détenus, ses compagnons. Ici, on respecte toute bonne éducation; en vérité, c'est un manque, une aspiration fauchée, une partie des rêves. Ce monsieur B. est une bonne personne dans toute la force du terme. R., lui, n'est qu'un faraud, un bout d'homme ridicule. Il parle mal le français, en mâchonnant les mots. Son hypocrisie (ailleurs, on dit psychologie) sans doute est de paraître niais, car il me fait l'impression d'en être un pur. Au contraire de B., qui est strict et maintient une sorte de loyauté envers ceux dont il partage le sort, il profite de tout ce qui peut alléger sa sentence: cellule d'hôpital, diète, travail de jardinier. Comme la place est menée par des valets, il lui est facile de serpenter parmi les favoritismes les plus mielleux et de s'arranger comme s'il était ici par erreur. Ces deux personnages sont d'un drôle inouï: l'un devrait être parmi les savants, ses confrères; l'autre chez le diable, son frère.

*

Il ne faut jamais s'appliquer un rôle avant d'avoir pris tous les avantages pour le jouer à la perfection. La vie a l'atmosphère d'un théâtre, mais l'audience, satisfaite ou non, ne doit jamais savoir ce qui se passe dans les coulisses.

Trop de choses sont venues à moi subrepticement — et je les ai gardées comme des trésors.

Préférer le raisonnement aux excuses.

*

Le désir n'a pas d'excuses mais des droits.

*

Gide. L'exactitude agaçante du style de Gide va aux encontres de toutes les censures de Flaubert : les qui, les que brusquent les phrases, et les détails sont ramenés à leur minimité. Mais le jeu superbe des mots rend classique l'extraordinaire acuité de pensée de ce maître. Son biblisme sévère et hautain éveille en moi la ferveur. Aux ecclésiastiques bavards, il faut dire : «Ne vous abusez point ; c'est *L'Immoraliste* à la main qu'il vous faut interpréter la Bible.»

Oui, ce maître d'une admirable conscience, je veux m'en rendre digne.

15 *février*

Deux lettres ; de B. et de L. Je ne crois pas qu'il y ait connivence ; leurs rapports ne pouvant être de si tôt affranchis de la gêne.

B., monosyllabique, toujours tendre et incertain.

L., excuses jolies, avenantes, mêlées de flatteries.

Je leurs réponds délibérément par un flot de fadeurs insidieuses. Je me rends bien compte de ma méchanceté, mais elle est exigeante et je la veux en moi. Plus que jamais, être dur.

Au demeurant, j'ai peu de choses à leur dire, et ce ne sont que des retouches timides à mes inaptitudes.

Ennui. À la longueur des jours, j'ai traîné l'espoir de mieux vivre la minute suivante. Ah ! que je connaisse enfin cette joie de partir et cette ivresse des voyages sans autre but défini que de trouver, ici et là, des merveilles insoupçonnées.

Pendant les heures de nuit, je relis Gide : *Si le grain ne meurt.* Avec une joie sans pareille, je murmure chaque mot. Ce que je cherche en lui : sévérité, austérité, sincérité. Plaise que je sache préserver ma ferveur.

*

F-2316 — *La Pharisienne*, F. Mauriac. 1941.

J'ai mal lu ce livre; parce que je me sens agressif contre le catholicisme extravagant de l'auteur peut-être. Pourtant, il me semble que tous ces péchés, ces crises morales qu'il analyse se passent mal, et qu'on peut s'en moquer. La faute n'y est jamais complète, résolue, active; et non plus d'ailleurs la repentance.

Mauriac souvent dépasse le réalisme le plus cru. Comme sa sévérité pour ceux qui s'éloignent de la foi simple. On voit très bien qu'il préfère — une sincérité d'apôtre l'exige — ceux qui ne croient plus. Il revient à ces âmes qui ne croient pas et qui doivent combattre sans cesse pour ne pas retourner à la foi. Le vrai saint est sans doute celui qui est en lutte constante contre les tentations du Mauvais. Les autres, les médiocres, les vicieux, les voleurs de Dieu, qui s'établissent dans des habitudes religieuses et s'y maintiennent sans heurts, sans conseils, sans demandes à leur âme, ne sont qu'indignes. «... les êtres vraiment pervers sont presque aussi rares en ce monde que les saints. On ne rencontre pas souvent un saint sur sa route, mais non plus l'être capable d'arracher de vous ce gémissement, ce cri où il entre de l'horreur, surtout à mesure que l'ombre du temps s'allonge sur un corps miné et lentement détruit à la fois par la durée et par le désir, par les années et par une passion qui ne s'assouvit plus.»

C'est, nul doute, le combat, intérieur, la sincérité et la fréquence des crises morales qui font la valeur d'un être, le saint comme le méchant; et, celui-là, Mauriac le sait élire. Les autres, il les élimine, les blâme et les châtie d'une plume sévère.

Il faut devenir soi.

M'attristent de désir ces lignes de Verhaeren:

«Partez, partez, sans regarder qui vous regarde,
Sans nuls adieux tristes et doux,
Partez avec le seul amour en vous
De l'étendue éclatante et hagarde...»

Partir, c'est se renouveler. En attendant, je récite l'ennui misérable de mes jours, égaux immanquablement, et sans choc aucun, sans veille comme sans lendemain.

19 février

The Decameron. Trad. R. Aldington. Le livre des passions plaisantes.

Je suis terriblement fatigué de toutes mes gênes. Je fainéantise depuis depuis quelques jours, comme dans un rêve, et ne tente aucun effort pour mieux faire. Je sais bien pourtant que je tiens ici, au bout de mes doigts mêmes, la réalisation de mon avenir.

Je lis goulûment, par vice, sans penser.

F-3191 — *Robert Cain,* William Russell.

Âpre livre, à poésie brutale, déblayant les pires aspects de l'humain. Livre bien plus fort que *Trouble in July* sur le même thème.

J'y trouve beaucoup de moi-même. L'ennui, la peur de son sort, l'incompréhension d'une vie brutale que les rêves ont rendue à l'irréalité du cauchemar. Les échecs viennent de la rêverie, qui sape l'âme et neutralise la pensée. Tout ici sert à juger le monstrueux troupeau humain. Lui, Robert, sain, homme d'abord, s'enlise et devient comme les autres : un lâche.

Les demi-révoltes absurdes renfoncent plus encore dans l'aller-aller stupide de tous les jours.

Et moi, ici. Jours de honte absurde. Inaction. Infériorité à la vie. Mauvaise conduite. Que puis-je d'autre ? et que suis-je de meilleur ? Une chose oubliée, une machine de rêves. Seul, indécis, ci, là, glutinement, convictions irréfléchies, révoltes inutiles et bientôt réprimées... Une chose vivante ; telle une graine rejetée de fleur en fleur jusqu'à son lieu de pourriture, le long d'un lit bourbeux... Oui. Lassitude immense, mais non désespoir. Entrevue plutôt, et dès demain, la possibilité d'une libération par l'étude, par la ferveur, par l'oubli des mauvais jours.

26 février

Look Homeward Angel, T. Wolfe. Un grand livre rempli de délire, d'un flot monstrueux de mots vibrants de poétique ferveur. La vie même, en surréalisme. Livre écrit passionnément : désespoir de l'adolescence, malaise de l'âge adulte, incurabilité de la vieillesse.

Autobiographique et préfaçant *Of Time and the River.*

Eugène, précoce et pur, incapable de loger son amertume dans le monde ; incapable d'apaiser son âme brûlante dans un monde indifférent et mesquin. Un Jean-Christophe sans l'Amore-Pace.

Journal d'adolescence d'un grand artiste.

*

F-163 — *Coeur de Sceptique,* Henri Ardel. Sentimentalité, petite morale, ennui pur.

*

Saint Augustin propose «que l'âme est immortelle parce qu'elle est une source de vie», et j'ajoute qu'elle est aussi une source de mort. Le corps, de même, n'a de fonction que dans la vie ; c'est la qualité propre qui lui donne une âme et à l'âme un corps. L'un n'est rien sans l'autre. Pas de lumière à la lampe sans huile. Toute chose veut son à-venir, et c'est pourquoi cette appétence pour la vie. Au demeurant, je fais peu de cas de ces professions de foi abstraites des pères de l'Église; ce ne sont que des ratiocinations absurdes et dont je n'ai que faire. Je ne m'en occupe que pour les fixer dans l'histoire de la philosophie.

*

J'aime surveiller les hommes qui s'agitent, mais de cette motion éperdue, mais de ce tourbillonnement, mais de cette excitation affolée qui les mènent sur la fuite des jours. Quel plaisir cela est de vivre seulement, de rester paisible, souriant, silencieux, sardonique sûrement, à surveiller les jeux complexes de ceux qui ne peuvent subir l'attente en gardant lucide leur intelligence.

*

The Naked and the Dead, Norman Mailer, 1948. Un magnifique livre de guerre; il ne faudrait pas lui enlever ce qualificatif sans doute. J'y trouve la maxime de l'individualisme: «I hate everything which is not in myself.»

6 mars

Fièvre, lassitude extrême, envie de repos. Je ne trouve rien pour tromper mon ennui. Je n'ai conscience d'aucune demande en moi, autre que la satisfaction des plus bas instincts. Je sauterais avec joie dans n'importe quelle page d'un roman pornographique ignoble.

Chaque caprice en moi est une volonté qui combat la mienne.

*

F-189 — *Les Nuits du Yang-tsé,* André Bernis.

Livre d'action où se disperse plus de philosophie qu'on ne le pourrait croire. Des forces d'âme qui se dépensent à une existence active.

*

Saint Thomas d'Aquin. 1225-1274. Prince de la scolastique et docteur de l'Église. Il systématisa la théologie catholique. Intelligence supérieure; mais son siècle était pris dans de hautes questions ayant pour postulat un mensonge incompréhensible. *Summa Theologica. Summa contra Gentiles.*

Et je lis d'assez épaisses niaiseries dans *Le Traité sur le gouvernement divin,* où ces questions, entre autres, sont débattues, à savoir :

Si le monde est gouverné par un Être

Si les fins de ce gouvernement sont extérieures au monde

Si cet Être est seul

Si les effets de ce gouvernement sont uniques ou multiples

Si toutes les formes sont sujettes immédiatement au gouvernement divin

Si un ange en éclaire un autre (le renseigne)

De pareilles inepties sont préservées dans des reliures de luxe tandis que l'on met à l'index un Gargantua. C'est à se demander si ce miteux d'Aquin n'en frémit pas dans son trou, maintenant qu'il sait qu'aucune de ses abstraites abstractions n'a de rapport quelconque avec la vie. Mais de ces arguments, Dieu lui-même, s'il existait, n'en ferait pas cas.

Je lis ensuite l'admirable «Dialogue avec la Mort», un fragment des *Upanishads.* Je ne sais quoi de dramatique, de prenant, mais cette ferveur mystique me touche jusqu'aux fibres de l'âme. Il y a je ne sais quelle chaleur spirituelle, quelle vie autre...

*

Légaliser ses vices est un devoir. C'est-à-dire soumettre sa conscience aux demandes de la vie, et ainsi perdre cette odieuse et constante menace qu'est le scrupule. Comme ici, où l'obligation de jouer un rôle est absolue ; cela m'épuise, mais je voudrais y mettre autant de moi-même que si j'y trouvais un grand plaisir.

Toutes ces choses d'ici ; j'en ricane comme d'un simple fracas dans lequel se mêleraient les hontes diverses de notre maladresse à chacun.

Oui, oui. Après le rêve, il faut agir ; se désintoxiquer.

*

Anatole Laplante, curieux homme, F. Hertel, 1944. Cet auteur, un religieux, je crois, a de l'étoffe. Ce mince volume de réflexions très sensées le dit bien. D'une part un grand sérieux, de l'autre l'aspect drolatique de la vie. C'est tout à fait comme je l'entends.

*

De Villon à Péguy, Wallace Fowlie, 1944. C'est la critique d'art dans sa part mystique. Durant toute ma lecture, rapide, feuilletée, impatiente d'être à court, je ne songeais qu'à mes possibilités de jugement, de poser en parallèle ma vie aux livres. Mais je m'intéresse à cet auteur si sympathique à la France. Je le comprends mal pourtant, et j'aimerais le suivre mieux dans ses théories nouvelles. Le temps m'est cher et l'opportunité rare; c'est là le difficile. Il s'adresse surtout à ceux qui ont libre accès aux livres. Je ne pourrai ni juger ni ordonner les sélections de ma pensée avant d'avoir vécu dans ce merveilleux Paris, «ville des livres», remarque W. Fowlie; but mystique et grand espoir de mon être...

*

«Education begins the gentleman, but reading, good company and reflexion must finish him.» (Locke). Mon esprit est tombé dans le saugrenu à ce point que, même si j'accepte le sens de cette phrase, je ne puis m'empêcher de ricaner que «finish him» assomme tout à fait le gentleman du début de l'histoire.

*

Reçu une lettre de L. qui m'affecte un peu, quoique je n'éprouve plus cette fébrilité qui déjà me les faisait lire aussitôt reçues. Il fut un temps où je croyais bien ne jamais perdre cette impatience sentimentale pour tout ce qui le concernait; tandis que maintenant... Entre nous ne s'échange plus qu'une conversation polie.

*

Étonnant si l'on accepte facilement l'ingratitude et le jugement pervers de l'Ecclésiaste — que l'on dit être Salomon, mais que je dirais être un récitant de la cour du roi, comme il y en avait en ces temps-là; et que l'Église, au contraire des protestants et des juifs, range ce livre parmi les livres canoniques.

*

Ceux que j'ai connus, Gustave Cohen, 1946. M. Cohen n'oublie jamais d'être professeur, mais dans ce livre charmant je retrouve encore ces artistes dont j'admire tant l'intelligence et la personnalité.
Maeterlinck: tranquillité olympienne.
A. France: sensualité moqueuse.

*

À la suite, hâtivement et très mal, j'ai lu:
F-7613 — *L'Oeuvre de V. Hugo,* Fernand Gregh, 1933.

E-3367 — *The Wayward Bus,* J. Steinbeck, 1947
Mein Kampf, A. Hitler
Dialogues, Platon

Ma faim des livres est grossière tant elle est insatiable. J'y trouve quand même des plaisirs meilleurs que dans toute autre occupation.

Ma vie intime est à cacher; je ne puis m'exprimer autrement. Sans doute, il me serait facile de mentir — le mensonge se trouvant être ce qu'on croit de ses rêves —, mais je ne puis me duper moi-même, et le mensonge ne servirait qu'à médire de la pauvre espérance qui me reste.

Comme il me serait aisé pourtant de finir ces jeux enfantins en me jetant dans le plaisir sexuel.

*

«Le fond d'un homme se découvre mieux dans ce qu'il dit des autres que dans ce qu'il dit de lui-même.» (Nisard)

«La liberté est le droit de faire tout ce que les lois permettent.» (Montesquieu)

«Vouloir, c'est avoir le courage de s'exposer à un inconvénient.» (Stendhal).

*

La Pureté dans l'art, W. Fowlie.
E-3600 — *The Saxon Charm,* F. Wakeman, 1947.

*

F-248 — *Un Jardin sur l'Oronte,* Maurice Barrès.

Poésie délicate, tendue jusqu'au gémissement douloureux de la volupté. Cette poésie, il faut la savourer lentement, expertement, de tous ses sens, car elle a toute l'agaçante langueur de la poésie orientale. Ces fleurs fanées. Ces femmes éperdues. Ce poète haletant. Barrès est le sourcier des plus subtiles émotions de l'âme.

*

Je porte en moi la sénilité des vieillards.

Ne pas rapporter à ce qu'on nomme Dieu mes obscènes nuitations.

*

Désespoir de vieille fille, Thérèse Tardif, 1943. Charmant petit recueil de pensées parfois cruelles.

*

J'amoncelle mes lectures, mais j'ai peu de choses à dire. Je n'en cherche même pas. J'attends. Ou plutôt : j'assiste à la nuit et j'espère le jour.

*

F-1296 — *Dames étranges,* M.-Georges M., préface de Lecomte de Noüy.

Le préfacier nomme M.-G. M. «profond psychiatre». Il a certes de la finesse, beaucoup d'expérience, mais sa seule force d'écrivain est dans son genre qui est un rapportage adroit, pressé. Il présente ici des figures de femmes étranges, extraordinairement; et fantasques, sur lesquelles j'aimerais me pencher comme au-dessus de l'enfer : marquise Casati, dévergondée internationale, un peu artiste, un peu poète, énervée surtout; Ida Rubinstein, maigre exaltée, hermaphrodite et perverse; une évasive et misérable dompteuse de fauves; Nonnette, putain écervelée et sentimentale, image de Nana; Lola Montès II, fière castillane et maîtresse des nuits d'enchantement...

Mais ce livre n'apporte rien à ma ferveur, et je retombe dans une lassitude dont la perfidie me fait mourir.

*

Si ce n'était pas de cette peur de l'échec qui a pris racine en moi et me poursuit constamment, je crois que je délaisserais tout pour retourner aux jeux d'avant. Travaillant mal, avec une indulgence qui ne produit rien de valable — sinon d'autres regrets, peut-être —, je reste en butte à un complexe issu de ma propre nature : l'indolence.

«Chercher vivre» ici est une inutile perte de temps. Je dois mieux que jamais m'appliquer, sans fausse honte et sans discours, à sortir de la petite bête grossière que je suis.

Combattre ce détestable recours aux rêves qui m'est habituel.

*

Lettre de L. En anglais. Il s'y débarrasse d'une métaphysique vulgaire, exprimée dans un slang expressif, et qui m'apporte sa haine du monde et le mépris de lui-même.

*

Journal de F. Mauriac, trois volumes. Curieux, presque impersonnel. Certaines notes ont dans leur brièveté toute la valeur d'un livre. J'y reprends mon angoisse de bien lire, de bien dire aussi; et, sans façon, j'admire la touche délicate de l'artiste. J'y reviens; je savoure tout à neuf telle pensée fervente et anxieuse de vérité. C'est étonnant qu'il reste chrétien, en dépit de ce que la vie lui montre chaque jour; et c'est peut-être en quoi réside toute la valeur de son catholicisme. Telle page, comme «Ainsi va la vie», est d'une beauté parfaite.

*

Je ne manque pas de craindre ce mécontentement qui naît en moi pour tout ce que les autres acceptent comme le meilleur de la vie, et que je trouve le moindre. Il me semble que la vie, même de la plus entière liberté, ne peut être si mesquine que je l'entrevois d'ici.

*

Sartre — Existentialisme; action dans l'existence. L'homme ne vit que pour lui-même.

Philosophie au ton moderne, élaborée de l'oeuvre chrétienne de Kierkegaard.

À l'encontre de Platon pour qui l'essence de l'être a une seule valeur.

Kant: l'homme est responsable à Dieu seul.

Sartre: l'homme est responsable à lui seul.

Gide: «...la sincérité parfaite — du motif aussi bien que de l'acte — qui donne à l'homme sa plus haute dignité et valeur, ne peut être gagnée que par un effort constant. «Le paradis est toujours à refaire.» Peut-être aussi ne suis-je qu'un aventurier.»

Toute morale est élastique aux besoins de l'être, et ce, qu'on le veuille ou non; mais tout être n'a pas cette force de caractère, cette maîtrise qu'il faut pour agir librement, selon *sa* morale. En plus d'un sens, un être doit se montrer absolument exceptionnel pour arriver à satisfaire ses désirs. Un criminel adroit est un être exceptionnel.

Mais pouvoir dire: J'ai vécu ma vie sans Dieu, sans haine, sans lâcheté, comme cela serait parfait...

*

J'ai traversé la période des songes. Je n'ai rien, mais je me sens soutenu par je ne sais quel espoir où un seul moment, une seule conversation de bonne tenue, la visite de quelque dieu peut-être, de quelque démon, me viendra libérer et transporter jusqu'aux sphères ultimes de la pensée.

F-770 — *La nuit de la Saint-Jean,* G. Duhamel, 1935. IVe tome de la «Chronique des Pasquier».

Un merveilleux petit livre, plein d'humanisme. Observateur attentif, Duhamel n'est pourtant jamais cruel; il garde une sorte d'aménité tant il est tendre là où d'autres s'efforcent de massacrer, d'avilir. Souvent même je le voudrais un peu plus malhonnête. Il est plaisant d'imaginer ce qu'il ne dit pas et jusqu'où irait sa description scientifique de la vie, s'il n'allait pas, par civisme, restreindre son observation.

J'admire cette figure sympathique, Renaud Cussier, quand il monologue dans le fil même de mes rêveries: «Je n'ai même plus envie d'être heureux. L'ange de la paix surgirait, le bonheur entre les mains, je lui tournerais le dos. J'ai seulement envie de souffrir et de me torturer. Les angoisses de l'adolescence ne m'ont pas trouvé plus faible, plus désemparé devant le monde et devant moi-même. Quel amer regain! Certains jours, certains soirs, je suis fatigué de souffrir, incapable même de souffrir convenablement. Alors, j'attends, immobile, j'attends le retour des flots. La force revient, elle finit par revenir, et la souffrance avec elle... Mais suffit-il de vouloir? Suffit-il de s'écraser le coeur, à nu, entre les mains? Seigneur! je ne sais plus ce que je veux, voilà le plus clair. Seigneur! Pourquoi seigneur? Allons, allons, pas d'imposture. Ne mêlons pas l'idée de Dieu à ce petit drame de la terre.»

*

F-237 — *Le Père Goriot,* Balzac.

Livre inoubliable! Je reste tout effaré devant ce paroxysme de passion, devant les émois convulsionnaires de ce nouveau roi Lear. Jamais je n'oublierai les heures que j'ai mises à lire ce témoignage.

*

F-2139 — *Fantôme d'Orient,* Pierre Loti, 1927.

C'est tomber loin de Balzac. Tristesse; mélancolique retour au passé, aux choses finies, aux sentiments perdus; et dans un style tourmenté, complaisant. L'homme n'est plus lui-même, mais il tient une pose étudiée, une sensualité nonchalante. Culte du moi; regret sans fin. C'est le récit de la poursuite de tout un passé, après dix années d'intervalle et d'égoïste oubli. Le héros ne retrouve que le tombeau de celle qu'il avait juré d'aimer toujours et qu'il avait quittée sous prétexte. Près de ce tombeau il est guidé par une vieille servante qui a assisté jadis à ses amours et qui est maintenant mourante et pauvre. Il baise la terre où repose l'aimée. Il verse quelques larmes, mais déjà il repart. On sent qu'il avait espéré ne trouver qu'une tombe, afin de mieux s'acquitter du passé et esquiver le remords.

C'est une lecture tristement futile ; fades sentimentalités redites sur les malaises raffinés de l'âme. Émotions fuyantes.

On m'avait trop promis sur la tenue de cet auteur dans la littérature française ; je ne sais pas l'accepter ainsi.

*

F-222 — *Les Mal-Aimés,* F. Mauriac.

Assez difficile de les bien aimer ces êtres prisonniers de leur petit moi. Mais Mauriac coupe ici à vif, avec une sûreté rare d'analyste. Il a bien reconnu ses gens et ne les laisse pas lui échapper. Brève lecture. J'aimerais voir cette pièce ; ou, mieux encore, l'entendre lue par l'auteur !

*

E-3353 — *The Red and the Black,* Stendhal, Trans. by Scott Moncrief, 1926.

Cette première lecture, en anglais surtout, ne satisfait pas à mes attentes. Julien ; un petit gourmé envieux. Style curieux ; Hemingway écrit de même de nos jours.

*

F-1288 — *Siegfried et le Limousin.* J. Giraudoux, 1922.

Un flot incessant d'images confuses, de sensations diverses, et dans un style vif, rude, inégal. Je crois que dans cette profusion la pensée se perd et devient enfantine.

*

Se préparer, s'appliquer, se *contraindre* à devenir «disponible», selon le mot-clé de Gide. Jusqu'ici j'ai manqué à cette bonne formule. J'encourage plutôt de mauvais sentiments, je me tiens béat devant l'avenir sans l'approcher de moi. Je m'amuse mal à des joies moindres ; et ces joies frimées, je les force avec de faux rires et les imite à celles des autres ; à ce point que, si elles venaient à me manquer, je pâlirais d'ennui. D'où viennent, avec les éveils de ma bonne foi, mes rechutes décourageantes. Je suis de ceux qui ne peuvent subir d'être dupes, et qui, s'il leur arrive de l'être, en souffrent longtemps. Après chaque période de pareille ineptie, je m'éveille pour prendre contact avec telle duperie que j'abhorre... À cette heure, je me tiens à un carrefour ; où j'ai ce choix : revenir à la sentimentalité un peu niaise de mon enfance, orner cette vague reconversion de certains souvenirs hypocritement pieux ; ou bien, me libérer entièrement de toutes attaches, ne plus revenir vers aucun jour passé, toujours foncer sur l'avenir, vers cette vie que je veux mienne, dangereuse surtout. Empêcher, empêcher à tout prix chaque lendemain de n'être que le recommencement de l'ennuyeux hier.

J'ai gaspillé beaucoup de ma vie en me complaisant ainsi dans un étalage de pensées tristes et capricieuses sur les divers manquements de ma jeunesse. À un stade il faut oublier, être fort jusqu'au mépris, si besoin est.

Se rendre meilleur par les grandes leçons de chaque moment.

*

F-1257 — *La Symphonie Pastorale*, A. Gide.

J'ai relu et relu ce livre; chaque fois j'ai connu un plaisir neuf. Quoique je n'aie pas la foi et ne supporte pas la faiblesse de la piété, de l'amour, ce fut toujours avec une émotion constante. C'était comme un acte de ferveur. J'admirais surtout, de là l'étrange valeur de mon émotion. Je puis noter ici cette sensation profonde qui me reporta dans mes nuits anciennes lorsque je lus, confus déjà de cette lassitude muette de toute prière dans laquelle je lie mes nuits en gerbes folles, cette prière simple, sans éclat, ramassée par l'émotion mystique du coeur aux lèvres: «Est-ce pour nous, Seigneur, est-ce pour moi, que vous avez fait la nuit si profonde et si belle? L'air est tiède, par ma fenêtre ouverte la lune entre et j'écoute le silence immense des cieux. Ô confuse adoration de la création tout entière où fond mon coeur dans une extase sans parole. Je ne peux plus prier qu'éperdument...»

C'est tout, mais la beauté de cette supplique pénètre jusqu'aux recoins les mieux défendus de mon âme et reguide mon être entier dans une franche lumière. J'accepte une morale de Gide; elle est d'un bon maître et la promesse d'un plus bel avenir.

Comme cet artiste s'est achevé un beau style! Il m'émerveille à chaque phrase. Ce style paraît simple peut-être, mais il est on ne peut plus subtil, correct et vraiment classique. C'est le repli exact, le déroulement souple de sa pensée. Aucune faiblesse de langage en lui. C'est un maître.

Il mentionne qu'il n'est nulle part question des couleurs dans l'Évangile. Peut-être, et ce n'est qu'aux psaumes que je retrace un terme qualificatif. Ainsi trouve-t-on (ps. 23, 2): «Il me fait reposer dans de verts pâturages.» Il y est aussi mention de fleurs bleues. Avant ma découverte de Gide, je lisais volontiers la Bible; mais le biblisme raisonné, sévère, individualisé dont il fait art vraiment me pousse à reprendre ce livre chaque matin. J'y apprends à connaître l'homme.

*

Pensées, Pascal. L'heure n'était pas venue pour moi de lire ce livre. Je n'y étais pas préparé. Je n'ai pu donc, à part certains passages, élever mon intelligence au niveau de cette exaltation infernale. Une grande partie de ce qui fait horreur à Pascal me plaît infiniment.

Certains croient avec indifférence; d'autres ne croient point, avec indifférence aussi. Tout cela est une affaire de perspective. Chaque chose vaut le prix qu'on lui donne.

Pascal laisse entendre que l'homme est fait pour penser, et que c'est même son seul mérite. Mais il ne pense pas, l'homme; rarement; il s'amuse, il se fait roi, «sans savoir ce que c'est d'être roi, et ce que c'est d'être homme».

Son «Joie, joie, joie, pleurs de joie» était le balbutiement d'une crise hystérique. Poésie quand même.

*

Pourquoi la vie? Ces perpétuels recommencements? Chaque jour apporte les mêmes sensations, les misères usées de la veille et les faux espoirs du lendemain à neuf. Cette prison me tue, me ramène à l'enfance, à l'idiotisme, au silence aveugle de la matrice. Mon ennui y est fixe, moribond sans cesse.

Que ne puis-je, tel un poète, crier la hantise de mes jours et la trompeuse ferveur de mes nuits. Crier les drames intimes que j'agonise dans cette existence foetale...

Longues heures d'insomnie durant lesquelles ma vie passée — ce qu'elle a été, ce qu'elle dut être — reflue vers moi, m'angoissant d'une gêne affreuse.

Aussi me reviennent à la mémoire les vers de Calderón, à mon avis les plus beaux de toutes les littératures, et encore supérieurs au Soliloque d'Hamlet: «¿Qué es la vida? Un frenesí...»*

J'ai tout perdu: mes plus belles années.

*

F-263 — *L'Hymne à la vie,* Henri Berr, 1942.

Un roman à thèse, mais surtout le fort beau journal d'un esprit converti au respect pour un autre; en l'occurence, celui de Descartes. C'est un livre qui travaille une intelligence.

Les crises mystiques durant les solitudes d'une vie.

Dès les premières pages me reviennent les grands chagrins de mon enfance: que mon père fût un lettré, veillant sévèrement sur mon éduca-

_____

* «Qu'est-ce que la vie? Un délire...»

tion; que j'eusse reçu une discipline à certains jours; que j'eusse connu un maître enfin.

Mais ceci qui me touche tant: «*Quod vitae sectabor iter?*» se demandait Descartes dans sa jeunesse méditative. Il l'a trouvée, sa voie. En suivant ses traces, j'espère trouver la mienne. À cette ferveur de disciple j'oppose celle qui me communie à Gide. Dans mon admiration pour ce maître aussi j'ai conscience d'avancer vers de belles choses; tout m'est joie et contentement. Joie surtout de semer les mauvaises habitudes. Je l'ai découvert un peu tardivement peut-être, mais n'en apprendrai que mieux. J'ai été spontanément tiré à lui par sa pensée diversifiée. Comment pouvait-il en être autrement? Comment pouvais-je ne pas être frappé de la relation si parfaite entre son enfance et la mienne? — mêmes désirs, mêmes dégoûts, mêmes aspirations; quoique là où «...survient l'angélique intervention pour me disputer au malin», je fus attiré par une perverse flamme de désir, qui m'emporta dans l'abîme. C'est pourquoi toute la force et, j'ose le dire, tout le mysticisme de l'admiration que j'ai pour Gide suffiront à peine pour me relever de cet enfer.

Mais dans ce livre je retrouve tous les états qui furent les miens aux mêmes intervalles et dans les mêmes exactitudes: aveugle, inquiet, buté dans le dégoût; puis, l'affolement des espoirs: «rayons et ombres»... Et ces phrases qui reflètent un peu de ma présence: «Ce qui ne change pas, c'est l'inquiétude humaine... C'est une faiblesse, et c'est une force, c'est une loi de la vie, sans doute, que l'appétit de vivre triomphe du deuil le plus profond.

«Je m'ennuie aujourd'hui, et je cherche en vain ce qui pourrait m'arracher à ma torpeur. Aucun livre ne m'attache; penser ma fatigue; le soleil m'irrite de son éclat banal; la vie me semble fade... Souvent ainsi le ressort se casse; mon cerveau est comme épuisé; et quand ma chair même ne sent plus l'aiguille d'un désir vague, tout mon être stagne dans un état pire que la mort.»

Livre qu'il me fallait lire maintenant. Je comprends mieux les droits d'un maître.

*

«Alors la foule lui (Jean-Baptiste) demanda: «Que ferons-nous donc?» Il leur répondit: «Que celui qui a deux tuniques en donne une à celui qui n'en a point; et que celui qui a de quoi manger agisse de même. Et ceux-là vraiment qui n'écoutent pas ces paroles, n'y obéissent qu'à contre-coeur, ceux-là n'entreront pas dans le royaume des cieux.»

Un ancêtre de Jésus s'appelait aussi Jésus, mais il ne songea point à être le fils de Dieu.

*

Au-dessus de la Méditerranée, on dit que le ciel est d'un bleu ravissant. C'est à quoi je songe justement; et de toutes mes lectures, c'est l'image qui me hante le plus. Mon grand désir des voyages s'en trouve comme augmenté.

*

F-2007 — *Le Zéro et l'Infini,* Arthur Koestler, 1940.

Étrange, hallucinante, dangereuse lecture. Contre le parti communiste une propagande qui rentre dans le thème du roman noir; tout cela est plausible; la logique en est même certaine, et dans ce genre de livre voilà tout ce qui compte.

*

Déhiscence. Ce mot dont j'aime l'assonnance pourrait servir, ce me semble, à l'expression d'un sentiment tendre: amour, état d'âme, ou quoi encore. Il servirait mal à exprimer un sentiment contraire, cependant.

*

E-413 — *The Sure Hand of God,* E. Caldwell. Brutal petit livre qui dépeint la vie des pauvres gens vivotant autour de leurs misères dans une banlieue américaine. J'y reconnais tels voisins de mon enfance. Caldwell réduit à leur plus simple expression les jeux violents, grossiers, cachés de la vie de faubourg. Quelques pages surtout sont d'un réalisme achevé. Il a maîtrisé un style direct, précis, bref et en accord avec son sujet. Jamais il ne dépasse ce qu'il lui faut décrire avec des tirades et des marmottages psychologiques... Il rapporte avec un art certain la mesquinerie de ces vies pauvres, et que le système social veut ainsi.

Tragic Ground
Tobacco Road
God's Little Acre
L'oeuvre de Caldwell est forte.

*

Théâtre, Armand Salacrou. T. III: *Une femme libre; L'Inconnu d'Arras; Un homme comme les autres.* 1942.

Pièces boulevardières. Évidemment, l'auteur est trop intelligent pour ne pas les réussir. Mais la mise en scène de telles pièces? difficile? Je songe au public, au grand public; il est certain qu'elles présentent des propositions éthiques et esthétiques, sociales mêmes ; mais le public y est-il intéressé ? Je ne le crois pas. Ce qu'il lui faut, c'est de l'amusement ; cela passé, on ne croit plus à ce que dit Mme Berthe : «On me juge avec des lois mortes.» (H.c.a.)

*

F-2326 — *Meipe ou la Délivrance,* A. Maurois, 1926. J'aime toujours qu'un auteur s'aventure jusqu'à moi et qu'il trouve ce qu'il faut me dire. Le romantisme de ce mince livre m'exacerbe un peu.

Il n'y a qu'un Dieu ;
L'Église est universelle ;
Le pape est infaillible ;
Mais si je suis un mécréant, moi...

*

Même aux mauvais jours, esprit et abondance de coeur. Mais depuis des mois je n'inscris rien de personnel ; je n'y songe même pas ; je n'ai soin d'aucun état d'âme. *Nada,* rien. Un ennui pauvre et maladif dans lequel je me laisse croupir. Jours mornes où je désapprends même de penser.

*

E-5006 — *Samuel Johnson,* Boswell, vol. I
E-5007 — *Samuel Johnson,* Boswell, vol. II

Je contribue à tout ce qui fut dit pour marquer cette oeuvre comme la plus parfaite étude biographique qui fut jamais écrite. Et je me dis qu'il me faudra posséder ce livre dans une édition de luxe.

Cependant je veux ajouter ceci : le biographe était de génie plus que l'homme dont il fait l'étude. Samuel Johnson était un homme grossier, vain, borné. Son esprit était mesquin et hâbleur. Tout ce qu'il a dit de fameux, sur la littérature ou sur la politique, ou même sur la vie toute simple, aujourd'hui paraît banal et partisan. Boswell l'a dépeint si complètement que l'homme nous est montré tel qu'il fut vraiment : haïssable dans toute la force du mot.

*

Défervescence des protestations lyriques. Je ne veux plus me taper les côtes à la recherche de complexes et de peurs. J'attends mon heure comme un droit à la vengeance.

81

Les accablantes fautes du passé.

*

«Pourquoi m'interroges-tu sur ce qui est bon?» (Mat.) La grande sim-
plicité de Jésus était son génie même. Cette admirable confiance en soi.
Il était sûrement l'un des grands intellectuels de son âge — je parle au sens
artistique de ce mot —, et il avait sans doute pris contact avec les littératures anciennes. Quelque chose l'apparente aux sophistes du VIᵉ siècle; son
goût pour l'enseignement et ses réflexions sur la condition humaine. Avant
tout interprète et critique, il prêcha et voulut vivre ce que d'autres n'a-
vaient que rêvé: un humanisme de signification profonde, qui engage
l'homme entier. On parle surtout de sa bonté, mais je crois qu'il était plus
brusque que bon; c'est-à-dire d'une sévérité souvent maligne. Par exemple, dans la bouche d'un homme investi de l'autorité royale, il exagère ses
droits disciplinaires: «...on donnera à celui qui a; mais à celui qui n'a pas,
cela même qu'il a lui sera ôté. Quant à mes ennemis, ceux qui n'ont pas
voulu que je règne sur eux, amenez-les ici et égorgez-les en ma présence.»
(Luc, 19, 26). Ce n'était pas seulement pour frapper de peur l'imagination des disciples qu'il parlait ainsi, mais bien pour suivre le cours de sa
logique exigeante. Lui-même s'investissait d'une autorité plus que royale;
et on trouve une nuance de vanité intellectuelle dans ses paroles: «Le ciel
et la terre passeront; mais mes paroles ne passeront point», qui redisent
avec plus d'ampleur encore le vers orgueilleux du poète: *«Exegi monu-
mentum aere perennius»*...

Sur la croix il réalisa soudain l'abandon où il était tombé, et il se rappe-
la le grand psaume prophétique: «Mon Dieu, mon Dieu, pourquoi m'as-tu
abandonné?...» (ps. 22, I). Comme tout homme de bonne culture cite, sur
l'occasion, une parole de poète qui définit son état d'âme.

*

F-1820 — *La Fin d'un beau jour,* Éd. Jaloux, 1920.

C'est ma première lecture de cet auteur très estimé. Je croyais lire
G. Duhamel dans ses jours pessimistes, apprêtant la vie de son héros aux
mythes des littératures anciennes. C'est une excellente lecture pour un
jeune homme qui vit dans l'espérance de lui-même, suivant les préceptes
du «Disciple». Quant à moi, j'en regoûte de larges tranches de véracité.

Un seul type, une seule figure, en ressort; celle du maître écrivain
Joachim Prémery — que j'imagine être Gide; les autres ne sont que des
ombres fugitives qui servent au tissage des formules.

Je veux noter cette phrase de dernière logique: «La mort est encore
la seule injustice qui nous soit permise.»

Je me relis; je m'aperçois que j'ai manqué encore de me définir, de mettre en rapport ma pensée et mon vocabulaire. En vérité, ce livre m'a impressionné, mais j'ai eu la fatuité de mettre en avant mon dédain pour une logique qui me cingle. J'ai peut-être toujours eu peur des actes et des vérités.

Et voici une partie de ce dialogue entre maître et disciple, qu'il me plaît de transcrire:

«Peu! je m'amuse de temps en temps à y voir plus clair. C'est très bien de se mentir à soi-même, mais pas tout le temps. Mon pauvre ami, nous vivons sur les mots, nous sommes leur dupe. Nous sommes comme des grenouilles qui enfleraient à force d'ingurgiter des mots et en crèveraient!

— Le génie n'est pas un mot.

— Allons donc! on imaginerait sans peine un Shakespeare, un Vinci, un Mozart, un Beethoven, plus grands, plus complets que ceux que nous possédons. Ce sont les plus beaux génies terrestres, n'est-ce pas... Et l'on se surprend à dire parfois: «Quoi! l'homme n'a-t-il jamais pu faire plus grand? Ces esprits-là, dont je vois toutes les lacunes, comme ils nous dépassent de peu!» Quelle pitié! Voyez-vous, l'humanité vagit encore, elle sort à peine de ses langes, mais elle est si bête et si orgueilleuse qu'elle finira par se détruire avant d'avoir grandi! Les discussions religieuses, morales, esthétiques, ce sont des radotages de nourrices à qui l'endormira le mieux. C'est un vieil enfant à la fois précoce et attardé, qui singe les sentiments qu'il se représente et qui veut être traité en grande personne. Aussi, de temps en temps, Dieu lui envoie-t-il un déluge, une invasion de Barbares, une chute d'empire, un cataclysme quelconque, pour lui faire croire qu'il le prend au sérieux. Il accepte cela comme un hommage et s'enorgueillit de ses malheurs! Pauvre sot! Cependant, au milieu de cette tragi-comédie, nous formons une cohue de Narcisses et nous nous considérons les uns les autres comme nos miroirs mutuels. Quand un homme et une femme se renvoient leurs images, ils croient s'aimer et prennent des attitudes de chromos; puis ils s'aperçoivent que l'image qu'ils regardent n'est pas aussi flatteuse qu'ils le croyaient et ils en cherchent une autre. Le malheur, c'est que l'homme ne puisse pas vivre seul et qu'il ne puisse pas vivre avec ses semblables!»

Chaque oeuvre du génie humain le délimite; c'est sa somme. Aussi l'homme seul est-il inférieur à la vérité et doit-il lui courber le front.

L'art d'écrire est tout fait de l'expérience. Ici encore j'écoute le maître, et je me glisse en la personne de Girval, le disciple, pour affirmer que «je ne suis pas un enfant qui fuit devant la vérité», comme tant de fois déjà j'ai voulu me le faire accroire. Mais j'écoute: «Apprenez aussi à la considérer en face. Et puis, laissez-moi ajouter quelques mots avant de nous séparer. Je vous ai enseigné bien des secrets de mon art, j'ai cherché à vous épargner des années de travail, mais n'oubliez pas la leçon essentielle: il faut vivre avant d'écrire; mais vivre, ce n'est pas, comme on l'a répété tant d'années, s'abandonner à tous ses instincts. Courir les filles, avoir des maîtresses, chanter le printemps ou l'amour, s'amuser, boire et même jouer aux dominos, non, non, cela ne s'appelle pas vivre! Il faut avant tout chercher la vérité, en soi-même et hors de soi, fuir les faux-semblants comme des trahisons et, sous nos innombrables déguisements, découvrir l'être intime, profond et vrai. On ne devient un écrivain authentique que si, dans chaque page que l'on écrit, on enferme une part, si faible soit-elle, de vérité éternelle. On vous a dit que l'esprit classique signifiait avant tout: ordre, goût et modération; n'en croyez rien; qui dit classicisme dit connaissance. Plus vous enfermerez dans une oeuvre de faits humains, éclairés, pour ainsi dire, par l'intérieur, plus vous vous rapprochez de lui. La connaissance de la vie et sa stylisation, tout l'art est là. Mais si vous ne vivez pas d'abord, que vaudra votre art? Un vers de Racine, une page de Montesquieu, sont bourrés de sens à en éclater. Comparez-leur tant de médiocres ouvrages dont nous avons parlé ensemble: ce n'est rien que verbiage, car l'auteur ignore les lois vraies de ce monde et use de formules toutes faites. On peut publier quarante volumes avec des phrases apprises par coeur et vides comme les coquilles abandonnées d'une grève. Ne prenez la plume que lorsque les expériences innombrables que vous aurez faites ou méditées gonfleront en vous comme un levain; alors seulement vous serez chargé de science et vous forgerez-vous un style; le style, ne l'oubliez pas, c'est le dessin ornemental que l'on trace dans une forêt; il y faut d'abord la forêt. Et la forêt ne se pénètre qu'à force d'amour. La sympathie seule nous livre la clé de ce monde. Si vous ne vous donnez pas vous-même, tout vous sera refusé. Les avares ne possèdent rien que le fantôme de leur vice. La partie que vous allez jouer est terrible et magnifique; vous la jouerez contre Dieu, vous voulez obtenir ce qu'il possède seul: l'immortalité, et vous avez quelques années à peine pour gagner. Un coup mal calculé, une erreur d'une seconde, et vous voilà précipité dans l'oubli!»

Tout bon livre a ceci qu'il nous vise, nous séduit, nous découvre. Cependant, il faut laisser place à l'émotion; s'il est possible de maîtriser son raisonnement, on en vient parfois à être mené par lui, et c'est le piège, la pierre d'achoppement, le «coup mal calculé» duquel il faut se prémunir.

*

Voir: *Tour in America*, G. Stein
     Strange Life of Ivan Osokin, Ouspensky
Et les films: *M.B.E.*
        Hamlet
        Children of Mars

Longtemps sans prendre ce cahier. Indolence. Je connais mon mal, mais ne trouve pas l'énergie capable de le corriger et de soutenir l'effort à faire. C'est comme une aboulie consciente. Mes lectures ne m'apportent presque plus de ferveur ; un désir vague, une sorte de respect paralysant pour la chose écrite, sans pour cela m'en rapprocher la compréhension intelligente.

J.L. vu ce matin me racontait comment, pour se punir d'une bêtise, il s'était refusé toute nourriture pendant cinq jours. Par besoin de discipline surtout, et afin de savoir jusqu'où il pouvait tancer sa volonté. Il ne me mentait pas par vanterie, mais me racontait cela simplement avec une voix humble, divaguée, tournée vers l'intérieur. Je n'ai pu m'empêcher de lui laisser voir combien j'approuvais sa conduite et la respectais. Il dit ainsi : «J'aurais voulu me fouetter, mais j'avais peur du mal…» Sa voix était remplie de regrets, et une lueur de folie parut dans ses yeux. Ce n'est pourtant pas un enfant. Mais aussitôt je compris sa peur du ridicule, quand il ajouta : «N'en dis rien aux autres, ils se moqueraient…» C'est vrai, d'ailleurs, ils se moqueraient ; et, c'est seulement parce que je suis son ami, habitué à ses confidences, que je puis ne pas m'en moquer moi-même. Très peu de gens ici peuvent entendre qu'un énorme besoin de sacrifice travaille constamment les rares natures sincères, et qu'une honte de l'échec les emprisonne bien plus que les fers. Quant à moi, il me donne une forte leçon de morale. C'est avec un certain respect — et je laisse à part toute sentimentalité — que je lui ai serré la main ensuite.

C'est un être tout neuf, un peu naïf même. Il n'a pas d'éducation, mais son intelligence est très perceptive, qu'il laisse voir sous une grande probité d'esprit : «Si tu désires quelque chose, il te faut sacrifier un peu de ce que tu as, et offrir une même valeur en échange ; autrement, peu importe ton éducation, ta bonne volonté, ton porte-voix, tu ne seras jamais mieux qu'un grappilleur.»

Je l'estime beaucoup, pour cela et pour ce qu'il a osé ; malgré l'échec, qui n'était pas entièrement de lui. Sans doute, au snobisme du terme, a-t-il manqué sa vie ; mais contre l'échec même l'a-t-il voulu active et dangereuse. Je ne suis pas de ceux qui refleurissent de leur admiration des lauriers fanés, mais non plus portai-je l'insulte et la moquerie au vaincu si le sort lui a été mauvais. On doit réaliser que la connaissance s'acquiert durant le cours d'une vie, — et qu'elle n'est entièrement acquise — et encore ! — que lorsqu'il est déjà trop tard pour agir complètement. L'expérience coûte cher ; c'est le prix du temps. Cette leçon est dure à prendre.

*

85

F-254 — *Journal d'un curé de campagne*, G. Bernanos, 1936.

Bouleversante lecture. Par un complexe curieux de ma perversité, je me rends à la bonne foi dont rend témoignage cet inquiétant écrivain. Je me glisse complètement dans les pages de ce beau livre; je me laisse absorber entièrement par sa sincérité violente; je m'y consens comme un chrétien. Je regrette seulement de n'y pouvoir apporter une foi totale; ou, plutôt, un pareil désir de sacrifice.

Sujet délicat que l'auteur a magnifiquement traité: un prêtre jeune, tout fervent de mysticisme, à peine sorti du séminaire et obéissant à la lettre à la doctrine du Christ, est plein d'ardeur pour la sauvegarde de ces âmes qui lui sont confiées dans une pauvre cure isolée. À trois exceptions près, il ne trouve que la méfiance et l'hypocrisie. Atteint lui-même d'un mal incurable que des privations insensées aggravent encore, tout concourt à le désoler et à hâter sa mort. On retrouve son journal; c'est la plus minutieuse analyse d'une sensibilité que j'aie jamais lue.

Il restera toujours des Philistins et des scribes pour crucifier — par les affronts aussi sûrement qu'avec des clous sur le bois — ces Christ re-nés.

La prière est un art auquel ne s'élèvent que les âmes chères des grands artistes; les autres ne sont que des obséquieux, des palpeurs, des hypocrites.

L'esprit d'enfance: une belle chose qu'on perd.

Un autre prêtre, réaliste celui-là, le curé de T., ami du martyr, garde une intelligence froide du catholicisme qui l'emploie. Il admoneste ainsi le rêveur passionné qui vient de lui révéler ses affronts subis: «Avec l'idée d'exterminer le diable, votre autre marmotte est d'être aimés, aimés pour vous-mêmes, s'entend. Un vrai prêtre n'est jamais aimé, retiens ça. Et veux-tu que je te dise? L'Église s'en moque que vous soyez aimés, mon garçon. Soyez d'abord respectés, obéis. L'Église a besoin d'ordre. Faites de l'ordre à longueur de jour. Faites de l'ordre en pensant que le désordre va l'emporter encore le lendemain parce qu'il est dans l'ordre, hélas! que la nuit fiche en l'air notre travail de la veille — la nuit appartient au diable.»

Ce prêtre martyr est si naïf, a besoin de tant de soutien moral qu'il en paraît un peu fou — et sans doute l'est-il: du plus pur entendement de l'Évangile; mais, âme à âme, qui oserait le braver?

Ce n'est pas un phraseur et c'est pourquoi l'on s'en méfie; on le soupçonne du pire.

Les propos durs que tient le curé de T. ne sont pas des nouveautés, mais il les dit de si simple façon, si près de la vie que, malgré soi, il faut s'en convaincre, se laisser toucher.

G. Bernanos est un chrétien convaincu, c'est-à-dire un propagateur de la foi avant tout ; mais sa foi est forte, et il lui est permis de rappeler les dérangeurs du culte à l'ordre.

Le *Journal* est précisément ce livre que je voudrais avoir écrit.

*

Voir : *Nineteen Eighty-four,* G. Orwell, 1949.

*

M.A. Il clame à toute voix qu'il veut vivre sa vie au mépris de tout ; pourtant, si on le lui demandait, il serait en peine d'échapper au sonne-creux de ce tout, et de se désembourber de l'emphase de vie.

Le risible sérieux des pensées enfantines.

*

F-1272 — *Les Thibault,* t. VI : «La mort du père», R.M. du Gard.

Puissante peinture de personnages.

*

Déséquilibre complet. Je vais à l'aveuglette dans la confusion la plus finie d'idées, d'espoirs, de découragements. Je n'ai pas fini de recommencer.

*

On ne peut baser sa foi sur la prétention que les Évangiles s'entendent, parce que c'est précisément ce qu'ils ne font pas. Il n'y a pas de récits similaires des faits ; et en chacun l'exagération des légendes énormise. La plupart des apôtres n'ont été renseignés que par ouï-dire, et il est clair qu'ils passaient leurs journées longues à se raconter les qualités de Jésus ou de son mythe.

La foi des apôtres était primitive ; pour plusieurs d'entre eux, elle était aveugle. Contrairement au dicton qui veut que la foi religieuse soit aveugle, elle devrait être informée, raisonnable comme la foi du scientiste. Et c'est pourquoi il paraît illogique, aujourd'hui, de vouloir apporter dans sa foi une connaissance des Évangiles. Je dis : un raisonnement de sa foi, selon les Évangiles. C'est même dangereux. Paul, cependant, est stylé et est un penseur adroit. De lui à Mathieu, qui rapporte le mieux les paroles du maître, il y a une parfaite discipline philosophique.

87

«On ne perd pas la foi, elle cesse d'informer la vie, voilà tout.» Bernanos *Journal d'un curé...* Il faut s'incliner devant les fortes âmes. Le curé de C., celui de T., le docteur D., celui de Lille, sont des penseurs admirables. Tous quatre passent leur vie dans une valeur différente de la même foi.

*

Je me plais à cette anecdote plutôt naïve et que j'enregistre ici parce qu'elle me fait penser à la logique consentie de certains prêtres :

«Carlos V, visitendo una vez cierto convento de Alemania, vió a un monje que tenia la barba negra y el pelo blanco por completo. Preguntóle la causa de tan extraño fenómeno, y el monje le contestó: «Señor,... he trabajado más con la cabeza que con los dientes.»

«Présentóse algunos meses despues al Cesar un embajador polaco que tenia el cabello negro y la barba blanca. Recordó entonces Carlos la repuesta del fraile, y dijó a sus cortesanos: «He aquí un embajador que ha trabajado más con los dientes que con la cabeza.»*

10 juin

La convocation bicentennale tenue à Aspen, dans le Colorado, en l'honneur de Goethe, prend fin. J'en lis avidement les comptes rendus. A. Gide n'y était pas ; mais y fut-il invité ?

*

Voir : *Genius and the Mobocracy,* F.L. Wright
      Beards, R. Reynolds
      Cleanliness and Godliness, R.R.
      World full of Strangers, David Alman

*

«Celui qui chérit sa cellule y trouvera la paix.»

*

* Alors qu'il visitait un jour un couvent en Allemagne, Charles V vit un moine dont la barbe était noire et les cheveux complètement blancs. Ayant interrogé le moine sur la cause d'un phénomène aussi étrange, celui-ci lui répondit : «Seigneur... c'est parce que j'ai travaillé davantage avec la tête qu'avec les dents.»
Quelques mois plus tard, se présenta devant César un ambassadeur polonais qui avait les cheveux noirs et la barbe blanche. Charles se souvint alors de la réplique du frère, et dit à ses courtisans : «Voici un ambassadeur qui a travaillé davantage avec les dents qu'avec la tête.»

J'aimerais lire *La Philosophie de la civilisation,* d'Albert Schweitzer. Ce saint homme est l'un des derniers grands humanistes. Son éthique se résume en ces quelques mots : révérer humblement la vie, la maintenir et l'encourager, car il est mauvais de la détruire et d'en obstruer le cours.

Esprit d'une culture universelle, Schweitzer est à la fois scientiste, philosophe, littérateur et, à ses heures de repos, interprète virtuose de la musique de J.S. Bach. Depuis nombre d'années, il se dévoue au bien-être des nègres dans quelque lieu isolé d'Afrique. Il révère Goethe et Jésus ; il analyse l'oeuvre de l'un, proclame la grandeur de la vie apostolique de l'autre. Les principes humanitaires viennent discrètement génialiser son propre apostolat : «Pour chacun, en quelque état de la vie qu'il se trouve, toute éthique est de révérer la vie et de s'efforcer sans cesse, de s'intéresser de tout son coeur aux destinées humaines qui en traversent le cours ; en somme, de se donner, comme homme, à l'homme qui a besoin d'un compagnon.»

Il faut honorer un homme de cette trempe.

*

La solitude : fertilité ou stérilité de l'esprit.

*

E-3239 — *Lord Jim,* J. Conrad. Sans date ni mention d'éditeur et auquel il manque plusieurs pages de la fin.

Lecture dont l'enchantement est durable.

*

F-5452 — *Mes Cahiers,* t. IX, M. Barrès.

À nouveau choqué de la classification des livres, ici ; je trouve ce volume sous «Histoire». Les cinq premiers tomes sont, avec celui-ci, tout ce que l'on possède de la série des *Cahiers.* Cette pénurie est quasiment criminelle, tellement elle peut être prise à coeur et bouleverser une conscience. Aucune lecture à ce moment — non, un livre de Gide, mieux encore — n'aurait pu mieux me plaire. Ce livre dans mes mains, ma curiosité, l'expectation de mon plaisir plutôt, en devenait morbide. J'ai été profondément déçu ; ou peut-être y cherchais-je quelque incertaine chose qui ne peut s'y trouver. Le Barrès de ce neuvième cahier est bourgeois, tout à fait occupé de sa rédemption, et perdu dans une douteuse mystique chrétienne dont j'ai horreur. Pourtant, j'ai trouvé dans ce livre plus que je ne mérite ; j'ai été repris par ma respectueuse attention à la phrase-pensée de ce maître :

Poète égaré dans la politique, il bramait cette étrange réflexion : «J'aime la politique à ciel ouvert.»

Étrange aussi que, pendant qu'il était occupé d'avoir une notoriété politique, il écrivait son beau livre *La Colline inspirée*, dans lequel il se montre si uniment poète qu'on ne peut l'imaginer s'occupant de choses moindres.

Certaines phrases de Barrès font penser à Loti; il parle d'ostensoir comme s'il s'agissait d'un sexe féminin.

Pensée brusque, incomplète, irritée de ses manques. Légers aperçus de la vie.

Réflexions de lectures; prévues, paginées, superficielles souvent.

Certaines notes d'une finesse extraordinaire. Il eut été un reporter inimitable de faits divers, tandis qu'une bonne partie de son oeuvre va à l'encontre de la vie, et s'éparpille sur des émoustillements à sensualité mauvaise.

«George Sand faisait surtout des cocus», note-t-il, ricaneur.

Mais l'influence de ce maître ne peut pas être passée! Je copie quelques entrées :

«On ne devient un maître qu'à la condition d'avoir contracté l'habitude de se gouverner, c'est-à-dire de se soumettre à des raisons plus élevées que celles qui viennent du caprice de la passion.»

«Je regardais à l'Académie. De nous tous, Rostand est le seul qui ait la gloire, qui déplace les foules.»

«Le rôle de la politique a été de me sauver la vie.»

«J'ai tout fait d'abord pour ne pas me laisser encombrer, fausser, bref dénaturer par des influences fâcheuses. J'avais en horreur le son despotique d'une voix...»

«*Un homme libre* est le livre qui demeure mon expression centrale. Je n'ai fait que développer depuis.»

Il lui arrive de préjuger mesquinement; et, sous une note, je me passe de sa réflexion qui parle de nègrerie sous prétexte de moraliser.

La réalité lui était accablante; la science, l'odeur du charnier du laboratoire. Une phrase de Claude Bernard déchaîne en lui toutes sortes d'idées brutales : «La vie est une suite de morts.»

Mais comme elle est prenante, la poésie de Barrès! Ah! douce, perfide, mensongère, et me bouleverse quand, au tournant d'une page... «Comme ils sont froids les travaux de l'esprit auprès des plaisirs du coeur. Une créature vivante éveille en nous ce qui ne meurt pas, ce qui désire vivre éternellement. Quel est ce monde de souvenirs et de pressentiments qui se lève, m'envahit, m'agrandit.

«Forces de mon sang, je ferai avec vous des poèmes, des pensées hautes, des bonnes actions. Que ne puis-je en faire une mort héroïque.

«Je suis las, ô mon Dieu, épouvanté de ma poésie qui grandit et de me voir cependant m'acheminer sur les pentes inévitables de ma diminution».

En ne lisant pas mieux Barrès, j'ai perdu un moi enivré de poésie.

*

Nuit passée en jongleries amères. Je fourbissais d'émotions des actes qui se feront malgré moi, sans moi. Devant le monde, je suis seul.

Quand on pense que ma conscience parle encore, c'est enfantin; j'ai trente années d'âge; quinze de bêtise et quinze de prison.

Samuel Johnson, quel laid malade que cet homme! Qu'un si fort esprit se perde, esquive la plus brutale des réalités pour se passionner de bigotisme, pour se jeter dans des prières niaises et toujours répétées par les mêmes mots, dont le choix même est exagéré, quelle pitié! Boswell a fait une oeuvre, un reportage génial, mais son admiration sans borne pour l'homme était une duperie.

*

La mort de Danton, drame en quatre actes, G. Büchner
Le Sang clos, drame en trois actes. R.-M. Picard
La Marguerite, pièce en un acte, A. Salacrou

*

F-5042 — *La Fontaine et ses fables,* H. Taine.

Il me semble que ce livre est périmé, mais j'aurais peine à croire qu'aucun critique ait su apporter autant de méthode que Taine dans l'étude d'un classique. Et puis, comme il est plaisant d'entendre parler du capricieux, rieur et sensuel La Fontaine, poète parfait:

«J'étais libre et vivais content et sans amour;
L'innocente beauté des jardins et du jour
Allait faire à jamais le charme de ma vie.»

*

Je délaisse tout effort et reste mal content de moi-même. Pourtant, j'étudie; mais seul et sans but défini, sans portée extérieure. Quelques conversations de temps à autre me seraient plus délassantes. Tandis que pareille indifférence ne conduit nulle part et cause des chagrins stériles.

91

J'espère toujours qu'un rien — une rencontre, une amitié, une conversation — soudain décongestionnera mon intelligence. J'entrevois bien et soupèse des idées banales, de vagues projets, mais quoi donc me donnerait vraiment le moyen de poursuivre une indélignable conduite?...

Certains livres dont j'attendais trop et desquels je me suis laissé divertir par les plus vulgaires passe-temps. Je contrains ma destinée.

*

F. Van Wyck Masson: *Eagle in the Sky,* un roman historique. Les livres de cet auteur se vendent par millions. C'est de là qu'on voit le mieux la facile réussite du best-sellerisme américain.

*

Mon âme est pauvre, gardée dans un état d'égoïsme, d'indifférence, de désenchantement. Je n'écris plus ce cahier que par besoin d'occuper mon attente.

Pas à pas, j'accompagne mes dégoûts.

Mais je rêve d'une vie bohème; finis les à-venir, ne plus porter ses pas que dans l'aujourd'hui.

*

L'animalesque P. Cet être mesquin, chaque jour je le croise et je supprime, par un effort violent qui m'énerve, la colère qui me pousse à le frapper dans la gueule.

*

L'Autre, F. Carco.
Francisé le bluffisme américain. Très intéressant.
«Je ne corromps pas:
Je délivre.» (Jean Lorrain)
Et moi, j'oblige une paresse ancestrale.

*

On me dit que, dans son *Journal,* André Gide maintient que le *Corydon* est le plus important de ses livres; et l'on cite même que «le culte de la femme, la religion de l'amour et certaine tradition de galanterie asservissent les moeurs... et inclinent servilement la conduite de la vie».

Mais soyons sérieux, ces amours, «ces amitiés particulières», comportent, dans leur passion autant de mauvais désirs, de mesquines jalousies que les amours qu'on appelle régulières; et plus d'illusions surtout. À certains moments les plus tendres, je n'ai pas manqué de trouver ridicule ma main qui touchait des seins qui n'en étaient pas. Au demeurant, si Gide a spiritualisé commodément ses instincts, afin de se défendre de la componction de son milieu — disons bourgeois —, il ne peut jamais peut-être s'avancer autrement qu'en hésitant vers ce que j'ai saisi à pleines mains, de pleine joie, instinctivement et sans émotions surfaites. Le plaisir que je connais est brut sans doute, mais inlassablement vif. Je ne marque mes actes d'aucun recul. Dans ma conduite, je vois l'affirmation psychologique du *Corydon.*

*

Dans un billet à J.L. qui m'accuse d'égoïsme, je résume ainsi la question : N'en parlons plus. Je suis tout ce que tu veux bien que je sois; et plus encore, ce que tu n'imagines pas. Je ne t'ai rien communiqué d'essentiel, et tu ne me soupçonnes que du moindre; c'en est d'ailleurs ainsi de toute personne, et je n'ai que le mérite de te le dire.

De poésie, je ne m'en imagine aucune.

*

Voir : *Pinceaux et Stylos,* Miguel Zamacois
Ruskin ; toute sa vie fut une crise de génie.

*

Je lis une nouvelle de Truman Capote, «*The Last Door is Closed*», traduite dans la *Revue de Paris,* décembre 1948. Récit d'un homme qui cherche à se fuir lui-même. L'idée est toute simple, mais elle est ici dévidée jusqu'à produire l'hallucination qui est le but de l'histoire. La solitude de certaines vies est effrayante.

T. Capote est l'écrivain le plus personnel de la jeune génération américaine. Son talent de conteur est très original. Il a déjà publié trois volumes : en 1945, *Miriam,* qui reçut le prix O'Henry; en 48, *Other Voices, Other Rooms,* et un volume de contes, *A Tree of Night.* Il écrit dans un style imagé et neuf.

*

F-3473 — *Le Roman d'Aissée,* J. et Jean Tharaud, 1943.

Dense petit livre qui m'apporte beaucoup d'éclaircissements sur quelques notes des *Cahiers,* de Barrès, pour la nouvelle «arrosée de poésie personnelle» : «Un jardin sur l'Oronte».

La vie intensifiée par un talent d'artiste, et de même l'idée de la mort intensifiée... Mais comme cette femme poupée de verre, Aissée, m'intrigue...

*

Parfois, il m'arrive de penser qu'il ne fut pas de plus pernicieux éducateur que Barrès, qu'il eut l'heureux propos d'appartenir à un âge de décadence, de sécheresse intellectuelle, de re-goût à la Chateaubriand. Ce qui me fait errer ainsi, c'est le recours au christianisme qu'on trouve dans certaine partie de son oeuvre et dont on n'a plus besoin aujourd'hui. On dirait qu'il lui faut s'y appuyer, à cette source de mensonge des temps passés.

Mais, christianisme à part, que je puisse parvenir moi-même à me composer un monologue fervent, un ton intérieur, une sensibilité touchée par différents aperçus de la vie. Me laisserai-je momifier dans cette indifférence niaise qui, sous prétexte de dureté, prend de plus en plus maîtrise de la seule franchise qui me reste, et dont je souffre cruellement dans mes heures de lucidité. C'est Barrès lui-même qui m'indique ma plus grande faute: «Dans les mauvais moments, je me jette dans le travail éperdument plutôt que dans la sensualité. Je conseille aux autres d'en faire autant.» Tout ce que j'ai promis et n'ai pas tenu est censuré dans cette phrase...

*

F-1273 — *Les Thibault,* IIIe tome: «La Belle Saison», M. du Gard. Étrange et passionnant. Cette femme Rachel, comme je les aime ainsi!

*

Schopenhauer est le Machiavel des maquereaux; mais ils ne le savent pas. Ce qu'il dit sur les femmes, c'est déjà tout l'accent moral de ces petits-messieurs.

11 septembre

Comme un reptile, je ne fais que m'éveiller d'un long engourdissement, d'une sorte de mort, où, si longtemps que je ne pourrais en définir le nombre de jours, de semaines, de mois, je n'ai rien fait. Larve vivant de sa substance, j'attendais l'éclosion, la métamorphose de mon âme coupable. Temps perdu, temps riche de jeunesse, et dont l'épuisement stérile me recule presque jusqu'aux jours mauvais de l'enfance. Vainement encore, j'essaie de penser, de glaner les restes de ma volonté; de revoir derrière la lassitude et l'ennui profond de ces jours quelque chose de tangible, hors ma servile détresse. Les naufragés au désert aperçoivent, après le simoun, des restes, des débris, des ossements. Hélas! en moi, rien qu'un espoir plus pauvre, plus faux, plus désillusionné. «Je voudrais murmurer quelque chose, mais je sens mon coeur plus aride que le désert», murmurait Gide dans un pareil moment d'angoisse.

Comme je suis coupable! J'ai manqué à mes désirs, à mes amis, à mes parents; et, pis encore, ô suprême honte! à moi-même. Il n'est pas de ma nature de fléchir, de sentimentaliser, de m'asservir au remords; et pourtant, j'ai, ce soir, l'envie stupide de pleurer.

Pourrai-je jamais ressortir du rêve? Penser, n'est-ce pas à nouveau méthodiser le rêve?...

*

F-2110 — *Mister Flow,* Gaston Leroux. C'est le livre qui a été le plus souvent lu ici; il en est presque usé d'avoir amusé les gens.

*

Éveil. Vivacité d'esprit. Propreté du corps. Joie saine du moment; c'est-à-dire ordre. Voilà ce qui doit être la ferveur constante de ma vie.

Mais si ardemment que je me propose de bien faire, il se trouve en moi le malfaiteur qui n'attend que le moment de rire et de se moquer de mes plus grands agissements.

Hébétude vicieuse. Après trente ans de vie, je me retrouve presque aussi niais, aussi crédule, qu'au temps où grand-mère marmottait dans mes oreilles délicieusement épouvantées ses contes effrayants d'apparitions, de fantômes, de démons surgis. De tout cela j'ai gardé une nigauderie sentimentale, impardonnable.

Chaque examen de conscience me remet dans le péché; le péché contre soi-même.

*

Untel: il parle beaucoup de choses extravagantes.

Un autre: c'est un observateur plein de finesse. Les incidents les plus ordinaires lui parviennent par une sorte d'intuition exacerbée par l'expérience, une analyse menue et certaine des faits.

*

F-1247 — *Éva Charlebois,* M. Genevoix.

Roman intéressant, mais qui, je crois, emprunte trop au mensonge littéraire. Il ne faut pas y croire, on risquerait d'être trompé.

*

F-3014 — *Si le soleil ne revenait pas,* C.F. Ramuz, 1939.

Ce que l'on y dit des êtres est vrai ; c'est toujours ce qui compte le plus.

*

Je me délaisse toujours. Désaccoutumé du plaisir, je reste comme vautré dans la paresse. Mon esprit ne trouve plus que le rêve comme défense.

S'instruire, c'est opposer à la sienne propre une pensée supérieure, c'est-à-dire un démon.

Entre mon indolence maladive et mon désir de bien faire, il y a je ne sais quoi d'ambitieux, de fier jusqu'à la prétention, qui me porte à repousser avec dédain cette nécessité de l'apprentissage. Je voudrais, d'un seul effort de ma volonté, trouver le mot, l'idée juste, la conduite propre, et qui se passent des embarras de l'initiation.

*

F-3315 — *Les Fiançailles de M. Hire,* G. Simenon.

Quel livre émouvant ! On y trouve beaucoup plus que l'habituel mélodrame du roman policier ; un réalisme, une angoisse saisie sur le vif, un art direct, brutal, et qu'on ne peut voir chez un romancier de ce genre, si ce n'est, s'en rapprochant peut-être, l'Américain Caldwell.

M. Hire : homme faible, poupin, sans malice
Émile, le sadique égorgeur : maladif et idiot
Alice, la fille complice : une bête de plaisir
Ce sont les types mêmes d'un fait divers.

*

Dans un article de revue, l'indispensable Malraux ; je ne peux rien lire de son oeuvre à cause de ma pauvreté. Au fond de toute ma détresse, c'est ce manque de sous qui me désole le plus. Il me faut toujours me contenter de ce que je n'ai pas.

*

96

Curieux le culte de la mère chez les Américains. Largement illuminée, la marquise d'un théâtre annonce: *Mother Wore Tights.* Une chanson populaire clame: *Mother Is my Own Baby.* Clement Wood, dans une étude psychologique, affirme que «maternal love is destined to play a much more important role than it has done in the past, or than it plays in the present state of even the most advanced societies. If woman ultimately becomes the equal of man in the art of portraying events as is the tendency, we may expect this passion (maternal love) to be embellished and brought out in the literature and art of the future.»

*

E-737 — *Crime and Punishment,* F.M. Dostoïevski.

Hallucinante lecture qui m'a passionné jusque tard dans la nuit. Je craignais cet auteur; sa morbidité confuse; et voici que j'ai lu sans arrêt, savourant maladivement, à chaque page, un état de mon âme humiliée de solitude. C'est presque un fac-similé de mes rêves. Anoblir son individualisme par un crime! quelle folie monstrueuse! Comme R.R. Raskolnikov est faible, médiocre, et incapable de cruauté ou de générosité. Car le double crime qu'il commet n'est pas un acte cruel de lui-même, l'étudiant rêveur; c'est celui d'un être qui ne pense plus. Pris dans i'hypnose d'une pensée fixe, il suit son hystérie comme ses rêves, sans volonté propre lorsqu'il jongle couché dans son infect trou.

Étonnant jusqu'où Dostoïevski excuse, permet, approuve le crime; il l'accepte trop même et, logiquement, le châtiment n'est plus permissible. Vraiment, c'est le livre de chevet du parfait criminel, quoique parfait est peut-être de trop.

Le goût de Dostoïevski pour les fillettes apparaît ici dans toute son horrible attirance.

Bref, c'est un chef-d'oeuvre qui dépasse la vie, comme le doit tout chef-d'oeuvre.

*

«*The Next Voice You Hear*», une nouvelle parue dans le *Cosmopolitan.* J'étais curieux, je fus bien amusé.

*

F-305 — *Le Disciple,* Paul Bourget.

Je ne puis rien dire de ce livre; s'il m'a plu ou non; il me semble que toute la psychologie de Bourget est basée sur une maldonne.

*

Jacques déclasse le dieu cruel de l'Ancien Testament, en écrivant (I, 13): «Que personne, lorsqu'il est tenté, ne dise: «C'est Dieu qui me tente»; car Dieu ne peut être tenté par aucun mal, et lui-même ne tente personne.» Pour tenter Abraham, Jéhovah était en accord avec le démon; de même le dieu pervers de Job. Épreuve est synonyme de tentation.

*

Voir: *Nietzsche ou le Déclin de l'esprit,* G. Thibon
       D'André Gide à Marcel Proust, H. Massis
       Le Moi retrouvé, Ch. D. Boulogne
       Religio Medici, Th. Bronne

*

...«Ce sont eux qui provoquent des divisions, êtres sensuels, étrangers à la vie de l'esprit.»

Je ne cherche pas à m'exprimer, je laisse fuir le temps.

Relations avec M. J. Impatience goulue de sa bouche, de ses mains; je n'ai pas la force d'échapper à ce plaisir.

*

E-6534 — *The Treasure of the Humble,* Maeterlinck.

Goûté peu à peu, ce livre est admirable; à longue lecture, il ennuie. C'est à cause de la grande tendresse de pensée; elle pèse sur l'être et le fatigue comme une volupté.

*

Delacroix a sans doute donné la plus belle raison à celui qui veut tenir un journal: «Il me semble que je suis encore le maître des jours que j'ai inscrits, quoiqu'ils soient passés. Mais ceux que ce papier ne mentionne pas, ils sont comme s'ils n'avaient point été.»

Le mauvais journal que je tiens garde des jours moribonds, comme le phtisique dépose, dans un bol, ses crachements pourris.

*

Ce n'est pas moi que je hais comme nos illusions.

De tranquilles mensonges me séduisent et m'invitent à la fainéantise.

Jamais encore je n'ai touché pareil désespoir.

98

Gide — Intelligence, sincérité, délicatesse, Oui, il apporte tout cela. Je veux m'attacher à lui ; c'est ma joie de le relire qui me le suggère, et me délivre du moi grossier de ces jours-ci.

*

Mein Kampf, A. Hitler.

Il faut reconnaître l'extraordinaire volonté de cet homme ; sa maîtrise est au-dessus de toute critique.

*

F-3081 — *L'Héritage,* Ringuet, 1946.

Un très bon, un surprenant conteur ; un artiste véritable. Je crains pourtant que le cléricalisme canadien n'entrave son art. Dans la littérature canadienne d'expression française, il est commun de voir le censeur derrière l'écrivain.

*

F-7453 — *Mes Cahiers,* tome V, M. Barrès.

J'en fais relecture, de laquelle certainement je n'ai pas le loisir de tirer tout ce qui me plaît, mais ces quelques réflexions en vrac...

La sienne, au fond, est une poésie de bien-être.

Le poète doit avoir la foi, si le peuple est crédule.

Inépuisables illusions et regrets abondants.

Le moi désolé de connaître ses limitations s'exténue de tristesse et commet des pages d'écoliers à la poésie la plus belle.

Parfois, avant l'aube, il adore le soleil.

Résidus d'émotions nombreuses, reprises, regoûtées.

«Si j'étais poète, si j'étais poète», que de fois il exagère ce désir.

Il mêlait Dieu aux chuchotements féeriques du démon

Il fut hautain ; trop.

La volupté chez lui est toute cérébrale.

Il a beaucoup raffiné sur la vie ; et est allé parfois jusqu'au balbutiement. Mais il a eu quand même des moments où il était tout âme et épuisé de génie. Ce qui me plaît le mieux chez lui, c'est plus sa mordante ironie que son sourire de bonté fade.

Son catholicisme ; il disait assez niaisement : «C'est bien beau.»

Il percevait ses limitations : «J'ai reconnu le vieil arbre lorrain comme le poteau où ma chaîne me rive.»

En vérité, il m'a presque repris, réenchanté, rediscipliné au traînant âpre de sa phrase-pensée. Élevé, éduqué parmi cette société où vibrent à même la vie les échos des livres, j'eusse continué son art, suppléé à ses manques. Mais depuis que j'ai posé certains actes, le généreux enthousiasme de ma première lecture s'est amoindri. Il reste quand même le premier auteur que j'ai aimé; et, au cours de ma vie, durant un repos, je reviendrai vers lui, vers sa fière stylisation de l'homme.

*

F-5479 — *Mme de Stael et sa cour,* J. de Broglie, 1936.

Ce livre n'est pas pour moi; son élégance me glace.

*

«Il ne fit pas beaucoup de miracles, à cause de leur incrédulité.» (Mat., 13, 58).

Ici, une moralité toute biologique. État d'insécurité où je ne vois plus que mes manques.

*

F-1365 — *Avant le Chaos,* Alain Grandbois.

Je ne doute pas que ce que j'ai fait, poussé par des influences néfastes, depuis mon enfance, un Dieu ne l'eût pas voulu; mais que dois-je faire maintenant? Devant moi m'attend celui que je veux être.

«Décidément le diable me guettait; j'étais tout cuisiné par l'ombre, et rien ne laissait pressentir par où put me toucher un rayon.» (A. Gide, *Si le grain ne meurt,* p. 122)

Troisième cahier
1950

«'S blood, there is something in this more than natural, if philosophy could find it out.»

(Hamlet, act II, sc. 1)

1ᵉʳ janvier 1950

Éveillé avec encore ce goût stupide de pleurer. Jamais encore je n'ai débuté de si mauvaise posture dans un projet quelconque; cette année, j'en veux faire un beau projet; endetté, malade d'esprit autant que de corps, je ne montre que tristesse et pâleur de visage. Malgré moi j'espère vivre des jours meilleurs. N'ai-je pas une preuve que ma solitude, mes silences et ma bonne volonté pour une discipline sont les présages d'accomplissement vers cette vie que je désire? Être un homme, simplement, sans autres attaches que mes désirs et les merveilleuses ressouvenances de mon passé. Oui, oui, cet à-venir... ah! que j'en veux spontané chaque moment!

De cette année, je veux faire un projet de travail anoblissant; m'approcher de cette sagesse: «Ayez du zèle et non de la paresse. Soyez fervent d'esprit.» (Paul, R. 12, 11) J'ajoute, pour le bien de ma discipline: être constant en esprit de ferveur. Et, ce soir, en écrivant ces lignes, ma tristesse, c'est que je rends fervente d'espoir cette longue veille, comme les apôtres la dernière cène en vue de la résurrection.

Tout passé est mauvais, et ces années derrière moi maintenant je les veux perdues, effacées, oubliées.

*

Je voudrais commettre de fortes pensées!...
Je jure que c'est là mon unique prière,
Et le but mystique de ma vie.
Le reste, je m'en moque et je m'en vengerai.

Schopenhauer, avec qui, à l'exemple de Gide, je fais mon initiation philosophique, était aussi un excédé de la rêverie sexuelle. Sur le tard il s'est racheté. Ce maître, je ne le choisis pas parmi tant d'autres, mais c'est avec lui que je dois commencer pour me rendre au culte de la volonté enseigné par Nietzsche. Ce qui m'attire un peu aussi, c'est bien l'aveu de Gide de devoir toute sa première philosophie à Schopenhauer. D'ailleurs, les livres me manquent pour délibérer avec mes projets; je dois suivre mes moyens pécuniaires, comme il se doit que je suive mes aptitudes intellectuelles.

*

«Attentes, attentes; fièvres; heures de jeunesse en allées... une ardente soif pour tout ce que vous appelez: péché.» (A. Gide, *Les Nourritures terrestres).*

Sans sommeil je souffre d'attendre jusqu'au matin. Nouveau réveil; nouvelle vie vue d'un oeil neuf.

Je désire tout ce qui me tente. Et rien n'est mauvais si savouré jusqu'au noyau, comme un fruit.

J'obligerai mes instincts. Je me dévouerai à mes désirs. J'appliquerai vers mes joies l'instinct le plus goulu.

J'ai supporté de grandes peines; chaque joie prochaine en sera augmentée d'autant.

*

Tout ce que je pense n'est pas simple, et ce sont des vérités difficilement avouables. Je dis, autrement que je ne le voudrais dire, mon malheur d'être coupable par la plus dolente des volontés. Las! que de complexes voudrait méconnaître la conscience qu'une analyse un peu voulue aussitôt dévoile. Cependant que se retiennent et se préparent tous mes instincts pour s'en aller débrider toutes les joies, toutes les émotions possibles, ma peur vient de la délimitation du présent. La peine que je sers, elle est un peu plus malaisée chaque jour, et chaque jour un peu plus inutile.

*

Ici. Va-et-vient triste, stupide, résigné du bétail. Odieux! Odieux le désenchantement de ces jours perdus.

Autrefois, à ma puberté:

On disait: il est joli comme un ange.

— Ils n'en avaient jamais vu.

104

Je souriais si gentiment, disaient-ils encore.
Et ma conscience se réjouissait de vices délicieux.

*

F-2233 — *Le Fleuve de feu,* F. Mauriac, 1923.

Je suis tout choqué de la passion avec laquelle j'ai lu ce livre. Je m'y suis trouvé pareillement condamné. La hantise du péché est toujours la même, inchangeante comme la hantise d'une rêverie perverse. L'art n'y ajoute rien, quand celui de Mauriac est un art cruel. Il est l'immolateur, sur sa victime penché; et ses tableaux d'âmes culbutées dans la tentation sont comme embués de sadisme. Un livre, une page, un type siens restent presque identiques à ceux précédents. Comme il sait dépouiller une âme de ses excuses; comme il sait, tel le prêtre de sa voix onctueuse, l'acculer à la prière, la pousser jusqu'à ce qu'elle tombe à genoux dans le fond d'une église, sous un crucifié, pour ne plus s'en relever et vivre. Dès lors qu'il touche une âme il la tue, et il jette le cadavre à ce qu'il appelle Dieu.

Ce livre brûlant a des phrases de toute beauté; j'en voudrais copier de longs passages, comme des poèmes. Mais non, je ne le ferai pas, croyant pouvoir les méditer dans une lecture de Paul, de Bossuet, de Pascal.

Voir: *Asmodée*
Le Nid de vipères
Le Mal

*

Ici. La vie est infernale; c'est pourquoi notre logique est cruelle et cherche le diable plutôt que Dieu. Au demeurant, je lutte contre cet état d'esprit afin de m'appliquer à nourrir mes émotions; tristes ou joyeuses, elles me sont ferveurs, et je vais, de *Job* aux *Cantiques,* cueillir des saveurs apprêtées à mon goût.

Quand je me crus plein de sagesse je m'ennuyai; je partis donc, avec toute ma sagesse, à la recherche de la folie.

Chez certaines âmes, comme la mienne, le goût de la débauche s'unit à une grande vertu; et c'est que l'heure est de mille siècles trop brève.

3 janvier

J'ai été studieux, sage, admirable en tout. Je me défendais du mal; contre R., un beau gamin qui travaille avec moi, et qui me tente. Je ne puis le voir sans être effrayé de désir. Dans quels malaises me plonge chacun de ses sourires; ses sourires derrière lesquels brille un acquiescement à toute approche. Je me sens aspiré vers les actes.

4 janvier

Je m'amuse à tourner autour de ce désir qui me travaille pour le petit R. comme un chien pour une femelle mouillée. Ma sexualité me tourmente et, bien que permissible en elle-même, c'est la grande faute qui m'amène à toutes les paresses. Je suis aussi maussade que le jour et traîne mon corps avec une sorte de dégoût. J'y donnerai, car immanquablement je faiblis devant la tentation; spontanée, elle est plus belle qu'alors où je la recherche, tentation inconnue. Ainsi de tous mes actes: ce que je devrais faire je ne le fais pas, mais je fais, inconsciemment, sans pouvoir m'en défendre mieux que de me maudire par la suite, ce que je ne voudrais absolument pas faire.

Il est à moi, devant moi; il me frôle, consentant et beau. Il me dit: J'ai rêvé de toi la nuit dernière. Il met sous l'intonation de sa phrase ce tu-comprends accompagné d'un sourire qui me fait le toucher vers moi. Chaque instant nous trouve l'un tournant autour de l'autre. Je le guette comme je guettais B. en ce temps, quoique je sais trop qu'il ne lui est point du tout comparable. La faim qui le tourmente est trop prête pour que, au premier geste de ma part, elle ne se déclare et ne se démontre goulûment insatiable. C'est maintenant qu'il me faudrait relire *Destins,* de Mauriac, afin que me soient révélés les moindres secrets de son être.

Comme un désir m'occupe si entier que je ne perçoive rien d'autre; aucun bruit, aucune voix, aucune ferveur.

5 janvier

Il est à moi! il m'appartient! et pour toutes voluptés soumis! Ah! que ce court moment d'excitation et de caresses furtives me laissa éperdu. Je me croyais fort tranquille et froid de sentiment, mais comme il n'en faut rien dire avant d'avoir à nouveau regoûté du plaisir, qu'on prétendait surusé... Cette caresse chaude et inépuisablement savante que ses lèvres m'ont donnée!...

Mais ce n'est pas l'heure pour moi de faire montre d'une pareille joie. Il me faut garder ma ferveur, et ne pas la laisser s'écouler dans la jouissance. De toute bonne foi cependant, je ne suis pas assez fanatisant pour décrier mon plaisir; j'acquiesce même au besoin qu'en a ma nature. Depuis le moment où nos corps se sont trouvés, nos lèvres jointes, la suite n'est plus qu'un inexplicable plaisir.

C'est apeurant quand même, ces transports au début de mon année de philosophie. Je corromps l'état de pureté où s'était assagi mon être. Me faudrait-il n'en plus rien dire? diviser ma vie, de laquelle le diable prendrait la plus grande part; à sa joie douteuse, à la mienne constante.

Sûrement, c'est mal de poursuivre ce plaisir. J'en réalise déjà les conséquences : près de lui, tout à son sourire occupé, je délaisse ce qui autrement serait ma ferveur. Mais il semble que pour certaines joies l'échine tout naturellement se courbe. Séparé de lui, je flâne, misérablement perdu dans une grande désoccupation. Je me dis qu'il est difficile et puis ridicule de désapprouver la joie ; d'autant plus que dans la volupté il faut redonner le change. Eh quoi ! la sagesse peut bien attendre ; ma folie se passera d'elle-même, sans regret et sans tourment.

*

Je réalise toujours avec gêne la petitesse de nos perceptions, la pauvreté de nos expériences et le vide affreux de nos jours. Les exprimer me paraît atroce. Silence... Ainsi veux-je retracer les faits de ce jour ; je reste stupéfait de n'y trouver que des ombres. En vérité, je n'ai pas vécu ; reculé dans une encoignure de tristesse, de lassitude, de dégoût même, j'ai regardé passer, se mouvoir mal et s'engueuler des ombres.

*

F-2300 — *Destins,* F. Mauriac, 1947.

Relu ce livre avec un nouvel intérêt. Mauriac, comme il lui en faut de ces chairs de sacrifice, rôdeuses du confessionnal et vivant dans une grande peur du péché, commis peut-être. Il lui faut ce que j'appellerais des cobayes en extase. Pareille morbidité est effarante, tout simplement. Il faut s'en défendre, car elle s'insinue en nous, comme ces voix de prêtres qui ont l'intimité des confidences et qui guettent les âmes en peine.

Robert ! mais n'est-ce pas réjouissant cette coïncidence des noms ? Comme je le reconnais bien là, dans ce livre, ce jeune de même nature et qui jamais ne pourra se relever de certains plaisirs. Comme je le reconnais si nu, si beau et si triste, lorsque loin de cette joie qu'il modèle à la perversité de son être.

«Ma vie... murmure-t-il. Ma vie...

«Il n'avait que vingt-trois ans. Entre toutes les actions dont le souvenir l'assaillait, qu'avait-il voulu ? prémédité ? Bien avant qu'il ne connût ce qui s'appelle le mal, combien de voix l'avaient de toutes parts appelé, sollicité ? Autour de son corps ignorant, quels remous d'appétits, de désirs ! Il avait vécu, dès son enfance, cerné par une sourde convoitise. Ah ! non, il n'avait pas choisi telle ou telle route ; d'autres avaient choisi pour lui, petit Poucet perdu dans la forêt des ogres. Son tendre visage avait été sa condamnation. Il ne faut pas que les anges soient visibles ; malheur aux anges perdus parmi les hommes ! Mais pourquoi prêtait-il de l'importance à ces gestes ? En restait-il aucune trace sur son corps ? »

Mais ce Robert du livre, comme il me paraît pur à côté de Roberto mío qu'une perversité avide dénature d'ange à démon. Il est aussi très beau, mais impur, mais sombre, mais ricaneur. Et je prévois que, bientôt même, ce qui était beauté en lui, naïveté et douceur, deviendra laideur en lui, égoïsme et méchanceté.

14 janvier

Réveil attardé. Pénible sensation, incapable de bouger, de la lenteur léthargique du demi-sommeil à l'éveil. Prendrais-je contact de scrupules avec quelque pénible cas de conscience? Hier soir, je voulais penser... Durant l'attente, me revenait par visions rapides, fugitives, enfiévrées, cet état ambitieux de vie dont je rêve. Je veux dire: du sens à donner à ma vie; ou même, à mon espoir de vie.

«*Nadie es más que nadie.*»[*]

Ô Dieu inhumain que l'humain a créé pour se donner une grandeur, si seulement j'osais oser les exigences de mon être, je te serais égal. Le manque d'audace, c'est ce qui rend l'homme si malheureux. Je sais. Je sens en moi cette puissance de personnalité affranchie de tout vice, de toute convenance, de toute peur.

*

Terre des Hommes, A. de Saint-Exupéry, 1939.

Lecture merveilleuse que déjà j'aimerais reprendre. Un art direct, admirablement poétique, et qui trouble jusqu'au fond de l'âme. Je ne puis m'empêcher de mémoriser le mot splendide qui ferme ce beau livre: «Seul l'Esprit, s'il souffle sur la glaise, peut créer l'Homme.» Cette majuscule divinisante me touche plus qu'un grand nombre de phrases sur l'homme.

*

Ennui. Attente. Torpeur maussade.

*

E-1454 — *The Sun Also Rises,* E. Hemingway, 1924.

Étonnant livre. Art farouchement mâle. Intelligente minutie des moindres gestes comme étant ceux-là qui comptent le plus. Choix buté et enfantin des mots faciles. Bref, la vie exactement décrite.

---

[*] Personne n'est davantage qu'un autre.

«Good morning, he said. Letters for you. I stopped at the post and they gave it to me with mine.» (p. 130)

*

The City and the Pillar, Gore Vidal, 1948.

Un roman qui traite tragiquement de l'homosexualité, dont la société fait un problème.

16 janvier

Lettre à B. J'écris à contrecoeur, par politesse. Pourtant, je lui dois plus qu'une simple politesse, plus que le simple bon ton camarade que, dans cette lettre, je lui donne; mais je sais bien qu'il me serait impossible de mieux faire. Je sais aussi que, bien portant ou non, d'humeur joyeuse ou triste, comme ce soir, je fais toujours de mon mieux; et cette lettre que j'envoie — même si je la sais puérile — contient le meilleur de ma pensée pour aujourd'hui. Ce n'est pas mauvais vouloir de ma part, mais parce que je suis malade; mon cerveau semble paralysé. Il y a des jours ainsi où je ne touche à rien, où je me sens triste et faible à mourir, et où je ne me sens vivre que comme d'une vie de reptile. Ce jour maudit, je le mets au compte des jours honteux; tristement, je m'y sens inférieur à la vie. Aucune lecture ne pourrait redonner le bon ton à cette immense lassitude qui me courbe dans la paresse.

*

«It seems to me that philosophers were right who claimed that the value of art lies in its effects and from this drew the corollary that its value lies not in beauty, but in right action. For an effect is idle unless it is effective. If art is no more than a pleasure, no matter how spiritual, it is of no great consequence; it is like the sculptures on the capitals of columns that support a mighty arch; they delight the eye by their grace and variety, but serve no functional purpose. Art, unless it leads to right action, is no more than the opium of an intelligentsia.» (Somerset Maugham, *A Writer's Notebook)*

Maugham sait phraser avec effet de ces pensées anciennes, qui se cadrent bien, qui se disent bien et qui semblent porter un grand poids de sagesse sous leur forme avenante; quoique, en vérité, elles n'apportent rien de neuf. Il faut dire que Maugham est un grand artiste; même s'il n'était qu'artisan d'abord, et que, d'un livre à l'autre, il ait raffiné son style, il en a fait peut-être l'outil le plus remarquable des lettres anglaises contemporaines.

Voir: *Rilke and Benvenuto,* by Magda von Haltinberg. Rainer Maria Rilke serait l'une des figures intellectuelles les plus étranges du demi-siècle. Voir ses:

Duino Elegies
Sonnets to Orpheus

*

F-2222 — *Les Chemins de la mer,* F. Mauriac, 1939.

Je lis ce livre simplement parce qu'il m'est servi, et pour assoiffer un peu plus mon dessein de bien faire. Mauriac ouvre toujours les mêmes portes d'une église: celles des confessionnaux. Mais il est aussi admirable dans la peinture des êtres qui jouent dans l'ombre un rôle important; êtres abjects, immondes par son mot. S'ils quittent la scène — ici Landin — on peut faire ce qu'on veut des autres, et l'intérêt de l'histoire devient quelconque.

Landin, c'est   de *La Pharisienne;* c'est encore son sosie morose, le M. Hire de l'excitant roman de Simenon.

Mauriac raconte parfois avec un art plus grand que son sujet. «Au déclin, nous avons peine à croire que notre destinée ait pu être infléchie par un livre.

«La vie de la plupart des hommes est un chemin mort et ne mène à rien. Mais d'autres savent, dès l'enfance, qu'ils vont vers une mer inconnue. Il reste de s'y abîmer ou de revenir sur ses pas.»

*

Mon ennui est pire que jamais. Combien de jours je délaisse ou rejette avec indifférence par-dessus mes épaules? où ils s'affaissent, se dévident et redeviennent nuls, comme s'ils n'avaient point été vécus... Mais j'ai pleine conscience de cette paresse où se plaît abjectement mon corps! Rien ne peut, semble-t-il, pas même un livre, m'en sauver. J'ai voulu saisir une occasion de joie, et sa satisfaction même m'a semblé une chose risible.

Je ne devrais m'occuper que de moi seul, mais c'est toujours vers les autres que mes pensées se portent. J'agis mal en cela, car le bien pour moi est ce qui tend à me rendre meilleur, et le mal, pire; ou plutôt, puisque me voilà de toutes parts asservi, c'est de préparer mon être à devenir meilleur. Je suis trop faible devant les tentations de la chair.

F-2253 — *Colomba,* Prosper Mérimée.

Le style en est beau et simple, mais ce correct langage dans la bouche de certains protagonistes devient extraordinairement affecté. C'est une lecture siècle-passé à laquelle je ne reviendrai sûrement pas. Ce simple mot : «vendetta», dit tout de ces prétentieuses questions d'honneur.

Pourtant, la nouvelle «Mateo Falcone», entière dans quatre ou cinq pages, est d'une extraordinaire facture, alors que l'enfant à genoux supplie son père d'excuser sa faute impardonnable... J'ai médité longtemps au-dessus de ce court narré, mais que dire ici qui serait suffisamment moral? Oserais-je, en aucune façon, dévoiler ce que propose mon esprit? Le tout-dire n'est-il pas le fait, l'excuse, l'analyse de ce que ressent l'être d'instinct en nous?...

*

R. et moi-même encore. Je m'y plais; mais j'entends le rappel : «Enfant! laisse ces jeux!

Ma chair est ivre de joies diverses.

Je fais mal? Peut-être, mais je crois surtout que vos lois ne sont pas les miennes.

*

F-3368 — *Paris, France*, G. Stein.

Lu d'emblée. J'espérais surtout trouver des mentions d'auteurs que j'aime, qui ne s'y trouvent point. C'est un genre de livre qui ne me prend pas. Au demeurant, je n'y saisis pas grand-chose, mais j'ai idée que ce que Gertrude Stein veut dire n'est pas toujours assez intéressant pour qu'elle se permette une façon aussi spéciale de le dire. C'est une précieuse nouveau-genre. Pourtant, je prends cette phrase parfaite de signification exacte : «Tout adolescent en rêve, tout siècle en rêve, tout révolutionnaire en rêve, rêve de détruire la famille.» (p. 133) À ce livre, les pages 54 à 64 ont été arrachées; quel est le rêve préféré de celui qui a posé ce geste inqualifiable?

29 janvier

Perdu gros aux cartes hier. Pour me refaire, j'ai cessé de fumer. Frugalité, travail, discipline complète; un programme.

Au demeurant, je suis heureux de ce qui m'arrive. Ça m'apprendra à ne pas toujours prendre à mon crédit un certain tour chanceux de la roue, se fût-il souvent répété déjà. Je devrai pousser, comme un besoin en moi, ce dédain pour l'échec, cet «Amor fati» nécessaire à tout être de caractère. C'est ainsi que je raisonne ce matin, alors que se préparent mes forces et que je les fais neuves contre ce qui sera mille tentations contre la chair et l'esprit.

«Réveille-toi, toi qui dors.

«Prenez donc garde de vous conduire avec circonspection, non comme des insensés, mais comme des sages; rachetez le temps, car les jours sont mauvais. C'est pourquoi ne soyez pas inconsidérés...» (Paul, Eph. 5, 14)

Avec quelle ferveur, quel zèle, quel apostolat je débute ce jour! Ah! longtemps m'y maintenir...

*

F-2939 — *Le Voyage du Centurion,* E. Psichari, 1922.

Je n'ai pu que feuilleter ce livre écrit pour les anges.

*

Je lis Paul avec toute la ferveur possible. Ce n'est pas une religion que j'y cherche, mais une ardente profusion de l'intelligence. D'ailleurs, j'y perçois le mieux combien toutes ces idées de foi, de dieux et de mystères de pupitre sont idiotes et goûtent le mauvais sel. Non. J'y cherche, et j'y trouve! un sentiment intime d'intelligence, une psychologie bien humaine, et qui s'applique à chaque instant dans la vie de chaque être. Il me semble que ce séjour honteux de maintenant aide et augmente encore ma compréhension des Écritures. Ces phrases que, à présent, je cite n'expliquent-elles pas ce que j'en pourrais dire?... «J'ai appris à être content de l'état où je me trouve. Je sais vivre dans l'humiliation, et je sais vivre dans l'abondance. En tout et partout j'ai appris à être rassasié et à avoir faim, à être dans l'abondance et à être dans la disette. Je puis tout par celui (je dis cela) qui me fortifie.» (Paul, Ph. 4, XII) C'est à ces paroles que je m'attache et par lesquelles je cherche à personnifier, à styliser, à remplir mon attente. Mon désir est absolument de devenir meilleur; et ces lectures — mes silences aussi, par quoi j'obvie à la vulgarité de ce lieu-ci —, que je nourris d'émois, ne sont-elles pas d'une inépuisable abondance, et l'abondance de l'esprit ne supplée-t-elle pas à la pauvreté, à la brièveté de l'heure?

5 *février*

Tantôt j'écrivais à L.: «Je retournerais volontiers à la joyeuse vulgarité de mon avant-première lecture.» Je disais nettement quel état d'esprit me fatigue. Qu'ai-je puisé dans les livres, en effet, sinon tant de complexes embarrassants, tant de gênes de propos, et si peu de connaissances réelles. N'y ai-je pas pris d'autres doutes plus angoissants. Auparavant, j'avais je ne sais quelle naïve confiance en les autres, et c'était une force. Benoîtement j'étais rieur depuis l'enfance; je plongeais dans la vie qui s'offrait à moi; je ne connaissais ni chagrin ni doute de moi-même. J'étais gaminement joyeux. Tout m'arrivait avec tendresse et sourire. Dans la conversation, j'évitais, par une boutade, de paraître trop ignorant. Mais depuis, tant de lectures disparates, inconsidérées, irréfléchies, m'ont fait perdre peu à peu ce que, naturellement, rendait aveugle ma confiance en la vie. Je ne vois plus que mes manques et le nombre impossible des livres à lire. Doucement, à mon insu et de lecture en lecture, je me suis perclus de solitude. Tout ce que j'ai appris, je le dois maintenant désapprendre. Oh! Je n'en ferais pas tant d'histoires si mon orgueil n'était blessé à vif comme une chair; et je sais bien que de ces monotones chagrins chaque vie en contient autant que d'heures. Pourtant, je ne puis m'empêcher de repenser avec une certaine complaisance au gamin vif et sympathique que j'étais alors. À présent, je suis un peu comme le savetier de la Fontaine, j'ai perdu mon chant... Toute lecture est de même une richesse qu'il ne faut point enserrer. Ici, où toute attitude est scrutée, tout propos, si non niais, singularisé, comment pourrais-je ne pas ressentir trop souvent mes manques, à cause de cette richesse abondante et soudaine que j'ai goulûment mise à part, et, l'ayant apparemment en trop, dont je ne sais plus me servir.

*

F-3082 — *Trente arpents,* Ringuet (docteur Robert Panneton), 1938.

Sans doute la plus complète description du terroir québécois. L'auteur sait merveilleusement dépeindre un crépuscule, un paysage baigné de soleil ou grisaillé d'ombres, l'atmosphère intime, sainte, silencieuse d'une cuisine de ferme canadienne. J'ai quand même envie de dire qu'il ne faut lire ce livre qu'une seule fois, il s'oublie ensuite. Un fait remarqué, un paysage calqué, une observation rendue ne le sont que par application. Il y a trop de ces romans du terroir. Il faut maintenant un Caldwell pour décrire exactement l'autre race de nos paysans. Dans chaque village, il y a vie gloutonne et criminelle; les paysans ne suent pas que pour plaire à leur curé. J'imagine autant un *Tragic Ground* que les *Trente Arpents.* Pourquoi jamais?

Précisément à cause de ce manque de réalisme — il y a ici un réalisme, mais un réalisme préconsenti —, l'intrigue ici ne me touche pas. Je ne vois d'abord que des descriptions, de toute beauté il est vrai. Il fallait un oeil d'artiste pour les bien saisir; Ringuet y a mis des nuances judicieuses et vraies.

Je doute un peu qu'il faille préciser d'autant le jargon qu'on dit de chez nous. Je dirais même qu'on trouve plutôt, chez nos jeunes filles surtout, une certaine préciosité incorrecte, une certaine prétention au beau parler que l'on ne rapporte pas ici.

«Mais ils ne possédaient point cette richesse parfois si lourde à porter qui est la précision de l'esprit.» (p. 9)

C'est un roman simple qui se lit avec intérêt. Il aurait été bon que je le lise à sa parution et que je compare, dans un journal, avec la vie de mon village.

*

«Ainsi, parce que les sages-femmes avaient eu la crainte de Dieu, il fit prospérer leurs familles...

«Amram prit pour femme Jokebed, sa tante, et elle lui donna pour fils Aaron et Moïse...

«C'est cet Aaron et ce Moïse auxquels l'Éternel donna cet ordre: Faites sortir d'Égypte les enfants d'Israël, rangés en armées.» *(Exode, 6, 26)*

Et ils les firent sortir comme une bande de voleurs.

*

Untel. Je le trouve un peu familier avec Roberto mío et je n'aime pas sa personne. Il est aussi un môme mais c'est d'abord un gobe-tout; pour lui la récompense vaut le reste. Ce qui me paraît douceur et charme chez Robert, chez lui n'est que vice et grossièreté. Il apporte toujours quelque chose d'un peu chien dans ses rapports avec les autres.

*

S. Maugham, dont je viens de lire le subtil mais erratique *Summing Up*, dit beaucoup de choses qui ont été dites, mais il les redit sans façon — matter of fact — et cela leur donne l'apparence d'être toutes neuves. Il est si intelligent, si cultivé, si finement blagueur, qu'on est tout charmé de le lire. Il sait trouver dans leurs attitudes le mouvement vrai des êtres. S'il aime tout de même montrer une certaine prétention philosophique, il ne pose jamais à l'inventeur de concepts. Il reste en toutes choses cyniquement humain.

14 février

R. et moi. Deux actes. Comme j'aime, quand il se donne, la façon charmante qu'il a de poser son front sur mon bras replié, le visage légèrement tourné contre son épaule nue... Passion! Le plaisir ouvre sa bouche et trace sur son visage je ne sais quelle fugitive douleur. Il pâme comme une fille...

Après, quelle journée! J'ai recommencé à fumer; j'ai été flâneur, mauvais, jaloux, glouton et pervers; cependant, mon être intime rêvait de poésie, de travail, de prière même. Comment puis-je être si triste sans mourir.

Opposer une volongé austère à ma sexualité. Mais que d'impossibles à cette heure!...

Je suis tout ce que l'on veut bien que je sois.

*

Je n'aime pas beaucoup le sournois esprit fureteur qu'ont certaines gens de tout savoir des autres et de les déprécier ensuite. C'est de là que me viennent les mauvais scrupules que j'ai de redouter la critique...

Il y a des moments où je suis d'une dégoûtante paresse. Je ne désire rien faire d'autre que de flâner autour du plus grand nombre de sensations possible. Le démon me chuchote: Mieux vaut jouir que peiner...

Lorsque j'ai voulu me réinstruire, je pensais bien trouver une grande paix de l'âme, mais je me suis avant tout instruit de ce que les livres n'offraient qu'une grande détresse, et qu'il fallait aussitôt pouvoir créer soimême, projeter ainsi hors de soi les inquiétudes qui naissent de chaque lecture. Car la soif des lectures est inapaisable; quand elle est mal satisfaite, elle dégénère en rêverie; quand elle n'est pas bue à point, elle soûle et cause les grandes bêtises que sont les vies manquées.

*

Insomnie. J'écoute les bruits divers de la nuit; chuintement de l'oppressant renfermé; quelqu'un est malade et râle ses vomissures; un autre grogne dans son rêve comme un pourceau dans sa bauge; les calorifères claquent, les fenêtres craquent, les sommiers crissent et mon coeur bat à peine. Pourtant, la nuit dehors me semble d'une beauté enchanteresse, d'une limpidité précieuse, d'un silence mystérieux. Hélas! je n'en vois qu'une paume vers le ciel où brille une étoile. Qui osa dire que les étoiles sont pâles? celle-ci jette jusqu'à moi la radiance du plus étincelant joyau du monde. Nuit prenante. Et je me meurs du désir d'y marcher sans but, sans mot, et sans cesse...

*

Moïse, ce satané magicien. Il passa quarante jours et quarante nuits sur la montagne du désert; et Jésus l'imitait avec son jeûne fameux.

Moïse dit à l'Éternel: «Repens-toi... et l'Éternel se repentit.» *(Exode* 32, 33)

Les Juifs; peuple au cou raide.

«Je suis celui qui est.

115

L'Éternel est mon nom.
L'Éternel se nomme Jaloux.»
C'est bien l'égoïsme mesquin de l'homme.

*

Chaque nouveau visage m'intéresse; d'émotion je cours à lui, je lui prête mon amitié, je lui pose des questions, je lui offre mes sollicitudes. C'est aussi que chaque rencontre m'enlève de la joie, et que le retombement qui s'ensuit est presque inendurable.

*

J'ai joué dans la vie mon rôle moral; il me reste encore à jouer mon rôle immoral.

J'attendais de mon intelligence les plus extraordinaires miracles, les plus sataniques spontanéités. Il ne me venait pas qu'il fallait se garder de se tenir prudemment papelard entre le bien et le mal, et que, de toute son âme, il fallait se jeter dans l'un ou dans l'autre.

Mais tout cela n'est peut-être qu'illusion et mauvais désir...

*

«*Trois lettres de la prison à René Laporte*», Jean Zay. Dans la Revue *Europe*, février 1949.

Très intéressant, quoique l'on n'y dise pas ce que j'espérais y trouver; les conditions de ces prisons. On y sort un peu facilement de la surcharge morale qui pèse sur un homme gardé. Mais c'est bien beau cet échange de sentiments, cette tenue d'amitié, ces envois de livres dont l'un a tant besoin... La prison est souvent une épreuve nécessaire à celui qui n'a pas encore trouvé ses voies. Là, un homme se retrace et s'oriente à neuf. C'est une épreuve honteuse, au standard de la société, mais de cette honte l'homme véritable se libère en parvenant jusqu'à lui-même, jusqu'à sa vraie dignité.

F-763 — *Biographie de mes fantômes, 1901-1906,* G. Duhamel.

C'est la sorte de livre que j'affectionne le mieux. Je n'en demandais pas tant de cet auteur que je croyais un peu — disons vite le mot honni: bourgeois. Mais ici je le vois d'un autre oeil. Son expérience de la vie, son érudition scientifique et son humanisme le font parler bien de l'intelligence moderne. Je le reconnais comme l'un de ceux qui présentent d'une pensée chaleureuse un sain intellectualisme. Le médecin qu'il est devient l'homme d'une grande culture pour écrire ainsi des propos d'intérêt sans borne. Quelques autres n'ont pas ce mérite. Il dit toujours bien ce qu'il veut dire, et gracieusement même. J'ai pris plaisir à revoir la vie studieuse, parfois difficile, parfois perdue d'un jeune homme à Paris. J'y ai puisé — avec un peu d'envie sans doute, mais la joie d'en ressaisir quelques leçons de rachat défait cette méchante rancoeur —, j'y puise toujours un peu de ce que j'aurais pu être.

J'admire sa compassion pour ceux qui souffrent. C'est un réaliste jamais cruel. Il dit d'ailleurs : je suis un individualiste discipliné. C'est un très bon éducateur qui me révèle, qui me suggère, vaudrait-il mieux dire, les meilleures disciplines de travail. Ses conseils sont pour moi les plus encourageantes répétitions.

«Le moindre prétexte paraît le bon pour se soustraire au travail, à l'effort intellectuel soutenu.

«... pour un homme, il n'est qu'un travail essentiel : celui qu'il est le seul au monde à pouvoir accomplir.»

Et puis, ne trouvai-je point cette petite plainte prometteuse d'une chanson «douce-amère», qu'il cite, et que chantait Charles Vildrac :

«Las ! tu n'as qu'un livre,
Tu n'as qu'un livre
À vivre...»

Il note qu'il y a le jeu chanceux des facultés intellectuelles.

Un peu racontard pourtant, il prend la peine de signaler les dents qui manquent à la bouche d'un ami.

J'ai bien failli commettre une bêtise en dénigrant cette phrase : «Je prends plaisir à composer parfois des ouvrages qui ressortissent à ce qu'il faut bien appeler la littérature savante ou érudite.» (p. 15) Au dictionnaire, j'apprends qu'il y a deux verbes ressortir, fort différents l'un de l'autre. Maintenant, mon hagarde critique est renseignée.

Je reconnais ces jours où «Je vivais sans bonne grâce pour les autres et sans charité pour moi-même».

Il élabore chaque chapitre, chaque livre. C'est remarquable. Sa raison d'écrire ne réside pas dans le plaisir de mystifier le lecteur, mais de lui enseigner quelque chose.

*

Vraiment, je me cherche encore une raison d'être. Tout est si bouleversé dans ma pensée que je ne me reconnais plus pour qui je suis. Ce n'est que par une discipline sévère que je parviendrai à me retrouver. Peut-être aussi une raison d'être n'existe-t-elle point pour moi. Mais l'illusion d'une raison d'être certainement déjà se trouve en moi. Il est pénible d'éprouver un enthousiasme que l'on reconnaît faux d'avance. La seule chose nécessaire est le travail. Ce travail peut être facile, inapproprié, un simple jeu même; cela importe peu; mais la pensée qui rend ce travail quelconque obligé, elle, importe beaucoup. Et c'est le noyau d'une complexe raison d'être.

*

En principe, les lois sont bonnes; mais ceux-là les font mauvaises et accaparantes qui les policient; c'est à cause d'eux que j'en ai contre tous.

J'ai le défaut de ne pas avoir ces petits mérites qui suppléent aux fautes, aux manques pécuniaires ou autres, et je n'en veux pas.

«Il en est d'autres qui font grand effort et qui voudraient qu'on les prît pour ce qu'ils se donnent, mais qui ne se donnent pas pour ce qu'ils sont vraiment. Des hypocrites? pas tout à fait.» (André Gide)

*

Voir: *Oeuvres d'Auguste Strindberg* — ou Strindberg, le grand dramaturge suédois

Racine, poète de la passion, A. Bailly

Le Gala des vaches, Albert Paraz

*

La Thébaïde, Racine.

Nul doute que ce n'est pas sur cette pièce seule qu'il me faut juger de Racine, mais déjà une parcelle de son génie s'y déclare. Voici une lecture enveloppante pour celui qui, tout un peu, se prêtre à la passion idéalisée, à la souplesse du langage, à la vibrante magie du vers. On dit que cette pièce fut imitée de Corneille, je n'en sais rien, n'ayant jamais lu Corneille. Ne me suffit-il pas que j'y trouve certaines beautés.

Rien n'est plus délicat que la douleur de la mère en Jocaste:

«Tu peux voir sans frayeur les crimes de mes fils

Après ceux que le père et la mère ont commis.»

Rien n'est plus machiavélique, non plus, que l'ambition aveugle de Créon:

«Le remords n'est pas ce qui me touche

Et je n'ai plus un coeur que le crime effarouche...»

Rien n'est plus fou, plus horrible, ou mieux peint, que l'orgueilleuse colère des deux frères ennemis, Étéocle et Polinice: Étéocle, haineux jusque dans la mort:

«Je ne veux point, Créon, le haïr à moitié;

Et je crains son courroux moins que son amitié.»

118

Je veux, pour donner cours à mon ardente haine,
Que sa fureur au moins autorise la mienne ;
Et puisqu'enfin mon coeur ne saurait se trahir,
Je veux qu'il me déteste, afin de le haïr.»

Tandis que Polinice, trop audacieux pour vaincre longtemps :
«Quand je devrais au ciel rencontrer le tonnerre,
J'y monterais avant que de ramper à terre.»

A-t-on bien noté tout le romantisme qui se trouve chez Racine ?

Mais ne faut-il pas admettre qu'il serait admirable que la pièce finît ici ?

Créon : «Tout ce qui s'est passé n'est qu'un songe pour moi : J'étais père et sujet, je suis amant et roi...»
plutôt que là où Créon encore gémit :
«Je ressens à la fois mille tourments divers,
Et je m'en vais chercher du repos aux enfers.»

21 février

Il est tard ; minuit passé je pense. Après m'être stupéfié de lectures, je reste accroupi sur ma couchette, infiniment las. Sur mes jambes repliées, j'ai posé un carnet ouvert, mais depuis une heure je ne fais que jongler avec ma plume. Ne me sachant rien à dire, je me regarde, inutile, presque idiot, ronger ma peine. Autour de moi mille bruits bourdonnent et s'émiettent contre ma pensée tendue vers un rêve faux-monnayeur qui ne frappe que des promesses. Des reflets jaunes allongent des ombres spectrales, barrelées, gardiennes. Quelques rats énormes et gris trottinent malignement silencieux le long des calorifères qui, soudain claquant, les clouent sur place attentifs et peureux. Je meurs d'une envie de m'allonger et de remettre à demain, après le néant bienfaiteur du sommeil, ma peine. Mourir... peut-être... quoique je m'oppose de toute mon âme à cette lâcheté du corps ; non, esseulé, chercheur, raidi contre mon être, j'attends le baume d'une pensée sage. Tout le jour me revient dans sa durée, comme un refrain monotone et sans cesse. Je n'y ai rien fait, même si j'eusse tout voulu faire. Après un mauvais réveil, attardé à loisir dans une honteuse hébétude, j'ai vécu un autre jour sans qu'il fût pour moi une leçon, un bienfait, une souffrance même. Tout comme si je n'eusse pas existé, il est nul, et moi désespéré que demain ne m'apportera qu'un même hier, sans diversion.

*

Stranger in Paris (Christmas Holiday), S. Maugham, 1939. Confus et bouffi de longues palabres. Sans être nécessaire, c'est un roman captivant qui aide bien à tromper une heure. Le plus intéressant personnage du livre est Simon, l'éternel sosie de l'éternel révolté — là-dessus, il y a le sombre livre de Koestler, *Darkness At Noon;* et voici bien le souriant meurtrier, Robert Berger, la vie du Paris des apaches; mais encore, là-dessus, il y a Simenon, Carco.

Maugham ramène des choses dites, ennuie un peu.

Charles Mason: «...the bottom had fallen out of his world.»

Ce qui, en somme, ne conduit nulle part.

26 février

Levé à la pointe de l'aube. J'ai fait quelques brusques exercices, après quoi j'ai baigné mon visage et mon corps dans une eau que j'aurais voulu glacée. J'étais fier de cet ordre nouveau, mais après le déjeuner s'insinua la tentation, le besoin, l'habitude de paresser. Il est ardu de prendre une discipline tout à fait sévère après n'en avoir jamais eue. Bientôt, j'ai dû marcher de ci, de là, monotonement; étourdir le démon qui me serre de près. Je me préoccupe de ma marche; poser attentivement le pied à plat sur le sol; ne faire aucun bruit; cinq pas et demi par ci, cinq pas et demi par là; le demi-pas, c'est le demi-tour à droite, à gauche... Énervement. Promesse de bien faire, de tenir... C'est génial. Je pourrais bien agir autrement: lire un mauvais livre, rêver perversement de Roberto, mimer ma folie... Je pourrais fumer surtout...

*

Songer au noir pessimisme de ce mot espagnol: *nada;* il semble bien plus simple que «rien», et pourtant quel sens affreux il apporte, quel dégoût, quel fatalisme banal.

*

Mémorisé quatorze autres vers du *Livre de Job.* Ceux de la semonce: «Instruisez-moi et je me tairai...»

Grandes émotions arrachées de l'être comme des chairs vivantes.

27 février

Je bouge à peine de peur que ne se disloque ma volonté. Aux moments de vaincre, un démon sournoisement me touche à l'épaule et ricane.

*

Haute Surveillance, Jean Genêt, 1941.

Pièce curieuse et fantaisiste dans une surréalité de cauchemar. Décor unique.

La description des personnages est insolite :
Yeux-verts : 22 ans. Grand. Très beau. Pieds enchaînés.
Maurice : 17 ans. Petit. Joli.
Lefranc : 23 ans. Grand. Beau.
Le surveillant : jeune et beau.

C'est un harem.

*

Gide. Il s'exprime avec tant de précision que souvent sa pensée s'achève en sinueuses subordonnées. Il n'est pas donné à l'homme de penser facilement.

28 février

Manqué mon réveil, et j'en éprouve beaucoup de honte. Déjà obliques, fléchés, joyeux, les rayons de soleil coulaient dans l'ombre où rarement pénètre le plein-jour. Encore un peu, tentativement, j'ai repris la douceur empoignante du lit. Maudite paresse, quand donc t'aurai-je réduite ?

Ce que j'inscris dans ces cahiers est mauvais. Je pourrais y inscrire beaucoup de choses autres ; des choses qui viennent jusqu'à moi, qui se redisent jusqu'à moi, lors de mon travail et de mes marches ; mais je reste envers moi-même jalousement égoïste de mon application, et je prends tout le soin de n'aller point vers nulles choses, nulles gens qui me désapprendraient d'être sage. Autrui, malgré tout, je remarque que je lui suis devenu étranger. J'ai acquis l'attitude inconsciente de celui qui naît aux perceptions les plus fines de son être et qui va, se fermant de plus en plus aux appétits qui l'entourent.

Réaliser que la vie n'est offerte à chacun de nous qu'une seule fois, nôtre étant, est affreux. Il faut une fuite à cette réalisation désespérante. Ici, nous ne sommes que les derniers, que les pauvres, que les misérables. Nous n'aurons jamais rien. Notre vie sans valeur, c'est une enfance pleurnicheuse, quémandeuse. On joue surtout des jeux inqualifiables que l'on croit pleins d'audace et qui, ô honte ! envers la vie, ne valent point qu'on y accorde une pensée.

Mais je m'exprime mal. Celui qui réalise qu'il est un être unique, presque biologiquement impossible à répéter, et qu'après la mort, c'est tout, le néant, plus rien n'existe. Ah ! qu'il ne se prête plus à l'erreur, c'est le désespoir.

*

Du crétin au génie, Dr Georges Voronoff.

Des fiches remarquables.

*

«Science et vérité», Jean Rostand, Revue *Hommes et Monde,* novembre 1949.

«Un grand écrivain est un homme qui sait nous surprendre en nous disant des choses que nous savions depuis longtemps.

«Certaines intentions d'écrivains, par trop fines, me font songer aux exquises nuances dont se parent ces petits mâles de crustacés qui ont des femelles sans yeux.

«Un écrivain n'a guère de plaisir à être admiré par ceux qui ne voient pas tout ce qu'il s'interdit.

«C'est peut-être ne pas avoir le goût bon que de l'avoir meilleur que le goût humain.

«Si l'on savait pourquoi l'on écrit, on saurait aussi pourquoi l'on vit. Écrire est une fonction biologique, où participent toutes les composantes intellectuelles de l'être.

«La vie nous enseigne la férocité, mais sans nous donner la manière de nous en servir.

«Bienfait du pessimisme. Que de fois j'eusse été tenté de dire à l'instant: arrête-toi, tu es si beau de n'être pas trop affreux...»

*

Voir: *Histoire d'un fait divers,* J.-J. Gauthier
    L'Oreille
    Le Puits aux trois vérités
    La Cendre, Marc Bernard

1er mars

Il m'est de plus en plus difficile de tenir le bon bout de ma ficelle, comme si vraiment le diable prenait plaisir à me mystifier en l'escamotant à sa guise... Aujourd'hui, j'ai failli céder à l'envie de fumer; j'ai même cédé pour me reprendre aussitôt. J'en ai connu un certain malaise et le méchant goût que cela laissait dans ma bouche. Je me tenais à la fenêtre de l'atelier; je méditais sur la futilité de l'expérience par laquelle je voulais me discipliner; et déjà je décidais de tout lâcher et de reprendre la facile tâche de ne rien faire, lorsque j'ai aperçu L., là-bas, durant l'exercice. Il marchait à grands pas décidés, le corps un peu raide, comme se

122

porte l'homme qui se retient pour ne pas s'écraser à genoux et pleurer; l'homme qui, on le devine, se redit ses droits... J'ai eu vers lui un élan chaleureux de tout mon être. J'ai compris sa peine, sa solitude, sa fierté — et j'ai résolu, à le voir, de ne plus pécher contre moi-même.

À la rentrée; rejoint par A.D., un jeune monsieur petit, nerveux, bavard, et qui me semble tout de même assez aimable. Il parle un peu fort et rapidement. Sa salive me gicle dans l'oeil. Il me dit que je dispose de ses livres. Il me donne des titres. Malraux, Gide, Camus. Je suis confus, reconnaissant, et je cherche à lui laisser voir mon plaisir. Soudain il m'intéresse et j'aimerais le connaître.

Il n'est pas aisé de vivre intelligemment; les idées qui modifient ou prétendent modifier la vie viennent de tous et chacun; aucune en particulier n'est la meilleure; d'où les dérèglements, les dégoûts, les suicides...

J'accompagne des enfants soumis, mais qui s'amusent et rient encore parce qu'ils ne souffrent pas trop physiquement...

On ne choisit pas ses rêves; l'enfance les apporte.

L'homme pense très simplement, mais il a la disposition de mots irraisonnables.

Je veux devenir un homme, excellent, Homo unico. Un homme chez qui l'enfant aussitôt charmé d'un compliment ne serait pas si prêt de s'offrir.

*

Le Deutéronome. Livres contenant les faits et dires de Moïse et que, plus tard, romancèrent certains commentateurs.

«Observez bien tout ce que je vous demande; n'y ajoutez rien et n'en retranchez rien.»

«Ne te détourne ni à droite ni à gauche.»

(Abêtis-toi.» Pascal)

Jéhovah suggère une bonne affaire à Moïse: «Si je détruisais ce peuple et te faisais chef d'une grande nation?», qui a encore la droiture de lui répondre: «Ne me parle plus de cette affaire.»

Combien de gens parmi tous les adorateurs connaissent-ils le Dieu malin de la Bible.

*

Je m'accable de privations.

3 mars

Réveil tôt, alors qu'il faisait encore nuit. J'ai sauté en bas de ma couchette vitement, mais longtemps il m'a fallu parer, l'air un peu hagard, à de menus gestes avant de pouvoir penser.

Par réfraction, je vois le soleil à l'aurore ; un soleil roux d'automne ; un soleil à peine ardent ; un lointain soleil de fin d'univers.

Ce n'est pas au jour qui commence que je songe ; non plus à l'aurore qui, là-bas, écoule sa splendeur ; je songe à l'année qui s'en est venue, et que je veux mienne, raide, ramenée à moi, riche, immensément de perfections.

«J'ai honte de le dire, nous avons montré beaucoup de faiblesse.» (Paul, Cor., II, 21)

C'est-à-dire aussi que nous avons manqué d'audace.

*

À propos de Baudelaire : son oeuvre laisse une trop grande part au démon ; à ce démon qui est resté ange.

*

Katia, Léon Tolstoï.
Romance un peu fade.

4 mars

J'ai été à la cuisine, où j'ai vu deux amis ; mais l'un d'eux surtout. Il se retenait, marchait vers moi avec une nonchalance affectée et toute prêtre à bondir. Je le sentais aux aguets de lui-même, et cela me donnait une grande supériorité sur lui, dont je n'ai pas profité. Je sentais sa gêne trop près de moi. Ainsi les êtres sont difficiles ; il faut courir après eux, et je ne suis pas tenté par pareille poursuite. La pose, dès que je la devine chez les autres, m'embarrasse et je détourne la tête. L'autre était tout joyeux de me revoir ; il parlait, riait, s'informait pour deux. J'ai compris la différence entre ces deux êtres : l'un ne vit que par l'esprit, l'autre que par le coeur. Du moins, le voudraient-ils, lui et lui, du mieux possible.

Nuit. Je lisais quand la souris est revenue. Elle longe peureusement le mur ; ombre furtive qui se glisse parmi les ombres. Sa grande peur la fait mignonne et presque humaine. Elle s'effarouche jusque dans un coin de ma cellule, où elle grignote les brins d'un balai. Je l'ai surveillée longtemps, puis l'ai laissé fuir.

Seul, la nuit, appuyé dans l'ombre, il est désastreux de penser.

France and the Provinces, Doré Ogrizak, 1948.

Un beau volume illustré sur la ville que j'aime. La France a pour moi l'attrait nostalgique de la patrie quittée depuis longtemps. Le grand désir que j'ai d'y aller est comme un mal, comme une langueur dont je souffre beaucoup.

*

F-1294 — *Combat avec l'Ange,* Jean Giraudoux, 1934.

Dans ce livre, une continuité d'analyse très rare et très belle. Il conviendrait peut-être d'appliquer ce terme à Giraudoux, ce terme qui revient si souvent sous sa plume : le pathétique.

*

F-4420 — *Bourlinguer,* Blaise Cendrars.

Quel livre! quel langage! et quelle vie! Étrange et fraternel bourlingueur, comme je vous admire!... Il sait tout, il a tout vu, tout mémorisé, tout compris; et pas en songe! «J'ai trop vécu», soupire-t-il, content. Or voici, en cet homme merveilleux et diable, le maître de la littérature mémoriale. Tout gamin le devrait lire comme on lit un prophète — comme une Bible.

*

Un témoignage narré : Ville basse sur la plage; maisons toutes à pignons et à lucarnes; petites, nombreuses, tassées, adossées au promontoire comme des palissades contre les éboulis. Les quais en face. Le large fleuve charriant ses eaux verdâtres. C'est la nuit. La lune met sur les choses de longues traînées de poussière argentée. Décor médiéval. Dans le quartier, dédales de ruelles sombres, sales et tortueuses; des ombres s'y meuvent sournoisement : des chats, des bêtes-vermines se faufilent en silence, et frôlent et hument les poubelles trop pleines. Et cette ruelle coincée entre deux rangées de taudis tous pareils; murs de mortier craquelés, de briques salies d'éclaboussures. Tout au fond une bicoque affreuse où, à la fenêtre, tremblote une lumière jaunâtre vue à travers les déchirures d'un papier-journal épinglé aux carreaux. Pauvreté miséreuse et inhumainement banale. Y pénétrant, au milieu de cette pauvreté, on ne distingue rien d'autre; puanteur, humidité, saleté. Sur une table, la lampe à huile est posée, parmi des vaisselles souillées et les restes du repas récent : michon de pain, plats dans lesquels sèche une sorte de ragoût brunâtre et malodorant; bols tachés, bouteilles de lait à moitié vides, quantité de bouteilles de bière. Auprès de la table et s'y accoudant, tête dans ses paumes, un homme ivre. La lampe l'éclaire mal et il est comme monstrueusement rejeté par l'ombre. En face de lui, dans un recoin de la pièce, une forme sur un grabat se tord dans la douleur. C'est une femme; elle est toute nue et son corps est laidement déformé; sa poitrine est maigre, son ventre enflé. On sait bien qu'elle est dans les douleurs de l'enfantement. Parmi ses gémissements, elle tâche de dire quelque chose à l'homme qui la regarde mais ne paraît pas la voir. À chacun des cris qui lui échappent comme des hoquets, il durcit méchamment son visage; il la hait, cette chienne râlante, il la hait et il crache dessus.

Le temps passe, douloureusement…

Soudain elle hurle un grand cri désespéré et, dans un spasme criard, de tout son ventre, elle laisse un enfant, une chose informe encore attachée à sa chair meurtrie, gésir inerte entre ses cuisses ouvertes, comme un paquet immonde de laine ensanglantée. Après cet effort surhumain, la femme est retombée sur l'oreiller, et elle semble dormir. Mais avec bruit, insultes et blasphèmes, l'homme se lève; il marche en tibutant dans la lumière. Il gesticule, il crie: chienne, chienne! avec une rage obscène; puis, d'un geste violent, il se saisit de l'objet-né, l'arrache d'elle et le lance avec force contre le mur, où il se fracasse avec un bruit mat sinistre. Du grabat, l'accouchée a tout vu; son visage flétri est devenu beau de douleur intense, elle regarde de tout son être… Il faudrait qu'elle se lève, qu'elle essuie cette tache de sang qui rutile, qui dégouline, qui l'obsède…

6 mars

Dit l'au-revoir à B. qui est libéré ce matin. Émotion curieuse à tenir sa main dans ma main. Je ne puis lui parler autrement qu'avec tendresse, car je garde de lui l'image troublante qu'il a laissée en moi. Souhaité toutes sortes de belles choses. C'est le seul être que j'ai vraiment aimé; le seul avec qui la sexualité se mêlait à l'amour.

*

F-489 — *Dieu ne dort pas,* Suzanne Chantal, 1944.

Un pot-pourri d'imagination, d'argot et de lyrisme; c'est passionnant et me redonne un fol goût d'aventure.

*

Photo de W. Churchill dans le *Life.* Visage crispé dans une maligne attitude. Pour réussir ce portrait, l'artiste, Yousuf Karsh, aurait arraché le cigare d'entre les dents de l'homme d'État. Mais faut-il le croire?

14 mars

Reçu les deux coups de fouet qui m'étaient dus. Cela réveille en moi de vieilles haines presque oubliées. Séance d'un sérieux risible. Ces gens-là sont des pantins menés par on ne sait quel sentiment insensé du devoir. Un surtout, un gros essoufflé, qui me servait d'escorte, a voulu à tout prix échapper au spectacle. Il se sentait coupable de quelque chose qui ne me touchait pas et faisait peine à voir. De 5.05 à 5.17 p.m. J'hypocrisais merveilleusement mon attente. Sur la table-chevalet; tapis vert crasseux, puant la colle forte et la sueur. Une farce absurde.

*

Très bel article dans *S.R. of Literature,* March II, 1950. «Raw Material of Persuasion», by Louis J. Halle Jr. C'est tout l'art de penser dans un seul chapitre. J'aurais voulu en transcrire de longs passages, mais le temps me manque.

*

Morceaux choisis de Marcel Proust, 1928.

C'est une mauvaise façon de connaître un auteur. Pages choisies; ces pages, peu importe la discrétion de leur choix — et l'on est toujours un peu trop discret en ce cas —, ne peuvent convenir à celui qui n'a rien lu de l'auteur ainsi mis en coupe. Mais à présent, peu de lectures auraient pu m'enchanter mieux. J'y ai mis beaucoup de moi-même, me laissant être conquis et rappelé aux plus belles heures de mon enfance, en exorcisant une sorte de romantisme des souvenirs. C'est la grande valeur des écrits de Proust. En vérité, les sensations furtives de mon adolescence se rapportent aux tableaux de *Du Côté de chez Swann* — de ma première enfance, s'entend.

J'en ai fait une lecture rapide, car je devais remettre le livre au plus tôt; tandis que je l'aurais voulu lire et relire jusqu'à ce que cette lecture fît partie de moi-même et qu'elle aidât mes songes. C'est ainsi que je prends conscience de ma pauvreté; lorsque certains livres viennent à la portée de mon esprit sans que j'aie le temps de les méditer. Pour bien lire un livre, il faut l'avoir à soi, le regoûter aux petites heures, quand on en a envie. Aussi toutes ces lectures que je tiens présentement seront-elles toutes à reprendre; et, dans ma vie, ne pourrai-je jamais m'avancer que par à-coups, que par de fréquents retours vers ce qui fut mal vécu.

*

Satyricon, Pétrone.

«Les rêves qui trompent la pensée d'ombres fuyantes ne sont envoyés ni par les dieux ni par les démons (génies): chacun fait les siens!»

Pour l'observation des moeurs, il faut se laisser influencer par Pétrone. Le réalisme à travers la poésie.

10 avril

Je reprends un nouveau cours d'études afin d'être soutenu contre la tentation. Elle surgit de partout: sur le plan sexuel, du côté de la paresse et des jeux niais où l'on m'appelle. Philosophie surtout.

*

Comme ces jeux vulgaires ne me disent presque plus rien, qui faisaient partie de ma vie de gamin. J'en avais pourtant une grande fierté; j'étais admiratif et tâchais d'émuler les vieux qui excitaient mon audace portée à la merveille par d'extraordinaires mensonges. Comme ce passé m'est lourd, dont je veux me libérer. Il n'est pas facile de dire adieu à ces jours sans jamais se retourner vers eux pour quelques rêves. Il me semble qu'il se trouve de cela quelques passionnantes allusions dans les grandes lectures: *Orphée aux Enfers; La Femme curieuse de Lot...*

Il faut si peu de choses pour étonner les gamins et les rendre bavards. Tandis que je me couche le long du silence et dans l'encouragement de ma ferveur, ils font énormes des petits machins de mauvais coups, et je me réveille sans cesse dans un monde que je ne puis atteindre, un monde plein d'hyperboles et d'interpelles grossières.

*

F-8062 — *Axes et Parallaxes,* F. Hertel, 1937.

Belles poésies âpres, verbeuses et forcées, remplies de prières et de métaphysique ferventes. J'y trouve ce verset de songe:

«Et si la nuit n'existait pas, il faudrait tendre un mur vert, un espalier.
À contre jour,
Pour faire naître la nuit
La nuit, où l'on songe au bienfait des étoiles,
La nuit, où l'on tremble à plein corps pour son âme,
La nuit, où l'on décante le surplus de ses rêves.
La nuit.»

*

128

G.D. Quelle étrange petite frappe! J'ai reconnu en lui ce signe physio-logique: lorsque la paupière lui tombe au milieu de l'oeil et qu'une sueur perle à sa lèvre, c'est qu'il écoute le pesant démon qui lui chuchote de s'offrir à la sodomie. Il se traîne des fesses partout alors, comme une petite chienne en chaleur. Il est bien beau pourtant, et je crains que, l'occasion présente, je serai pris dans les actes.

*

Au début, l'Église était une idéologie communiste comme le voulait Jésus. «Tous ceux qui croyaient étaient dans le même lieu...» *(Actes,* 2, 44); de même: 4, 32: «La multitude de ceux qui avaient cru n'était qu'un coeur et qu'une âme. Nuls ne disaient que ses biens leur appartinssent en propre, mais tout était commun entre eux.» C'est ainsi qu'ils vivaient, et sous l'égide de maîtres, ou chefs, qui affirmèrent leur pouvoir et durcirent leur coeur envers l'application stricte des règles établies. Les premiers maladroits étaient si sévèrement punis que les autres ne songeaient ni à les défendre — ou peut-être croyaient-ils que cela était bien — ni à récidiver leur faute. C'est ainsi que Ananias et sa femme Saphira furent exécutés pour avoir voulu tromper le trésor commun qui était chose sacrée.

F-429 — *L'Étranger,* A. Camus, 1942.

Un livre bouleversant qui oblige à penser ce que vaut la moralité que chacun de nous s'est engagé à avoir. Mes prisons sont décrites ici. J'y ai retracé certaines heures de ma vie, et elles étaient en pages tout comme je les ai vécues: rêvées, lentes, mais raisonnées jusqu'à la hantise. J'y ai reconnu ce que j'ai fait et ce que l'on m'a fait. C'est un livre d'une logique si absolue qu'elle en paraît criminelle devant les conventions ordinaires. L'absurdité des lois est ici moquable, et aussi bien la révolte contre ces mêmes lois. Dans ces quelques mots se réduit toute la souffrance de l'homme gardé: «...il y a des mois que je regarde ces murailles.»

En vérité, ma vie est vécue. Je ne ferai plus que répéter des gestes, que revivre des moments, que reprendre des désirs que j'ai cru manqués. Un seul jour, c'est toute la vie; les autres jours n'en sont qu'une vaine élabo-ration.

*

Air de Jean, opéra de Massenet. Dignité de la prière.

*

Preface to Religion, Rev. Fulton J. Sheen, 1946.

Le livre qui ne fut pas écrit pour moi. C'est un clair exposé de la foi catholique; cette foi entendue intelligemment. Le style en est simple, dicté, fraternel, bien fait pour convaincre ceux qui s'endimanchent et croient que demain sera le jour parfait du Seigneur. Je l'ai lu en rejetant tout d'avance puisque je suis loin de ces choses; loin sans retour et sans regret. Il n'est plus question pour moi d'être pénitent, et ce livre engage à la pénitence, à l'acceptation, à l'obéissance de règles discutables. Jésus n'y est plus de rien, son affaire y est mise en lois. Au demeurant, ce livre est fort sensé et, s'en aidant pour méditer la Bible, tout homme de bonne volonté en retirerait de grandes consolations; mensongères peut-être, mais consolations quand même.

Monsignor Sheen est un homme très intelligent. On peut même dire qu'il est un admirable artiste de la foi. Il enseigne un catholicisme moderne et évoluant.

Citations abondantes et appropriées du grand texte; des épîtres de Paul surtout, dont j'aime l'ardente logique.

30 avril

Gide et Paul; ces deux maîtres me conviennent. Gide d'abord. C'est le maître excellent, celui-là même que quêtait mon enfance. C'est l'homme sévère ou rieur. C'est le grand styliste qui s'exprime dans le langage même de l'intelligence. Depuis ma première lecture, j'ai tâché de le suivre avec amour et constance, de revivre les étapes de sa vie, des *Cahiers d'André Werther* — malgré le désaveu qu'il en a fait — jusqu'aux dernières pages du *Journal*. Sa vie ordonne l'exemple. Il ne fut pas facile pour lui non plus de se discipliner, quoiqu'il fût presque toujours appliqué, mais pas facile de retenir les bondissements de sa jeune âme ardente, et de rejeter dans une poésie-prière autosuggestive toute sa ferveur. En face de lui, je tâche de bien faire dans l'attente d'une liberté que je chéris déjà. Je m'applique à parvenir aux inépuisables nourritures qu'il offre.

Oui, Gide, plus que tout autre, invite à l'effort par l'engagement formel, la mise au point sévère qu'il exige de l'homme. Quant au présent: «Pour moi j'avais à démêler ma ligne d'entre une multitude de courbes; encore n'étais-je point conscient de l'enchevêtrement à travers quoi je m'avançais; je sentais s'accrocher ma plume, mais je ne savais trop à quoi; et, malhabile encore à démêler, je tranchais.» Je suis à ce stade difficile de mon éducation où, trop tôt, je voudrais me permettre une plénitude d'intelligence. J'ai aussi à démêler ma ligne d'abord, et d'entre un lacis que personne ne saurait disjoindre. Toutes mes tendances — mon goût violent pour une liberté de morale personnelle, par exemple — gâtées de bonne heure, puis châtiées mesquinement plutôt qu'enseignées, guidées, développées, se nouèrent jusqu'à l'inextricable, jusqu'au crime, jusqu'à la folie même. C'est ainsi que, de mains amies n'ayant point pour m'aider dans ma peine, je raccole le plus souvent afin de fermer vite cette période honteuse de ma vie...

3 mai

J'ai vu ce matin l'arrivée des premières hirondelles. Elles volaient haut dans le ciel bleuâtre du printemps; leurs longues ailes pointues papillonnaient en infinies montées, puis, soudainement, stabilisaient des glissées rapides, sinueuses, silencieuses... J'ai été, du groupe où je me tenais, le premier à les remarquer. Elles signifient tant de choses pour moi; la nostalgie de là-bas, d'où elles reviennent, de si loin, des confins de mes plus chers désirs. Départs! Voyages! sans but et sans cesse renouvelés. Marches ivres aux pays du soleil, des chants et des fleurs. Ici, hélas! maintenant ne se peuvent que ces rêves. Hirondelles! ¡golondrinas! puissé-je un jour vous saluer à la fuite, et aller avec vous, vers le soleil toujours...

Elles nicheront ici, près du mur, derrière l'église, dans les nids que nous avons dressés au milieu d'un carré de fleurs, et le plus bel endroit de l'emmurement hideux. Ici où, l'an passé, j'allais écouter leurs bruissements nombreux et surveiller leurs splendides élans dans le ciel. Mille courbes et descentes à la poursuite d'insectes que je ne pouvais voir, mais que les intermittences au soleil de leurs ailes argentées...

Parmi elles sans doute se trouve celle que j'ai relancée dans son vol, à l'automne, après qu'elle eut failli dans sa première envolée. Ah! je la reposais dans ma paume, un coeur éperdu, et le mâle fier, au col bleu acier, fonçait sur moi en crissant de colère...

Hirondelles! ¡Golondrinas! J'ai maudit un jour les chants d'éveil des moineaux; leurs piailleries interminables limitaient mon sommeil, ou accablaient ma pensée avide de silence et de pureté; mais vous, ah! vous êtes mes amies, farouches et belles aventurières...

¡Golondrinas! Mediadoras del amor, * je vous aime comme de divins poèmes d'envol. À certains jours, je suis triste, ou si l'on veut, ennuyé par la lenteur de ma peine; mais, à un moment ensoleillé du jour, d'entrevoir par la fenêtre une hirondelle traverser hâtivement l'étroit ciel de notre monde muré, se réjouit mon coeur. Je songe à la légende: ce fut une de vos soeurs, féerique messagère d'amour, qui apporta au roi Marc un fil d'or de la chevelure d'Yseult la Blonde...

*

* Hirondelles! messagères de l'amour.

Les Contemplations, V. Hugo, Ed. Nelson.

J'espérais voir ce livre depuis longtemps; maintenant que je l'ai, il ne m'est plus permis de bien le lire. Mais c'est effrayant, ces heures closes, défendues, soumises à des règles insensées. Pourtant, le peu que j'en ai lu ne m'a guère touché. Je n'ai pas su y trouver cette inoubliable beauté dont on parle. Elles m'ont même paru fastidieuses, ces fixes contemplations, et trop niaisement édifiantes. Ce ton barbare, ivre de sonorité, est peut-être celui du plus insensible des poètes français. Et puis, tout au long du livre, cette merci répétée à un dieu, auquel le suppliant ne croit point mais qu'il cherche partout avec un entêtement qui fatigue; ce dieu-vieillard imagé, ridicule, les mains étendues comme un Père Noël bénisseur, c'est pénible.

Mais j'aime ce beau mot choisi de la préface: «... commencer à Foule et finir à Solitude». Aussi l'effarante pièce: *Melancholia,* et dont je retiens la fin, phrasée comme par un élève un soir de tristesse, dont le sens vers le passé plaît à mon indolence:

Un soir...
«Ô souvenirs! trésor dans l'ombre accru!
Sombre horizon des anciennes pensées!...
L'oubli! l'oubli! c'est l'ombre où tout se noie;
C'est la mer sombre où l'on jette sa joie.»

*

Un jeune Chinois, qui vient de fuir l'occupation communiste dans son pays, déclare, durant une interview: Je me moque un peu de la liberté de la parole, mais là-bas je perdais la liberté du silence; c'est bien pire.

Un très joli mot; mais faut-il vraiment le croire?

*

Comme j'ai besoin d'un langage! Si, du moins, dans les lieux où j'ai gaspillé mon adolescence, il y avait eu un argot imagé, blagueur, canaille un peu; mais non, ce n'était que la pleine bêtise; les monosyllabes, les rires hauts, niais, vides de sens et de joie.

L'un dit ceci, l'autre cela, et le troisième d'ergoter à son tour.

5 mai

Quand je commets un acte défendu, un vol par exemple, j'éprouve sitôt après une surexcitation sexuelle qui doit être satisfaite sur-le-champ. Ainsi ce matin, après une passe d'oeufs et de beurre à la cuisine, j'ai retrouvé

132

Roberto dans un coin de l'atelier, où des boîtes de tôle haussées en paravent sur la table cachaient tout. Il a tout de suite deviné ma brûlante envie et, dans un rire, s'est approché de moi... Caresses lentes, douces, savoureusement données par sa bouche. J'ai joui éperdument. Après, il a gardé son rire, et j'ai vu dans ses yeux danser je ne sais plus quelle lueur joyeuse... Non, je ne m'en défends plus, pareil plaisir ne peut être surpassé.

Ah, voluptés!... et voluptés!
Terreurs délicieuses des instincts!
Comme dans ce rêve où j'ai vu des yeux
Ad-mi-ra-bles!
Dans un long laid visage pâle...
Rêves! compagnons des heures mortes.
Désirs! désirs! désirs!
Voluptés promises
Dans les desseins du présent.
Mais aimer, qu'est-ce que c'est? — Un paradigme.

*

Il s'en trouve ici qui parlent fort contre l'homosexualité. Ils se montrent tout scandalisés, violents, insulteurs. Mais ils ne disent pas qu'ils se masturbent tous les jours, et il me semble les voir épouvantablement seuls avec leur vilain plaisir. Le vice n'est pas ce qu'on pense des autres, c'est ce qu'on fait avec son propre corps, dans la solitude, contre soi-même, dans la dégradation d'un désir beau d'instinct. Il faut être deux pour jouir, et le rêve ne suffit pas à apporter une présence. Quoi de plus enveloppant que mes relations avec Robert? il est beau, il est jeune, il est consentant; toute sa chair connaît la saveur du plaisir. Et ce cher rire qu'il a dans le partage de la jouissance! C'est nu, c'est spontané, c'est la joie! Mauvaises gens, comparez-y vos sales frottements, votre ignoble tristesse ensuite, et vous serez pris de court.

*

Extraits du *Journal de Romain Rolland,* Revue *Europe,* avril 1949. Utiles observations sur Léon Tolstoï.

Pour Tolstoï, une décision était une loi, un jugement irrévocable; et, dans sa vie, il n'y a que l'affaire du testament que lui arracha Tchekhov qui fasse exception.

Il savait retrouver une paix intérieure après avoir vécu de violentes passions: «Je comprends que la mort est la raison et le faîte de la vie. Je le comprends bien; je sais que c'est vrai. Mais je ne le sens pas. Je n'arrive pas à le sentir. J'ai cherché pourquoi et j'ai vu que c'est parce que je n'ai pas encore réussi à aimer tous les hommes de la même façon. Je les aime bien tous. Mais j'établis des rangs entre eux dans mon affection. Il ne faut pas. Il faut arriver à ne plus voir les hommes indifférents, mais l'Homme — l'humanité. Une fois qu'on est arrivé à ce sentiment, on sent la beauté de la mort. Car les hommes meurent, mais l'Homme est éternel.»

Il aimait l'humour et le paradoxe; ne cherchait pas à s'enfermer dans une seule pensée inflexible. Il écrivait tout ce qu'il pensait et il oubliait tout ce qu'il écrivait. Il lui arrivait de n'être plus d'accord avec lui-même, et il s'en étonnait.

Il adorait Molière et l'opposait, ou plutôt le tranchait à ses côtés comme exemple du vrai art naturel. C'est Tchekhov qui le poussa à publier un livre sur Sh., sept ou huit ans après qu'il fut écrit.

Il trouvait André Gide *(L'Enfant prodigue,* qu'il relut par conscience) insupportable. Gide se vengeait-il lorsqu'il disait n'avoir jamais pu terminer une lecture de *Guerre et Paix?*

Il corrigeait souvent ses manuscrits, non pas le style, qui l'intéressait fort peu, mais il ajoutait aux caractères, aux événements. Il se méfiait du style.

Dans son *Journal,* il raconte de façon atroce un viol qu'il a commis. Cette scène faisait le désespoir de sa femme qui le suppliait de la détruire; mais il s'y refusait en prétextant l'expiation de sa honte.

«Les relations sexuelles sont la clé du caractère, sinon de la vie», affirmait-il avec raison.

*

Pablo Neruda, poète chilien. *Le Fugitif:*
«...Pendant que venait le sommeil,
l'écho innombrable de la terre
ses rauques aboiements et ses filoches
de solitude, continuait la nuit.
Et je pensais: Où suis-je? qui
sont-ils? Pourquoi me retiennent-ils aujourd'hui?»

Ses chants fiers défendent la patrie gondalisée, mais un homme seul s'y voit aussi, touché en son âme.

7 mai

Étrange que l'on ait fait une philosophie triste de celle de Schopenhauer. Son analyse du monde, spirituel et physique, de ce monde pris comme une représentation de la volonté universelle, chose immuablement absolue en elle-même, est sans doute une des plus belles de toute la littérature; c'est-à-dire la plus vraie de ton et de style. Vérité et pessimisme s'accordent, mais ne sont pas nécessairement tristesse.

J'admire beaucoup son livre de la volonté comme représentation; je le voudrais lire et relire, m'en appliquer les principes, m'adjuger cette force de volonté — c'est-à-dire reconnaître ma nature pour ce qu'elle est — qui doit être constamment arc-boutée contre les phénomènes du hasard.

«…la réponse à l'énigme posée par l'individu, c'est la volonté. Cette volonté, et cette volonté seule, lui donne la clef de sa propre existence. Elle lui révèle la signification, le mécanisme de son être et de ses actions...» (p. 63, M.L., 1928)

Par la connaissance, cette volonté ne peut-elle être reprise, tenue, disciplinée?

*

Je m'attriste à nouveau de ne jamais parvenir à restabiliser mon être. Désespérément, je voudrais penser bien; exprimer ma détresse, blasphémer mes vices; mais je ne ressens plus qu'une confuse énormité de sensations se presser en moi, comme le délire fiévreux et incompréhensible d'une folie avancée; et puis, lassitude, névralgie aiguë, consomption peut-être. Mauvais jour. Mauvais jour! jour où je veux tuer et mourir. Jour maudit, dont j'aurai honte demain, et surtout parce que je n'y aurai pas connu une seule joie.

J'en arrive presque, en cet état, à maudire ma mère. Sans prévoir le jour, par joie elle me conçut, pour m'exposer ensuite tout nu dans les ruelles d'une ville étrangère, tout comme aux siècles des abominations les mères juives, jetant leurs premiers-nés dans les bras de Moloch.

Mauvais jour où le manque d'intelligence me fait honte.

*

Sur cette terre, je suis mon Dieu. Un moi divin, unique, irremplaçable. Ensuite quiconque, s'Il existe, s'occupera de juger mes actes.

*

Gide, très jeune alors, écrivait ce texte préparatoire à la ferveur, que j'ai constamment sous les yeux, et à la signification duquel je suis sincère comme s'il était de moi. Ah, si cela était possible: «Je voudrais à vingt et un ans, à l'âge où les passions se déchaînent, la dompter par un labeur forcené et grisant. Je voudrais, tandis que les autres courent les plaisirs, les fêtes et les débauches faciles, goûter les voluptés farouches de la vie monastique. Seul, absolument seul, ou peut-être entouré de quelques

135

blancs Chartreux, de quelques ascètes ; retiré dans une agreste Chartreuse, en pleine campagne, dans un pays sublime et sévère. Je voudrais une cellule nue : coucher sur une planche, un oreiller de crin sous la tête ; auprès, un prie-Dieu, simple, énorme ; sur le support, la Bible, toujours ouverte : au-dessus une lampe toujours allumée ; et dans l'insomnie, trouver des extases violentes, éperdument penché sur un verset, dans la nuit enveloppante, effrayante. Aucun bruit, que peut-être parfois les grandes clameurs des montagnes, les voix lugubres des glaciers, ou les cantiques de minuit chantés sur une seule note par les Chartreux qui veillent...» Et si je m'attache avec tant de ferveur à la signification de ce texte, c'est que je comprends la nécessité d'un semblable domptage nocturne pour l'intelligence. Je l'ai noté déjà, je crois. En venir à prendre la vie de haut, de droit, l'ayant méritée avec effort. Naître ne suffit pas ; il faut renaître...

8 mai

C'est pleine nuit encore, vers l'aube. Il fait froid comme durant une nuit humide d'automne. Derrière la fenêtre, où mille gouttes de pluie s'attachent aux vitres et s'y allongent comme des seins minuscules, l'eau brille. Je ne distingue rien d'autre. Je ne perçois que le halètement de la tourmente. Le vent s'abat en rafales, force la tempête, siffle comme s'écorchant sur les obstacles rencontrés. J'en sais la rage par le tapotement régulier des fenêtres à guillotine, mal ajustées dans leurs cintres. Ce vent glacial filtre jusqu'à moi, et frileusement emmitouflé dans une couverture, j'écoute cette agonie hurlante du dehors ajouter monotonement aux bruits multiples du dedans. Rumeurs exaspérantes qui peuplent la nuit. Tout apaisement m'est enlevé. J'ai l'impression très nette d'être englouti dans un profond puits de mine. Vaguement, je songe que la nuit est propice au crime, au carnage, à la rébellion ; mais, aussitôt, je rejette cette pensée mauvaise qui porte à la rêverie fixe, délectable et morose. Je veux ici toucher mon âme. C'est une nuit où il me faut penser et me connaître. Accroupi dans l'ombre, je m'absorbe à déceler la vraie nature de mon être.

Est-ce possible d'élaborer pour soi une moralité immorale ? et, par elle, d'être libre sans être abject ? À présent que je suis renseigné sur des significations profondes, que je m'exprime avec certains mots dont je rejetais auparavant l'intonation même, ne pouvant, par canaillerie, souffrir que leur sens fût accepté, je ne puis, tel le voyou que j'étais, refuser d'affronter certains problèmes moraux, et non plus m'en faire entraves. Par liberté, je n'entends pas seulement être hors de prison, mais être libre dans ses pensées, dans ses désirs, et leur laisser toute la plénitude possible. Bref, être assujetti à une certaine morale, mais en soi libre, sans patrie, citoyen du monde. Je ne veux surtout pas me morfondre dans une suite d'actes régis d'avance. Tout en étant libre — de cette liberté imparfaite nécessairement, et de par des lois biologiques que l'homme ne peut toucher, longer les plus complètes limites —, je voudrais, par l'étude, par la contemplation de la nature, par mes actes aussi, cultiver le sens moral profond qui se dégage d'un nihilisme raisonné.

*

C'est sa fierté qui est la marque indéniable et distincte de la valeur morale d'un homme. Et lorsque près de moi, parmi mes camarades, j'en reconnais un qui n'a pas conscience de cette dignité humaine — et la sincérité est le premier facteur de cette dignité —, je ne manque pas de le mépriser. Celui qui, par ses actes, ses paroles, ses rêves, s'insulte jusqu'à l'abject, il n'est même pas digne de vivre. Il me déplaît de le croiser en chemin.

Je crois à ce propos être parvenu à une certaine connaissance de l'être ; du moins de ces êtres faibles qui, dans chacun de leurs propos, chacun de leurs gestes, se mettent au jour. L'analyse de ces natures ne varie pas, non plus que les mouvements qui les dévoilent à cette analyse. Les gestes, les paroles, les regards qui, tout instinctivement, échappent au personnage qu'il veut tenir, celui-là auprès des autres, ou ceux que, ne se sentant pas surveillé, il met à nu, parlent le langage froid de la vérité.

9 mai

Réveil matinal. Je suis léger, joyeux, prêt à vivre. Je me suis levé au moment même où, chaude et blanche, l'aube se glissait dans mon lit.

Jour splendide de soleil et de joie.

*

La nature du démon est de convaincre avec une logique subtile qu'il faut obéir aux tendances de son être. Dieu, lui, est contre-nature.

«D'où viens-tu ?

— De parcourir la terre et de m'y promener.

— Qu'as-tu à me dire ? »

— La misère des hommes.

*

Au milieu de la cour il y a un puisard — je préfère «cesspit», correct mot anglais — autour duquel des microbes gros comme des insectes bourdonnent et voltigent.

Salomon gardait des devins, des sages, des philosophes à sa cour, et il ne décidait jamais rien sans les avoir entendus : «Le roi Roboam consulta les vieillards qui avaient été au service de Salomon, son père, pendant sa vie.» *(I Roi,* 12, 6*)* Il ne les écoutait point cependant. C'est dans les *Sapientaux* qu'il faut retrouver les dires de ces vieux radoteurs.

*

Je suis l'objet, la représentation d'une volonté universelle. Je suis même l'objet penseur unique parmi les objets déterminés de la nature. Tous mes réflexes sont les tendances de cette volonté ; par ma nature cependant, par mon intelligence — évoluée qu'elle est, et qui peut soupeser les données de l'histoire —, j'échappe partiellement à cette volonté et aux instincts auxquels elle m'oblige pour arriver à ses fins. Mais ce n'est que par une lutte constante que j'y peux parvenir ; et c'est en tant qu'être supérieur que je parviens à y obvier ; non pas à ses fins propres, elles sont insensibles, inaltérables, cycléifiées, mais à les réduire, à les manier, à les retarder pour le bien de mon être appétif. La fin est certaine, la lutte perdue d'avance ; malgré quoi, cette lutte, avant que de la perdre, il la faut bien mener.

Il me plaît soudain d'être la créature non créée, mais objectifiée de l'ordre des choses aveugles de l'univers. Je craignais tout de même de n'être que le jouet d'un monstre dieu glacé d'orgueil. Maintenant, j'ai une certitude en moi ; il faut lutter, manier par un choix, un redressement des désirs, cette volonté dont une parcelle est en moi, maniable peut-être.

«*Faber est ma quisque fortuna.*» (Salluste)

Cette maxime semble bonne, elle n'abonde pourtant pas dans le sens de Schopenhauer. Il affirme : «La nature sin causa de la volonté a été reconnue où elle se manifeste le plus distinctement : chez l'homme ; et, cette volonté, on l'a cru libre et indépendante ; mais à cause de la nature sin causa de la volonté elle-même, la nécessité par laquelle sa manifestation est partout assujettie est restée inaperçue, et les actions humaines furent reconnues libres tandis qu'elles ne le sont jamais. Car l'acte de l'individu suit avec une stricte nécessité la tangente de l'effet au motif sur le caractère. Toute nécessité doit être reconnue comme étant relative à la conséquence de la raison, rien de plus. Le principe de la raison propre est la forme de tous les phénomènes, et l'homme dans ses actes lui doit être subordonné, tout comme un autre phénomène. Mais parce qu'on perçoit la volonté comme directe et propre à soi, on croit percevoir la sensation de la liberté. Pourtant, l'on néglige ce fait : l'individu, la personne, n'est pas la volonté, mais un autre phénomène de la volonté. Déterminée déjà, elle est, sous la forme de ce phénomène, le principe de la raison. Aussi en résulte-t-il le fait étrange que chacun, a priori, se croit parfaitement libre dans ses actes, et n'imagine pas qu'en aucun temps il puisse recommencer un nouveau mode de vie; c'est-à-dire devenir une autre personne. Mais, a posteriori, par expérience, il s'aperçoit avec stupeur qu'il n'est pas libre, qu'il est assujetti à une nécessité; et que, malgré toutes ses résolutions et ses réflexions, il ne change pas sa conduite; que, du commencement à la fin de sa vie, il doit vivre selon le caractère qu'il condamne. Il joue jusqu'à la fin le rôle entrepris d'abord.» (pp. 76-77, Modern Library Ed.)

Je traduis en vrac. Si j'en saisis bien le sens, cet argument va à l'encontre de mes projets, quand j'entretenais de splendides illusions de recommencement. Depuis des années, je m'encourage misérablement d'une résolution manquée à sa reprise. Je ne me sens pas de coeur à dédire le logicien adroit qu'est Schopenhauer. Néanmoins, j'estime que l'individu raisonnant de ces choses peut se permettre quelques esquives, quelques échappées — comme dans le plaisir esthétique, ainsi que l'admet le philosophe — vers une liberté d'action, et un choix personnel dans la menée de sa vie. Mais à cette fin, je répète la supposition qu'il lui faut être constamment tendu vers ce qui lui semble le meilleur de lui-même, vers l'idéalisation d'une vie supérieure.

C'est tout de même avec une certaine ferveur que je lis Schopenhauer. Je fais de sa *Volonté* mon livre de chevet. Son interprétation de la connaissance humaine et du rôle de l'homme dans l'univers est toute classique. Elle me comble. Je le voudrais bien comprendre et me l'admettre entièrement. Ne retrouvai-je pas dans sa philosophie la grande voix éperdue de son impuissance dont *L'Étranger* fait écho? Et lorsque je réalise la portée de toutes ces contradictions à des impressions fausses que j'admettais comme vraies déjà, je m'obstine un peu, j'argue mal, je remonte la pente contre l'éducation désordonnée que j'ai reçue. Il me tentait bien d'élaguer ma pensée, mais je craignais trop de n'être qu'un imbécile devant pareils problèmes. Maintenant que j'ai besoin de penser mieux que tout autre ici, ce petit livre de philosophie m'est indispensable.

13 mai

Jour tout maussade; tristesse, ennui, lassitude. Je manque d'esprit de raisonnement, de calcul. Quand je manque ainsi d'intelligence, je voudrais mourir. Je me sens plein d'un dégoût paralysant. Et, du côté sexuel, une occasion que j'ai repoussée me remplit de chagrin. Ce jour ne vaut plus rien...

C'est à treize, quatorze, quinze ans que j'ai manqué à moi-même.

*

Interminables mauvais jours; pluies froides, fenêtres closes; langueur, paresse. *Todavía nada.* * Aucune pensée saine, aucune diversion d'une rêverie morne.

17 mai

Schopenhauer m'aide à comprendre mieux cette phrase de Gide: «Il faut que la volonté soit constamment tendue comme un arc...» — sinon la vie ne se compose que de revenirs. Il vaut mieux lutter pour la tenue héroïque de cette vie assujettie à l'ordre du monde. Ma vie actuelle, prisonnière, vide de sens et tombée dans de mauvaises habitudes, je maintiens qu'elle peut être rachetée par une ferveur.

Avec mes yeux fixes et mon air désenchanté je donne parfois l'impression d'être un monotone bouddha. Il est vrai que je parais souvent triste, mais je ne le suis pas, c'est ma tranquillité et je ne m'étonne pas de ces moindres choses qui marquent nos jours. Il arrive aussi qu'une malsaine inquiétude parfois me harasse, où, cherchant à me mettre à la portée de mes amis, je le fais mal, d'une joie pas trop franche, indiscrète, d'une voix surélevée qui finit en persiflage et qui me rend aussi mauvais à entendre que triste à voir. Certes, je suis fier et trop peut-être, mais je ne prétends pas que mon âme soit meilleure que la leur. J'estime que ma vie doit être tenue entre mes mains comme une chose admirable et chère. Rire et faire rire n'est pas mon fait, c'est tout.

Je ne ris pas, mais je ne pleure pas non plus; je suis tranquille d'aspect, au-delà de mon âme bouleversée.

«Je ris en pleurs», disait le poète admirable.

*

Après Dieu, j'ai cherché le diable; lui non plus, je ne l'ai pas trouvé. J'ai compris alors que tout cela n'était qu'une fantaisie des hommes et, fièrement, j'ai résolu d'être à moi-même à la fois mon dieu et mon démon. Ces deux natures en soi procurent d'abondantes ivresses.

C'est à travers les autres qu'il faut beaucoup s'occuper de soi-même.

*

Je ne sais pas toujours profiter des heures délicieuses du matin. Levé tôt, j'attends un peu niaisement que l'inspiration vienne et que les anges me rendent visite; au lieu de quoi, le plus souvent, le diable vient, lui, me toucher à l'épaule et ricaner à mon oreille: à quoi bon...

* Toujours rien.

C'est effrayant comme une bonne conversation me fait défaut. Depuis cinq années que je suis ici, je ne me souviens pas d'avoir pris plein plaisir à une seule conversation. Avec Robert je parle beaucoup mais, le plus souvent, ce sont des échanges de tendresse; non, rien qui affine l'esprit, qui travaille l'intelligence, qui encourage au travail. Du côté de l'esprit, je suis désolément seul.

Trop de choses ont été vues, dites, rêvées. «Écrire ne conduit qu'à écrire», avouait Colette.

Il y a pensées et rêves; la pensée seule est vie.

En comparaison du sens que je donnais à ma vie déjà — le sens même qui fait la foi de ce lieu-ci —, je me suis pris à partie: je ne regrette rien; je réalise tout; j'ai mal agi.

*

«Ils disent que je n'ai pas de sensibilité parce que je n'ai pas celle de tout le monde.» (Ravel)

Voir: *España orgullosa*, Constancia de la Mora, 1948.

*

Achaz, l'un des rois de Juda, il eut, me dit R.G., des relations incestueuses avec sa mère. Je trouve, *Chroniques* II, 22, qu'il était fils de Jotham et d'Athalie, et que «sa mère le poussa au mal».

Les *Rois et Chroniques* sont mêmes faits, redits et perdus parmi les enjolivements des légendes, des interprétations de ce conteur-ci, de ce conteur-là. Mais ce sont tout de même de splendides lectures.

*

Alain, Alain Chartier, le maître aimé d'un grand nombre d'écrivains contemporains, était un individualiste d'une rare qualité. André Maurois s'occupe souvent d'en faire l'éloge, parfois avec une affectation que je trouve un peu fastidieuse. Mais voici de jolies choses à retenir d'un récent article: «Ses professeurs lui reconnaissaient tous les talents. Il eut été physicien, musicien, poète, romancier s'il l'avait voulu, et au premier rang; il ne souhaita rien que de rester libre et penser juste: «Je suis persuadé qu'il y a des moments où Alexandre, César ou Napoléon furent bêtes comme j'ai juré de ne pas l'être.» Il y a du Stendhal dans cette hauteur...

«Le séjour à l'École Normale fut un mélange de succès et de combats. Les dieux du jour étaient Taine, Renan, Sainte-Beuve; Alain tapait à tour de bras sur ceux qu'il appelait alors «ces trois bedeaux de littérature». Mais Brunetière, qui régnait sur l'École, se savait assez fort pour rire de ces violences et même les encourageait tout cordialement. Alain faisait bien sa besogne d'écolier. Il lisait encore Platon de bout en bout, mais avait découvert Aristote, dont il aimait le style rustique et qui l'aidait à former une doctrine de la volonté. Dès ce temps, il jugeait vain de chercher des objections. «Je n'ai jamais cru, pour ma part, qu'il fût possible de trouver une philosophie nouvelle; et j'avais assez de retrouver ce que les meilleurs avaient voulu dire; cela même, c'est inventer dans le sens le plus profond, puisque c'est continuer l'homme.» Jamais il n'a perdu son temps en disputes; il a fait route en compagnie de quelques grands esprits; le reste n'a pas existé pour lui. Homme de peu de livres, il a été fidèle aux philosophes que j'ai déjà nommés, puis s'est attaché à Descartes, à Kant, à Hegel, à Auguste Comte. Ajoutez Tacite, Hugo, Saint-Simon, Retz, le *Mémorial,* Montaigne, Rousseau, Voltaire, naturellement Stendhal et Balzac, George Sand, plus tard Proust; puis les poètes: Homère, Horace, Hugo, Valéry; ce n'est pas là toute sa bibliothèque, mais peu s'en faut. Alain pense, comme tout vrai lecteur, que nul ne peut bien lire un livre qu'il n'a pas sous la main...

«Pour se discipliner, il s'était imposé, pour les *Propos,* une mesure: deux pages de papier à lettre. «On ne met point de prétention dans un court article; on va lestement; on arrive au trait final ou bien on n'y arrive pas. Je voyais le terme, je l'acceptais comme un poète qui fait un sonnet. Bien rarement, il fallait étendre le développement; souvent, il fallait le resserrer, et cela sans espoir de retour, car le temps manquait. Cette improvisation libre, sans retouche, exerce une contrainte sur le style.»

La philosophie de ce maître peut se résumer dans ces quelques extraits cités encore par Maurois: «Tout est faux d'abord et j'accuse Dieu; mais finalement tout est vrai et Dieu est innocent!

«Descartes en lui-même trouve Dieu! J'accepte ce mot, quoique chargé de prestige... L'esprit en chaque homme, celui de Descartes, après le doute méthodique et le doute hyperbolique, retrouvé par le *Cogito,* ne peut être individuel et subjectif, car tout ce qui serait subjectif a été dissous par le doute. Le *Je pense,* qui reste seul et presque réduit au néant, cette flamme de volonté pure, ce jugement nu... comprend toutes les pensées possibles, et pour tous, et à toujours. Ce que je cherche, ce n'est pas ma pensée; et, quelque étrange que cela soit, ce n'est pas mon Moi, c'est le Moi. L'esprit dépasse l'homme. Je trouve Dieu en moi. Et *Deus in Nobis.* Telle est la mystique vraie qui se passe de preuves. Prouver que Dieu existe, c'est le nier. Car c'est le rejeter à l'apparence, à l'immense existence et faire de lui un fait parmi les faits. Le propre de Dieu, c'est qu'il n'existe pas : il est. En nous.

«Descartes dit que l'irrésolution est le plus grand des maux. Il le dit plus d'une fois ; il ne l'explique jamais. Je ne connais pas de plus grandes lumières sur la nature de l'homme. Toutes les passions, tout leur stérile mouvement s'expliquent par là...

Un caractère fort est celui qui se dit à lui-même quels sont les faits, quel est au juste l'irréparable et qui part de là vers l'avenir. Mais ce n'est pas facile, et il s'y faut exercer dans les petites choses, sans quoi les passions seraient comme le lion en cage qui, pendant des heures, piétine devant la grille, comme s'il espérait toujours, quand il est à un bout, qu'il n'a pas bien regardé à l'autre... Spinoza dit que le repentir est une seconde faute...»

«Pense au présent...» c'est tout le mot de sa leçon.

*

Le présent m'accable ; il est ignoble. De rares joies en allègent la charge, et tout le reste n'est que désespoir. Je dois l'accepter dignement, en vue de l'avenir. Hélas ! quel est l'avenir où déjà le passé me projette son ombre ?...

21 mai

Première sortie de deux heures, le dimanche. Nous étions accoutumés à une seule demi-heure de marche chaque jour. Excitation partout ; dans les cœurs, que les yeux et les propos dénoncent. Boniments de chacun formant haute clameur. Comme ils sont gamins, gourmands, honnêtes. Faisons ceci, cela, et nous serons mieux ; c'est-à-dire soyons sages... Mais j'étais content de même ; pour rien ; à cause du soleil, peut-être ; le soleil haut, flamboyant, doux ; un bon-dieu franchement, que j'eusse voulu adorer...

Rencontré L. Il y a encore je ne sais quel heurt entre nous qui nous gêne, baisse le ton de notre voix et enniaise nos propos. Cette contrainte me déplaît parce que je la sens trop nette, et comme venue de ma part. Feignant de m'intéresser au jeu, j'attendais qu'il amorce la conversation. Il lit une autobiographie, je crois, de Clarence Darrow. Il trouve à cet homme un bon sens génial, et il s'applique beaucoup à le comprendre afin de pouvoir arguer avec une même force. Car il aime beaucoup la contradiction. Il me redemande ensuite les *Rubais de Kayyam,* afin de les mémoriser. Il est passionné de ces courts poèmes qui conviennent parfaitement d'ailleurs à sa sensualité délicate. Il lui a toujours fallu un peu d'apprêts — avec l'amour, un peu de vin...

Aperçu aussi A.D. et échangé quelques mots avec lui. Ce camarade est de toute gentillesse. J'aimerais bien en faire mon ami. J'ai observé qu'il souffre d'un étrange malaise ; quelque vague complexe d'infériorité, une peur de nuire, de n'être pas au bagout des autres. Je le surveillais alors même qu'il se trouvait avec son meilleur ami ; il agissait de même qu'avec moi ; un moment de silence le fait mourir. C'est pourquoi il parle, parle hâtivement, sur un sujet, n'importe lequel, afin de fuir ce silence qui l'effraye. C'est lui qui m'a prêté les *Essais* de Montaigne, dont justement j'achève l'inoubliable lecture.

Enfin, cette rare sortie occupée de jeux dans la cour, c'est beaucoup pour des enfermés. Je songe pourtant, combien il est effarant lorsqu'on n'a rien, ce qu'une toute petite heure de liberté vaut cher. Ou bien c'est la vie qui est mesquine.

*

Vouloir, c'est le mot d'ordre. Contre tout ce qui est caprice, se raidir et se refuser.

J'accepte mieux une vérité brutale qu'une poésie incertaine. La vérité, en autant qu'elle est possible, étonne toujours un peu ; on s'en fait une idée si préconçue.

La solitude n'est pas bonne pour l'homme, pour sa joie, mais excellente pour son contentement.

*

Je reprends le tome IV des *Cahiers* de Barrès. Incapable de lire jusqu'au bout. J'ai trop d'occupations tandis que je voudrais ne rien faire. Cet ennui qui me tient empoisonne le meilleur de moi-même. Je m'abandonne à la douce attirance du rêve. Toute vie est si loin de moi...

Au hasard, je retrouve cette poésie trouble, ces phrases splendides isolées parmi des reportages, et que je cueillais avec joie aux jours des grandes promesses : «Je suis seul, inoccupé. La minute qui passe me vieillit. Le mois prochain et puis le mois d'après, mes chances diminueront de construire mon bonheur. Comme elle est facile, la pente ! Accepterai-je cette solitude ? Ne vais-je point d'un effort plus courageux grouper enfin tous mes éléments de bonheur et, de ces promesses, tirer une sûre possession ? Non, j'aime autant mourir parce que j'entends goutte à goutte épuiser mon compte de jeunesse.» (p. 85) Cette citation est l'exacte expression de ma pensée, à cette heure qui passe sans me combler de ses possibilités. Et combien cette alléchante tristesse plaît bien fort à mon âme en peine. Je me laisse reprendre aux plus sensuelles rêveries. Barrès y mène par je ne sais quelle allée sinueuse, au bout de laquelle ne se trouve qu'une inquiétude stérile devant les actes.

Et puis, plus loin, l'entre-rêve, où j'écoute cet écho du *Zarathoustra*: «Nul contact avec les réalités ne diminue les héros.» (p. 187) C'est peut-être ce qu'il croyait le moins.

Encore: «L'imagination accepte comme une tragédie harmonieuse que ceux qui jouirent intensément de la vie en supportent un jour les pires cruautés.»

Barrès n'est pas un bon maître parce qu'il donne peur de la vie: il ne voit qu'avec crainte le plus douteux avenir. D'ailleurs, sa sensualité un peu froide, un peu hypocrite, un peu juive, est malsaine.

24 mai

Je veille. La nuit est d'un grand calme et, par une fenêtre un peu ouverte, pénètre délicieusement jusqu'à moi. J'aimerais dehors m'endormir à même la terre, tapi contre l'herbe fraîche. Mais d'ici à là se trouvent toutes ces ombres géométriquement allongées sur les murs, sur les objets et sur moi-même, et qui me font prisonnier de cette atmosphère où halètent malsainement douze cents poitrines. En elle-même, c'est une nuit mauvaise. Nuit étrangère à mes espoirs, et où je relie les jours par centaines comme en une seule veille, du soir au matin.

Il y a autant de dieux que de pensées possibles.

L'homme vaut le prix que l'on attache à ses paroles: le juge dans la pensée de l'accusé est un dieu.

À la pauvre clarté des lampes de veille, je relis le *Livre de Job*.

«D'où viens-tu?

— De parcourir la terre...» et cela fait surgir en moi mille désirs de voyage. Mais ces beaux éclats de voix quêteuses d'une présence divine; en retour d'un bienfait, ils lancent à ce dieu du fourrage, des boeufs, des chameaux en abondance, comme s'il s'agissait de nourrir un monstre. Vestiges des cultes sanguinaires rendus à Moloch, au Minautore...

Mais Job, homme intègre, ferme et sombre, interpelle magnifiquement Dieu, lui dit: Pourquoi me fais-tu ce mal?... et sa réponse: Pour t'éprouver, n'a pas de sens parce qu'elle est mensonge. Question inutile aussi, et dont nulle réponse ne peut venir, mais que l'homme ne s'arrête pas de poser.

145

25 mai

J'ai fait ce rêve étrange et passionnant. Ma mère et moi, nous nous glissions furtivement hors de la maison. C'était la nuit. Elle était vêtue de noir, jolie et rieuse. Nous allions dans le jardin cueillir des noix ; dans une plate-bande, tout près, elles étaient tigées en terre comme des oignons. Côte à côte, nous fouillions la terre chaude et charnue. Soudain, il y eut des échanges de mots durs entre nous ; puis, réconciliés, nous revenions vers la maison, l'un près de l'autre, étroitement enlacés. Ma main gauche touchait son sein. Elle me montrait, difficilement à cause de la pénombre, une très grosse noix. Sa bouche était tout près de la mienne et elle me chuchotait : nous avons mangé des noix ! Notre rire s'est fait intime et chargé d'une après-volupté indécente. Je me suis éveillé dans la confusion de mes sens.

*

La ronde contre les mauvais parleurs
Ce soir je n'ai rien à dire,
à cause d'un rêve
que j'ai fait l'autre nuit,
et qui m'occupe encore tout entier.

J'y ai vu que je détestais autrui ;
Ceux qui parlent mal.

Il y a ceux qui parlent pour parler,
Ceux qui ne parlent bien qu'au lit,
Ceux qui ne racontent que des mensonges.

Il y a la phrase qui dit : moi d'abord.
Il y a ceux qui n'ont rien à dire,
et qui médisent.
Il y a ceux qui sont sages,
précieux, chimériques.

Le commentateur de désastres,
L'admirateur : oh ! ah !

Il y a des mots tout faits sur le temps,
sur les blés, sur les femmes.
Les anecdotes osées,
les sacres des gamins,
les propos curieux des efféminés.

Il y a le verbe haut
et la bêtise du doctrinaire.

Il y a finalement ceux

qui se promettent de parler demain;
Ce sont les plus imposteurs...

*

Même ici, on se sent presque libre parfois. Tout est idée. Il suffit
d'échapper en soi, d'aller vers le rire, la joie, l'oubli momentané.
«Would I be prisoner in a nutshell
I'd still be the king of the Universe.»
Ou quelque chose d'approchant, que je cite de mémoire.

*

J'observe un jeune qui découvre rieusement les voies faciles du plaisir. Aucune crainte en lui sinon un peu de gêne. Déjà, il accepte et se
prête aux plus osées caresses avec une sorte de coquetterie qui le fait
femme. C'est un beau gamin à la peau tendre, qui rêve depuis sa puberté.
Maintenant qu'il se découvre cette possibilité nouvelle et attrayante aux
grands appétits du désir, il s'y abandonne avec une mollesse déjà savante.

31 mai

Porté attention à une dispute qui s'échangeait près de moi. Dispute
sur un sujet absolument inqualifiable d'ailleurs, puisqu'il s'agissait de
démontrer que la religion n'est qu'une escroquerie. Celui qui en parlait le
plus fort — et le plus mal, comme il arrive en ce cas —, M.L., est une
espèce d'escogriffe, stupide, ergoteur et malin. Malade des nerfs, il s'agite
de partout, comme une chair de bétail harcelé de mouches.

Quand il parle, il bave et, pris d'une secousse, il s'arrête, a une crispation, lâche un hou-ha! puis continue sa phrase au milieu des rires.
C'est d'un effet drôle à voir. Il met ainsi tant de bouffonnerie qu'il parvient à être écouté. Il répétait les charges qui se font habituellement contre les prêtres. Il disait vrai souvent contre, mais il oubliait d'être un tout
petit peu pour. Et cette comédie de foire a duré toute la journée.

Cela résume un peu la basse mentalité qui prévaut chez certains ici.
Jamais un raisonnement sain; aucune pensée que favorise un mouvement
spontané de l'âme. C'est le règne brutal du ventre, de la grossièreté, de la
vulgarité. Dans ce climat déprimant, ceux qui se cherchent
passionnément une raison d'être...

147

Je déteste ces argueurs qui enfouissent sous des termes extras le vide niais de leurs propos. Il y a mille façons de dire: passez-moi le sucre, mais une seule est correcte et simplement dite.

*

Dans un moment de profond désespoir j'ai fait l'aveu que je serais prêt à me jeter dans n'importe quelle page d'un roman salaud. Je suppose qu'une curiosité saine pour cela, comme pour toutes autres choses que présente la vie, renseigne bien plus complètement que les livres.

*

C'est compris que je n'ai pas un patriotisme très développé, mais je ne vois pas comment l'on pourrait m'y faire, non plus. Les États naissent, progressent et tombent à leur tour, toujours au détriment du menu peuple. Il n'y a aucune justice sous quelque gouvernement que ce soit; il n'y en eut jamais, et il ne me semble pas qu'il y en aura jamais. Le lucre le plus effronté sert de technique aux politiciens les mieux intentionnés. Sous une propagande savamment préparée, on laisse croire aux dupes qu'il périssent pour la gloire de leur chère patrie qui, elle non plus, ne vaut pas un crachat de Judas. Une guerre vient de finir, une autre se prépare. Il ne peut y avoir deux puissances régnantes. Hier alliés, les Russes demain seront ennemis. Toujours pour servir ce même appétit insatiable des meneurs. Comment puis-je croire que la politique de l'Ouest est meilleure et plus franche que celle de l'Est? Comment puis-je croire que les peuples de l'Orient sont plus esclaves que les peuples de l'Occident? Et, s'ils le sont, n'est-ce pas parce que les armées occidentales y ont été chercher conquêtes et trésors? N'est-ce pas que dans les rues de Moscou les gens vont et viennent affairés, joyeux ou soucieux, selon leurs occupations personnelles, et tous menés en masse par le policier du coin? Tout comme, par exemple, dans les rues de Montréal? Le monde est un charnier au-dessus duquel des nécrophores subsistent.

*

Bien que je le fasse souvent — par pénitence, peut-être —, il me déplaît d'inscrire ici les jours où je m'éloigne de la réalité avec la promesse que demain je ferai mieux. Maintenant que l'été est venu, il me semble que ma volonté mollit. Je m'attarde négligemment à rêvasser et à me repaître d'un avenir incertain; celui plein d'aventures et de joies intelligentes, dont je me propose l'accès. Ainsi, fou d'attente, je m'ennuie des mêmes livres, sans y voir d'autres échappées que l'étroite application de la lettre.

J'ai beaucoup changé. Bien sûr que je ne suis plus le même que j'étais. Les livres m'ont changé dans la limite où cela se pouvait. Mais la relation entre l'être que je suis devenu et celui que j'étais reste si étroite qu'il ne s'agit parfois que d'un rire pour que je redevienne le gamin vulgaire que j'ai été.

Parfois — quand je m'applique —, l'idée me séduit par quoi je pourrais poétiser et, ainsi, donner un sens vital à ma vie. Mais je ne poursuis pas ce songe.

Il faut se posséder complètement.

Chacun naît dans un monde qui n'est pas le sien; il lui faut donc se jeter dans la révolte contre les choses établies qui ne peuvent absolument pas lui convenir.

Ne te connais pas d'amis indispensables. Sois seul et libre entièrement.

*

Théâtre, Paul Claudel. Première série: *Tête d'Or.*

Deux versions également parfaites de ce parfait poème. Nourritures abondantes du verbe. Poésie farouche, biblique. Rien n'est plus beau que la voix de l'homme blessé jusqu'en son âme. Je goûte avec fièvre les paroles où se gîte mon être ému, et où il peut croire de crier sa propre peine. Dans ces balbutiements, que je mémorise, tous les appâts de la vie sont ramenés vers soi-même, offrant à l'âme torturée un lit de repos, ou d'espoir, après la détresse confuse qu'elle a traversée.

«*Cebes:* Me voici,
Imbécile, ignorant,
Homme nouveau devant les choses inconnues,
Et je tourne ma face vers l'Année et l'arche pluvieuse,
J'ai plein mon coeur d'ennui!
Je ne sais rien et je ne peux rien. Que dire? que faire?
À quoi emploierai-je ces mains qui pendent, ces pieds
Qui m'emmènent comme le songe nocturne?
La parole n'est qu'un bruit et les livres ne sont que du papier.

Il n'y a personne que moi ici. Et il me semble que tout
L'air brumeux, les labours gras,
Et les arbres et les basses nuées,
Me parlent, avec un discours sans mots, douteusement.

Le laboureur
S'en revient avec la charrue, on entend le cri tardif.
C'est l'heure où les femmes vont au puits.
Voici la nuit. Qu'est-ce que je suis?
Qu'est-ce que je fais? Qu'est-ce que j'attends?
Et je réponds : je ne sais pas! et je désire en moi-même
Pleurer, ou crier,
Ou rire, ou bondir et agiter les bras!
«Qui je suis?» Des plaques de neige restent encore, je
       tiens une branche de minonnets à la main.
Car Mars est comme une femme qui souffle sur un feu de bois vert.
Que l'Été
Et la journée épouvantable sous le soleil soient oubliés,
        ô choses, ici,

Je m'offre à vous!
Je ne sais pas!
Voyez-moi! J'ai besoin,
Et je ne sais pas de quoi et je pourrais crier sans fin
Tout haut, tout bas, comme un enfant qu'on entend au loin,
     comme les enfants qui sont restés tout seuls, près de
         la braise rouge!
Ô ciel chagrin! arbres, terre! ombre! soirée pluvieuse!
Voyez-moi! que cette demande ne soit pas refusée, que je fais.

«*Tête d'Or (roi)* : Mon bien! mon bien!
Mon espérance arrachée de mes machoires, tout perdu!
Ah! ah!
Pourquoi
Cette force me fut-elle donnée quand je me tenais sur mes pieds?
       Pourquoi ce désir?

Vorace, obstiné, insatiable?
Ô passion!
Ô âme pour qui rien n'existait de trop grand! et voyez, ces mains
Empoignent le vide et ne se prennent à rien!
Ô âme domptée! ô cette chose que je suis!
Misérablement, misérablement j'ai été jeté, tué!»

Il me semble que je préfère la première version. N'est-elle pas plus crue, plus âpre, plus vraie et moins catholisée que la seconde? Mais, oh! cette forme haletante du chant! cette voyelle suspendue, isolée avant la tombée du mot, et donnant vie comme un verbe; c'est la larme qui se forme à la paupière avant la pleine émotion...

       *

150

A.D. Je suis désillusionné de cet ami. Je croyais me rapprocher d'un être intelligent, cultivé comme je désire l'être, et je m'aperçois déjà qu'il est le bruiteur des avantages pécuniaires qui lui sont cédés. Il est de ceux qui semblent nés pour le rôle du cireur; devant eux, dans la vie, à l'occasion, ils annoncent la munificence de leurs exploits.

On ne convainc personne, mais on trouve chez certains l'acquiescement de sa propre conviction.

«Tu ne me persuaderas pas, même si tu me persuadais.»

C'est ce mot d'Aristophane que je viens de vérifier.

*

Voir: *La France byzantine,* Julien Benda.

«Les oeuvres les plus vivantes sont les plus mortelles, précisément parce que les plus vivantes.»

Cet écrivain dit bien des choses qui me donnent envie de répéter le mot de la marquise: J'allais le dire. C'est peut-être qu'il est très vrai; du moins qu'il trouve mon acquiescement.

Il est dans le bon sens lorsqu'il déplore: «Ma vie d'écrivain est une constante humiliation. Telle grande maison publiait hier en première page un mien article; elle fait aujourd'hui la même place à une petite femme à la mode qui ne dit que des gentillesses. Un auditoire pousse ses exclamations à une mienne conférence; il poussera demain exactement les mêmes pour un pur faiseur de pirouettes. Dans l'étal d'un libraire, les catalogues d'un éditeur, les éloges d'un critique; mon nom avoisine celui de solennels imbéciles ou d'effrontés Scapins. J'ai le sentiment d'une honnête femme qui se serait envolée dans une maison publique.» Mais c'est aussi qu'il ne faut pas se croire trop honnête, sans quoi l'on risque de ne l'être plus. Sur le plan littéraire, il a parfaitement raison de se peiner à voir l'effronté commerce qui se fait de la chose écrite. Après s'être attristé ainsi, philosophiquement il conclut: «Le penseur doit chercher sa satisfaction dans l'exercice de sa pensée, nulle part ailleurs.» *(Mémoires d'infra-tombe,* qui paraissent régulièrement à *La Nef,* mars 1949)

Julien Benda, le plus souvent, exacerbe avec ses paradoxes, ses insultes et son esprit caustique, par quoi il englobe dans un mépris égal tous les littérateurs contemporains. Sa rage est telle qu'il vient près de la tourner contre lui-même. Celui-là, que les plus grands esprits reconnaissent comme un maître, lui, l'appelle un crétin. Le plus mordant, c'est qu'il ne défend pas sa critique au nom de la religion et, partant, de la morale, comme ils ont pareillement coutume de faire, mais au nom de la science qui, à proprement parler, est sa religion à lui. Cela donne encore plus de poids à ses jugements. Il possède, il va sans dire, une large culture, une

151

profonde intelligence, mais il érige sa critique en une succession de logicismes étroits, de constats brutaux, de négations choquantes. Avec son esprit agressif, il heurte celui des autres, qu'il affirme épais. Ce doit être un Juif.

Mais j'aime toujours le lire; son langage est bon, est varié, est classique. J'estime pourtant qu'il s'acharne à côté de son projet, attendu qu'il part d'une erreur pour trancher net sur la réputation d'un écrivain. Au fait, il n'accepte que les Classiques, avec un grand c, ceux du XVIIe siècle surtout.

Dans ces *Mémoires d'infra-tombe,* il distille à flots le fiel de sa littérature. Je le lis avidement pour y trouver un enseignement et une acerbité de ton qui ne sont pas à dédaigner, qui me plaisent même.

Ce qui m'irrite à mon tour, c'est la manière dont il parle de Gide, dans sa *France byzantine* paraît-il, où je crois qu'il maljuge grossièrement. Il y prétendrait que le maître n'est pas assez correct de style et qu'il cherche trop à imposer sa pensée. C'est un peu fort, tout de même!... Gide n'impose pas, il suggère; et il n'écrit que ce qui lui est dicté du plus profond de lui-même. C'est-à-dire ce qui lui est vérité.

*

F-1338 — *Le Prométhée mal enchaîné,* André Gide, 1925.

Mince plaquette. Jeux de mots. Esprit fin et parfois méchamment persifleur.

«Alors ça a commencé à m'embêter.

«Reconnaissant, je voulais l'être — mais je ne sais pas envers qui.

«... le mal est quelque chose qu'on rend; le bien aussi, or...

«La prison, isolée du reste du monde, ne donnait vue que sur le ciel; du dehors, elle présentait l'aspect d'une tour; au dedans s'ennuyait Prométhée.

«... il souhaita son aigle...»

«Laissez les morts ensevelir leurs morts», ces paroles de Jésus sont celles qui ont le plus frappé Gide et ont agi avec le plus de force sur sa pensée. Quel plaisir de longue durée je prends à lire cet auteur.

*

Voir: *Sens plastique,* Malcolm de Chazal
       La vie filtrée
       L'Échelle de Jacob

Philosophe néo-prophète, celui-ci prétend révolutionner la philosophie au moyen de sa pensée-poésie. Pour lui, toute philosophie n'a que le rôle de découvrir le vrai sens de la vie, par le tamisage d'une poésie métaphysique extra-tonifiée. C'est une sorte de copulation avec l'univers qu'il veut de l'intelligence, et duquel acte doit naître l'absolu. En vérité, c'est un éclectique qui poétise divers actes et aspects de la vie. «J'ai, dit-il, la plus sincère et la plus totale certitude — et je dirai même que cela prend chez moi forme de credo — d'avoir dépassé, et de très loin encore, toute la poésie contemporaine et rendu à l'état pygméen Baudelaire, Mallarmé, Valéry et Rimbaud — ce quatuor divin des disparus. Et cela pour la très simple raison que ma poésie est une cueillaison d'invisible total, alors que les leurs furent toutes puisées d'un invisible où la nature en est encore en son écorce. Ce qui me sépare de ces «quatre grands», c'est qu'ils sont en deçà de moi dans l'invisible, malgré leur magie verbale, et par ce seul fait je les dépasse et très largement de l'épaule, car la poésie n'est avant tout qu'un moyen surnaturel de capter l'invisible, et l'on ne mesure vraiment la valeur d'un poète que par les «distances» parcourues par lui au sein de l'invisible. Sur ce point, j'attends de pied ferme les critiques. Car tout le reste est littérature. Ce sont les paroles ci-dessus que j'aimerais surtout vous voir reproduire au haut de mon article (de vulgarisation) car elles sont ma meilleure défense.»

(...)

«Et puis il y a cette question de mon statut à l'Île Maurice. J'y réside véritablement en prisonnier de l'idéal. Toutes les issues m'y sont bouchées, et je rebois mon souffle à chaque seconde, strangulé par moi-même, par mon être qui s'est dépassé, et que je ne puis exuter parmi des disciples ou par des jeux de miroirs de l'esprit qui nous renvoient nous-mêmes et qui nous projettent comme un jeu de balles du moi; allégeant par là la souffrance de ceux qui se sentent trop lourds pour leur propre âme. Et cela m'est refusé ici totalement.»

Voici que je m'intéresse et porte respect à cet homme intègre et fier dans sa solitude. Le prisonnier est toujours mon frère. Mais, à cette pensée-poésie, je ne porte pas le même intérêt qu'à l'homme. Dans toute la philosophie moderne, je veux dire depuis Descartes, c'est le ton empoignant où le moi se joue comme dans une pièce montée qui fait la valeur de la pensée, où le «Je» rend philosophe et poète le plus abruti des bergers. Et ici, c'est de même, le jeu des mots, le vocabulaire répandu avec un égotisme étrange fait toute la pensée; ou, du moins, son apparence de nouveauté et de profondeur.

Mais je note encore ce surprenant passage: «Or, la philosophie courante se démeurt et remeurt et renaît comme une vague qui roule sur elle-même indéfiniment sans changer en rien l'apparence des mers. Tant que la philosophie n'attaque pas la morale, elle est inoffensive: elle baratte le vide et ne gêne personne. Mais, comme le terrain est mou, le philosophe, enragé de lutter contre le Rien, passe bien vite sur le plan des instincts et crée des systèmes où le Bien et le Mal sont inventoriés, et les

Motifs de tout instropectés. Et le philosophe conclut cette fois comme un tranchant d'épée — sur des thèmes cette fois encore loin de la vie —, ne cherchant dans le monde vivant nulle correspondance pour épontiller et paralléliser ses dires — n'essayant même pas de comparer la moralité des bêtes et des végétaux à la moralité de l'homme et les supposées vérités morales qu'il édicte pour justifier ses thèses, car par manque d'appui une fois encore, il se perdrait dans le vide et le rien, puisqu'il ne juge que l'extérieur des actions sans pénétrer les causes cachées et les impératifs catégoriques de la nature vivante des choses. Car le philosophe-moraliste est encore une fois moraliste dans l'abstrait. Il se fait une idée de l'homme parfait qui, fut-il enclavé dans le vivant tel qu'il le trouve et le conçoit, ne vivrait pas le cours d'un jour. Encore une fois, le philosophe oeuvre dans l'abstrait, parce que le concret est trop loin de sa pensée, et, ne pouvant penser la vie et se faire penser par elle, il se masturbe spirituellement et n'éjacule qu'un bout de microbe de soi, étranger au monde vivant.»

M. de Chazal est aussi positif sur la valeur de son oeuvre, et j'aime cette certitude du poète: «Mon oeuvre, dit-il, est le premier essai de poésie métaphysique depuis les *Upanishads,* oeuvre des chantres de l'Inde; mon oeuvre n'est défendable que par elle-même... que l'on se hisse jusqu'à moi et l'on connaîtra alors sur ces hauts plateaux un vent de spiritualité que nulle oeuvre littéraire n'aura su jusque-là lui communiquer — souffle de l'Esprit devant lequel la philosophie courante se dilue et se meurt, car ma philosophie est celle du Vivant.» *(La Nef,* mars 1949)

*

Il faut être ici en haine pour comprendre l'angoissante solitude où est rejeté l'homme intègre. Il est seul au milieu de gamins âgés, têtus, mauvais...

Le moindre incident qui leur permet de faire montre de leurs biceps les enchante; ils en parlent, en parlent. C'est une gaminière.

Ô honte! honte à laquelle il ne faut pas songer; d'être ici inutile à soi-même; ici où
«... Je cerne mon visage
De si hautes murailles
Que je ne vois plus rien...» (Michel Manoll)

*

Depuis quelque temps, je délaisse mes études; je suis empoisonné par ma vieille lassitude, par cet à-quoi-bon, le même peut-être qui fait rêver mauvaisement. Fatigue, langueur, sensualité surtout...

C'est avec une lecture de la Bible — j'en suis à cette vie phénoménale d'Élisée — que je fais fuir un certain esprit chagrin du réveil...

Ce que je pense aujourd'hui, à mes yeux d'enfant ç'eut été inadmissible.

Ce vers quoi je vais m'est dû.

J'aurais bien le droit de me poser un grand nombre de questions, sur des choses peut-être essentielles; mais je ne le ferai pas. Je préfère accepter la vie de ma part et que, ainsi, toute chose vienne à moi de bon droit; que tout malheur qui m'arrive me soit dû de même. Ce n'est pas avec maints propos que je connaîtrai le mieux la portée de ma vie, mais avec maints silences. Ici, tout vient provoquer ma haine.

Été à la cuisine encore; c'est là que se trouve le plus mauvais troupeau: malveillance, gloutonnerie, regards fuyants. Ils auraient même peur de rendre compte de la propreté de leurs doigts. J'y avais des amis qu'à présent je ne considère plus comme tels.

*

Théâtre, Paul Claudel. Première série, t. II: *La Ville.*

Au vrai, je n'en comprends pas toute la portée, et comme je ne puis m'arrêter à la poésie seule d'une phrase, j'ai besoin d'en comprendre le sens. La seconde version peut-être, par ces émotions de mon état que j'y retrouve, m'émeut et m'ouvre un peu plus au mystère poétisé de chaque verset. J'y entends l'inanité des grands efforts sans le secours exprès de Dieu. Toute la richesse du mot concourt au rythme de la phrase. Claudel est un psalmiste de style et de pensée, et j'aimerais entendre son message tant me touche la ferveur de son chant. Me plaisent particulièrement ces bribes de hautes voix, qui me rappellent les grandes interpellations de Job devant l'imposture de Dieu:

«*Ly:* Quand je recompterais tous mes pas,
Quand je remettrais toutes mes paroles dans mes mains,
Je n'y trouverais pas de plaisir.
On s'habille; on mange deux fois par jour; je sors, et
       voilà que je suis revenu pour dormir.
C'est ici le repos où ceux qui de qui cette vie est faite
Sont las, ne parlent pas.
J'ai parjuré; j'ai fait une trahison contre ma langue.»
Et voici même le: «Périsse le jour où je suis né...,
«Plût au ciel que je ne fusse pas né!

155

Plût au ciel que ce moment ne fût pas venu, lorsque enfoncé
  dans le ventre jusqu'au menton je pendais dans le monde
      par les pieds!
Oh! oh! d'abord qu'est-ce que la durée de la vie?
Un peu de... non!...»
Et moi aussi je promets que:
«Je me tremperai dans Minuit sacré! Je vénérerai la Nuit.»
Et contre ce rêve odieux où je somnole ici, je crierai:
«Ha! mon vieux! quelles années!
— Certes! L'horreur... je ne dis pas cela; la précaution comme quel-
      qu'un qui marche sur un mur.
Dix ans! nous avons vécu à la distance de la langue tendue avec
Les lèvres gelées de la mort!»
Mais dans la version seconde aussi, j'affectionne ces belles masses de
mots qui achèvent la consécration du Moi révolté, et que personnifie
Avare, l'homme admirable:
«Tout
Importe. Le mouvement de rien dans une aire donnée
N'est livré au hasard, ni le pas humain.
Je le suis d'un oeil aussi attentif que le savant dans un tourbillon étu-
die la giration des fétus.»
«*Lambert:* Êtes-vous joyeux de voir cela?
Avare: Sachez que je jouis,
En sorte que mes cheveux se dressent et la salive me jaillit de la
bouche!
Lambert: Jeune homme, quel homme êtes-vous?
Avare: Je suis l'homme de l'étonnement.
Un jour que j'étais chez des amis et que quelqu'un de cher était mort,
Tandis que des hommes et des femmes caquetaient,
Tout à coup je sentis que je n'étais plus avec eux et dans le soulève-
ment de la détestation je prêtais l'oreille, et je grinçais tout doucement
des dents,
Songeant que j'étais emprisonné avec ces gens-là, et l'envie me prit de
mettre le feu aux quatre coins de ce lieu de mensonge:
Afin que je sois seul.
Je le ferai, car je porte une force en moi telle que la roideur de l'a-
mour!...
Je ferai reculer... la race humaine.»

*

J'imaginais que demain serait meilleur, quoique ma raison me dise que les jours sont égaux, pareils, et sans cesse apprêtés à leur hier; perversement, je me permettais un autre repos.

Il m'arrive assez souvent de saisir sur son fait un aperçu de la vie, mais je le trouve mesquin sans raison et en détourne les yeux. C'est assez mauvais puisque je m'y trouve à tort, comme un médecin qui aurait le coeur tout chaviré à la vue d'une plaie.

*

C.P., l'enfant-voyou dont je parlais déjà. C'est le type donné du gamin vicieux, sournois, lâche. Ayant perdu aux cartes et ne pouvant payer, il écrit un billet dans lequel il s'offre moyennant le prix de sa dette: «Tu feras ce que tu voudras avec mon corps», promet-il au vieil ivrogne à bouche puante qui me montre le billet. Je montais la garde contre la venue des indiscrets quand... — mais où donc trouve-t-il la poésie qu'il prend pour implorer qu'on accepte ainsi la mise à l'enchère de sa toute jeune personne?

*

F., cet ami très cher, à qui je dois beaucoup, depuis peu me désillusionne. Il trouve un contentement inépuisable dans les quelques excitements produits par une partie de balle-molle. Il y met toute son énergie, tout son temps, tout son vocabulaire. J'y reconnais les mauvais points de sa nature, oh sans rancune, que j'avais surpris déjà. Mais depuis que dure cet excitement, tout son être est à nu, transporté par le plaisir que lui causent les avantages de ce sport. Rien ne l'en dérangerait; la nouvelle que sa mère vient de mourir l'en détacherait à peine; la liberté même, sans cela, lui causerait du chagrin. Et je ne le vois presque plus pour moi seul. Il n'a plus ce loisir. Ne l'appelons pas, car depuis ce temps où il trouve occasions et sujets de dispute, il n'est plus prisonnier. Une victoire de son équipe le porte au paroxysme de sa joie, et il s'en offre tout le crédit: «Moé, tu comprends»... sont les mots qui débutent chaque phrase. Sa vie est un berceau où s'accumulent les faux jouets.

*

C.C. est un escroc de petite envergure. Il a passé la plus grande partie de sa vie en prison. Âgé de cinquante, cinquante-cinq ans peut-être. Son visage gras aux pores dilatés présente un air de crânerie vulgaire, une apparence robuste qui défie l'âge. C'est un gros homme à la démarche boîteuse. Il porte des verres. Ses yeux, que recouvrent à demi ses paupières épaisses, sont d'un bleu pâle et vont sans cesse à droite à gauche,

157

donnant l'impression désagréable des yeux des reptiles qui roulent dans une graisse jaunâtre. Ses mains aux ongles cassés sont très malpropres. Il est édenté, à part deux crocs filmés mal plantés dans sa gencive inférieure, et qui lui font paraître la bouche de travers. Il n'est pas beau.

Dès qu'il s'est adressé à moi, j'ai vu qu'il voulait ma curiosité au dam de ma sympathie. Ayant à peu près l'appareil sensitif d'un ver de terre, il ne s'occupe pas de la sympathie des autres, mais il veut, il tient de toute honte, à raconter sa méthode à chacun. C'est un menteur. Je ne l'écoute que d'une oreille distraite, et soudain il me montre des lettres de sa maîtresse ; il veut me prouver qu'elle est adroite, qu'elle est fidèle, qu'elle est sa maîtresse.

Mais je le connais ! Je veux dire que je le connais pour autre que ce qu'il dit être. Je n'avais pas plus de dix ans quand je l'ai vu pour la première fois. Il posait au photographe, de maison en maison. Pour une certaine somme, il agrandissait, arrangeait, coloriait à leurs teintes naturelles les cheveux, les yeux, les joues des personnes sur ces portraits que l'on dit de famille. Alors, avec de petites photographies de rien du tout, il faisait des peintures. Je m'en souviens bien. Il s'était présenté un jour d'été, à cette heure calme de l'après-midi, quand les maisons paraissent vides. Il vantait avec une extraordinaire faconde les multiples habiletés de son art. Je ne puis m'expliquer qu'on lui fît confiance, sinon par la nigauderie des gens. Comme maintenant, sa loquèle était affreuse, mais haute et abondante ; et cela portait un tel effet théâtral que la plupart des gens se laissaient duper, ne pouvant, je suppose, trouver la force de résister à d'aussi exubérantes démonstrations que les siennes. En échange de quelques sous, il déposait sur la table tout l'inestimable de la fierté humaine. C'est compris qu'on ne le revoyait jamais ensuite. Ma mère qui s'était fait escroquer pour une couple de piastres, devant tellement d'effronterie, l'avait qualifié de salaud, mais il n'était plus là pour l'entendre.

Voici que ce même type était devant moi, me parlant de tout l'or qui lui avait coulé entre les doigts. Le saugrenu de ce souvenir et de cette rencontre m'a paru soudain si énorme que j'ai éclaté de rire. Il a ri lui aussi ; peut-être venait-il de dire quelque chose de comique ; cette pensée a augmenté mon rire, et, comme tout de même, il trouvait que je riais un peu fort pour ce qu'il venait de dire, le sien, son rire, s'est aminci un peu, et ce ne fut plus qu'un niais sourire qui lui sortait d'entre les gencives. On aurait dit ma foi, qu'il pensait que je me moquais de lui, tandis que, tout au plus, je riais de ce que la vie est parfois toute drôle. Mais il n'a pas paru comprendre cela, et du diable si j'irai le lui dire...

Bref, c'est un imbécile qui a le contentement de ne pas le savoir.

*

Mauvais jour. Le vent s'est anordi durant la matinée, et son froid humide me pénètre jusqu'aux os. De gros nuages noirs ourlés de gris assombrissent le jour et mon coeur. Dans la cour, durant la récréation, je me tenais courbé, adossé contre le vent. Je me sentais las, misérable et condamné. Je surveillais le va-et-vient d'ensemble de la masse des autres ; ils semblent être de la nature de ces hannetons qui, si on les met sur une ficelle, la suivent, l'un derrière l'autre, interminablement, sans se détourner ni de droite ni de gauche ; ou encore, de ces troupeaux nombreux et domestiqués qui se pressent, tête basse. Il n'y a plus d'individus ; c'est un nombre de choses vivantes qui piétinent et font grand bruit.

*

Il faut du génie pour ne rien faire et rester habile.

Si la morale était innée, il n'y aurait pas tant de faux sourires. Tout est devenu conventionnel, l'amour filial même.

Mon âme, c'est ma face.

*

A Writer's Notebook, S. Maugham, 1949.

Dans un beau volume, à reliure de cuirette noire engravée d'argent. Sur le papier-bande, j'observe la photo de l'auteur. Je ne sais quoi dans ces visages — même n'étant pas type de beauté — ressemble à une beauté autre, intelligente, admirable ; et la pose qu'on y voit n'en est pas une, mais le reflet d'une discipline personnelle. J'y vois quelque chose de distingué, de volontaire, de correct qui m'enthousiasme.

Je n'avais pas à lire ce livre pour apprendre combien l'intelligence de Maugham est forte. Je le savais bien. On trouve ici des notes sur son éducation, son oeuvre, sa philosophie. Sur sa vie même, peu de choses sinon qu'il a bien vécu et ne regrette rien. Sur son travail d'écrivain, on est aussi désappointé. Il ne semble pas qu'il aime en parler, et peut-être à cause de son extrême difficulté à composer. Observateur extraordinaire, il y a peu de lyrisme en lui. Il s'applique surtout dans l'apposition des contrastes : le grave et le comique, la moquerie et la sympathie. Il combine finement une analyse qui prétend définir, par l'appuyé sur quelques traits, l'hypocrisie de celui-ci, la valeur morale chancelante de celui-là. Dans ses romans et pièces, il cherche à révéler le ridicule des hommes. Son style est très beau, simple, correct. Il verbalise l'objet. Une partie de son oeuvre est classique. *Of Human Bondage,* où il a déposé toutes les rancoeurs de son adolescence, est son meilleur livre, et je ne crois pas qu'il le surpasse. C'est son sommet.

J'aimerais savoir ce que Gide pense de Maugham; ce qu'il dit de lui dans son *Journal*. Sans doute ils se sont rencontrés, parlé et reconnus, puisqu'ils étaient les figures marquantes des lettres à la même époque. À ma connaissance, Maugham mentionne Gide deux fois: dans *Christmas Holiday,* pour noter son influence sur les jeunes; dans *A W's Notebook,* pour démontrer un mode de travail différent du sien, mais dans la préface de ce dernier livre, et pas du tout au cours des cahiers. En vérité, ces cahiers sont étrangement subjectifs. Ils peuvent être comparés au *Journal* de Mauriac. J'en retiens surtout ceci que, vers 1901, il prenait contact avec ce qui, dans ses grandes lignes, devait être la phase définitive de son éthique: «Cesare Borgia may well be taken as an example of almost perfect self-realization. The only morality, so far as the individual is concerned, is to give his instincts, mentally and bodily, free play. In this lies the aesthetic beauty of a career, and in this respect the lives of Cesare Borgia and Francis of Assisi are parallel. Each fulfilled his character and nothing more can be demanded of any man. The world, judging only of the effect of action upon itself, has called one infamous and the other saintly. How would the world judge such a man as Torquemada, the most pious creature of his age, who perfected an instrument of persecution which has cost more deaths and greater misery than many a long and bloody war?» (p. 67)

Ces vies: Maugham, Gide, t'Sterstevens, Cendrars, m'intéressent à cause de leur passion pour la grande aventure, pour l'aéré, pour l'ailleurs. Et, dans leurs oeuvres, ce n'est pas tant la littérature que j'y cherche et y respecte que l'expérience racontée intelligemment.

Étrange le goût pour les romans policiers auquel Maugham s'adonne à la fin de sa vie, «afin de passer l'heure», avoue-t-il. Plusieurs hommes notables ont fait cet aveu. Est-ce possible que leur vieil âge soit des années d'ennui? qu'ils y soient blasés de tout? qu'ils aient trop bien vu tout ce qu'il y avait à voir, et perçu l'éphémérité de leur gloire? Maintenant qu'on n'est plus au bal, ceux qui valsent encore sont trop heureux de sourire sans être vus de celui qui pourrait déceler la fausseté de leurs sourires. Et ces rieurs sont comparables à l'accusé qui se sent soulagé que le questionnaire du procureur cesse, sans songer que ses réponses sont là, inscrites et ineffaçables.

Le grand défaut de Maugham a peut-être été de se répéter; à un certain âge, cela devient du radotage; mais, pour l'observation directe des choses et des êtres, il est incomparable. Son style aussi est de toute beauté, souple et abondant, le plus beau sans doute de toute la littérature anglaise contemporaine; durant les dernières années surtout, où il l'a retouché, simplifié, jusqu'à en faire le modèle du classicisme moderne. Sa pensée est directe, adroite autant qu'intelligente. C'est un maître romancier.

Le programme radiophonique *Un Homme et son péché,* continué sur le livre de Grignon, est devenu une oeuvre civique de propagande essentiellement québécoise et niaiseusement prêcheuse, ayant la même valeur qu'un sermon moralisant de vicaire.

*

J'ai joué pour gagner et j'ai perdu ; c'est ma haine.
Je déteste tout esprit caustique et tranchant.
«A mi nadie me tose» *, haïssable suffisance.

*

G.D. jeune, beau, timide, inquiet. Il eut une enfance pauvre et solitaire. Il n'a surtout jamais su partager les jeux de ses camarades, et son âge a gardé de les voir jouer sans lui un farouche complexe d'orgueil, d'où rien ne le peut plus sortir. À lui parler, on voit qu'il pense à s'enfoncer dans les bois pour y vivre seul, y rêver de joies simples, à l'abri des autres. Il se connaît, il se sent craintif des hommes, mais éprouve aussi envers eux un trouble inquiétant, et dans la confidence il le dit. Toute sa personne est surprise de la promiscuité dans cette prison. C'est un de ces êtres auxquels on veut spontanément donner quelque chose ; son amitié, sa compréhension, son amour. Mais c'est une chose difficile, et peut-être un grave danger de le faire.

*

Ceux qui, comme F., s'occupent des jeux, ce n'est plus de sport dont il s'agit, mais tout soudainement de la grande affaire de leur vie. Ils croient bien avoir trouvé là leur raison d'être. Pourtant, comme la situation comporte très peu de responsabilités, très peu de fierté, très peu d'inquiétude qui valent la peine d'être prises pour telles, ils s'agitent beaucoup inutilement, injustement aussi, afin de garder l'illusion profonde d'être devenu quelqu'un.

*

Comme j'arrive à la fin d'un terme, je m'aperçois que j'ai encore mal étudié, sous la guidance d'aucune discipline ferme, et seulement aux intervalles irréguliers de mon indolence. Comme toujours, il en est résulté de nombreuses pertes de temps, des indécisions, des doutes sur ma capacité pour tel ou tel sujet. Ne pouvant non plus m'inspirer d'un climat

---

* Je ne me laisse pas écraser par qui que ce soit.

161

intellectuel extérieur aux livres, j'ai manqué complètement d'initiative et des moyens pour achever certaines études. Pourtant, j'ai pu comprendre que le vocabulaire est le fond propre de toute bonne éducation; c'est-à-dire la connaissance sûre de la valeur des mots et de leurs nuances, imperceptible peut-être à celui qui ne s'y connaît pas, mais absolument essentielle à une bonne ou mauvaise façon de penser.

*

Across the River and Into the Trees, Hemingway, 1950.

D'abord, tout Hemingway est là: le style parlé, la philosophie brutale, l'amour (liking) mâle un peu désespéré de la vie. Mais il y manque quelque chose d'indéfinissable.

C'est l'histoire d'un colonel de l'armée américaine qui, après la guerre, veut, en Europe, reprendre sa vie libre d'avant. Mais il s'aperçoit bientôt qu'il n'est plus celui qu'il était et que, d'ailleurs, ce monde n'est plus le sien. Il se sent vieilli. Il se sent raisonneur. Il se sent amoureux. Il rappelle ses souvenirs, dit son mépris pour certain général anglais, son admiration pour Rommel, et pour la guerre et pour la vie en général; tout son mépris enfin. Il meurt. C'est un livre nettement d'après-guerre.

Certains caractères de livres sont déplaisants, même à l'esprit le moins préjugé. Ils semblent inacceptables, trop monstres à comparer avec ceux de la vie; mais ils sont vrais, ils vivent, et c'est une observation dont je parle, que j'ai faite aussi, près de moi, à côté du livre.

L'art d'Hemingway simplifie l'action et se perfectionne dans le dialogue.

*

Il y a des gens qui parlent comme si c'était l'unique fonction de leur vie. Pourtant, ils ne disent jamais rien.

*

Dans *Si le grain ne meurt,* p. 127, cette fin de phrase: «...la porte céda qui n'était pas close», me cause des émotions qui vont presque jusqu'à la jouissance physique.

10 juin

Que le temps s'échappe vite derrière moi! vide d'action et de pensées. Les nombreux jours de peine à venir semblent d'effroyables tortures qu'on attend, mais à leur tour ils passent, lentement divisés par des

162

heures lourdes de silence et d'ennui. *¡ Nada!* rien; pas un beau mot, pas un rire ne viendront nuancer l'heure prochaine de celle qui passe, de celle passée déjà. Il y a des jours ainsi où le sens qu'il me plaisait de donner à ma vie m'échappe entièrement; et je n'en vois plus que l'échec présent, que les abandons passés, que les recommencements à venir.

Je suis passionnément seul.

Si je questionne mon intelligence, je n'en reçois aucune réponse nette. Tout s'évade devant le malaise de reprendre pied, de rééquilibrer mon être. Je suis comme indifférent à toute chose, et l'heure qui passe me transforme en un monstre immoral, qui n'a aucun lien, aucune responsabilité envers quoi que ce soit. J'ai connu le danger d'un tel état d'esprit dès que j'en pris conscience en moi, mais je n'ai point réagi. J'ai voulu plutôt expérimenter aux dépens de moi-même, par mépris pour les règles établies dans un monde qui n'était pas le mien, mais dans lequel j'avais été mis et marqué de ce que l'on nomme honte. Au cours des longues années, où il m'a fallu accepter en silence une discipline étroite et insensée, où peu à peu j'en vins à raisonner contre les bons sentiments et les honnêtetés que ma mère m'avait si tendrement inculqués, je me suis renfermé dans une attitude d'orgueil contre tout ce qui ne m'apportait pas aussitôt un répit et une joie. Pourtant, je n'ai aucune haine; je me défends de ce complexe, comme de l'amour. Dans cette solitude, j'ai cherché une discipline personnelle afin que mon être soit capable de sa propre responsabilité, afin qu'il prenne sa part des actes à accomplir, sans, à cause d'erreurs, trouver l'excuse. Je puis dire que j'ai voulu renaturer mon être.

Je suis né; il faut vivre; le reste n'est qu'un mensonge.

*

R.S. Un joli gamin, vif et rieur. Toute sa personne est délicate et flexible comme celle d'une fillette impubère. Ses yeux d'un bleu tendre sourient sans cesse, et l'on y trouve d'ineffables promesses de joies libres. «J'aime faire cela, me dit-il, parce que le plaisir de celui à qui je le fais m'est aussi un grand plaisir.»

*

Certes, il ne suffit pas de remarquer que celui-ci est un imbécile, celui-là un ignorant, et l'autre un vulgaire ergoteur; mais constamment faire preuve de sa propre intelligence et valeur morale. Ensuite, il y a intelligence et souplesse obséquieuse; ne pas confondre. J'ai toujours détesté ces grands parleurs qui ennuient les autres avec leurs débits de toujours, avec la même rengaine; qui disent: Merde la religion, la politique, l'État, et qui finissent par s'emmerder eux-mêmes. Marc-Aurèle notait tous les

matins : «Je vais rencontrer aujourd'hui un vaniteux, un menteur, un injuste, un ennuyeux bavard ; ils sont ainsi à cause de leur ignorance.» Il
faut connaître ce lieu-ci pour comprendre la justesse, la triste vérité de
cette observation. Et ici, on ne peut, le soir, les quitter ; il faut vivre avec
eux pendant des années.

*

Propos sur le bonheur, Alain, 1943.

Très beau petit volume qu'il faut goûter lentement, tous les jours,
durant une vie ; et que je dévore d'un seul trait, en une heure, ce soir
même. Alain est d'une merveilleuse intelligence. Il est surtout honnête
envers son esprit et celui des autres. C'est le disciple enseignant de Descartes, de Spinoza, de Nietzsche aussi. Tous ses propos m'étaient un
peu connus, m'étaient même un peu présents à l'esprit, et n'allais-je pas
un jour les dire ? Mais en mots moindres que ce beau langage d'écrivain
que je goûte ici. Alain est le professeur des idées guidantes d'un siècle,
et il enseigna l'art de penser à la plupart des écrivains français d'aujourd'hui.

C'est une série de courts essais sur les différentes passions qui sont
toujours dues à l'imagination, à la paresse, à la fantaisie, à l'homme enfin. Ils sont écrits avec une pensée et un style jeunes et pleins de ferveur.

«Mais dans l'imagination des survivants, les morts ne cessent jamais
de mourir.»

Les survivants, leur peine est de se voir morts, eux, et le monde inoccupé de leur vie. Jésus disait mieux : «Laisse les morts ensevelir leurs
morts.»

Notre corps nous est difficile en ce sens que, dès qu'il ne reçoit pas
d'ordres, il prend le commandement ; mais en revanche, il est ainsi fait
qu'il ne peut être disposé de deux manières en même temps ; il faut
qu'une main soit ouverte ou fermée.»

Là où Alain dépose le bonheur, il faut l'écouter. Le bonheur reçu
n'est jamais le bon mais un ersatz à quoi il manque l'essentiel, quelque
chose du bonheur possible.

Il aime répéter que le travail est le meilleur remède à l'ennui.

Sa pensée est simple, amicale ; en cela il me plaît.

Je l'écoute encore dans cette belle phrase : «Méfiez-vous des Cassan-
dres, âmes couchées. L'homme véritable se secoue et fait l'avenir.»

L'homme véritable ! C'est bien ce à quoi je m'applique.

Je songe pourtant que lui aussi a dit : «On lit trop de livres.» Il en faisait des livres durant le tracé de cette phrase, et pour qu'ils soient lus, de
trop peut-être ? ...

164

12 juin

Je n'ai rien fait encore; je n'ai même pas vécu. Je suis plein de malaise et de rancoeur envers les gens, les systèmes, la vie quoi, qui me paraît inconcevable à l'effort qu'elle coûte. Il semble beau de prononcer que par ceci, cela, on peut dompter, maîtriser, accomplir, mais il est plus difficile de sortir du cycle éperdu où je suis tombé. J'entends bien les grandes sagesses, mais je ne peux m'y conformer absolument. Mille liens me retiennent et me halent au mal; c'est-à-dire dans l'indignité de l'inintelligence. Ce n'est pas en souriant qu'on s'acquiert les coeurs, non plus en donnant des coups de tête, qu'on enlève les chaînes de toute une mauvaise enfance. J'estime maintenant qu'on accorde trop de puissance à sa volonté; vain mot dont le sens est soumis à une volonté supérieure qui n'est pas Dieu, mais le hasard, la vie elle-même, dans toute sa diversité. On va de ce côté vers où le premier élan fut donné; et j'ai été bousculé par le mensonge, par l'injustice, par le médiocre effronté de mon faubourg. Ce n'est pas ici qu'on se libère, ou peut-être, mais temporairement, et pour être plus prisonnier que jamais ensuite.

Je suis resté couché longtemps, malade, hypnotisé par l'illusoire promesse de la vie qui semblait devoir offrir la satisfaction de mes désirs les moindres. J'ai mal jugé de l'importance d'une réjuvénation de l'esprit dans un monde vieux d'idées et mené par des fantasmagories absurdes.

Il faut la tranquille acceptation de l'inévitable.

14 juin

Dès que je sors de ma cellule et me mêle aux autres, mon cerveau bloque; je ne pense plus qu'à y retourner pour y être seul avec mes livres. Aux yeux des autres je fais le dégoûté, je me montre sarcastique et dur, même envers les plus familiers de mes camarades. Et c'est que je passe une autre longue période honteuse, où je me sens cerné de toutes parts par mille complexes appauvrissants. Ici, mais je voudrais n'en point faire mémoire! n'avoir pas à y revenir, ne rencontrer aucun de ceux qui m'y ont vu, pris dans le mol train de l'ennui. Et comme ce poète, ah! comme je voudrais libérer ma plainte:

«Je vais, je viens, je fuis, j'écoute et me promène,
Tournant toujours mes yeux vers le lieu désiré,
Mais je n'avance rien, toute la rue est pleine
De jaloux importuns dont je suis éclairé.»

(P. Desportes)

Je me suis fourvoyé dans un milieu où je ne puis plus, de moi-même, tancer ma volonté, arguer Satan, remonter ma joie; et, maintenant que j'y suis sans retour, c'est dans un silence sévère que je dois du moins isoler ma pensée; serait-elle enfantine, ma joie y apporterait un grand désir d'application, et parfois une fugitive expression de vérité. J'y aurai tout mon mérite.

*

Pleine nuit. Réveillé en sursaut par le tonnerre. Une pluie torrentielle tombe. L'électricité est coupée partout. Avec l'obscurité complète, dont je n'ai plus l'habitude, il y a je ne sais quelle fugitive liberté qui bondit en moi. J'ai la sensation que le monde bascule et m'entraîne. D'une cellule, la nature déchaînée paraît être l'enfer s'ouvrant soudain, à la stupéfaction du mécréant qui s'y trouve. Ainsi, je suppose, les pithécanthropes figés de peur et soumis dans leurs cavernes, et qui, à l'aurore, au lieu où la foudre a frappé, allaient y adorer quelque puissant esprit du feu.

*

A.D. Il est peut-être tout surpris de se trouver ici, et à cause de ses études classiques, mentalement supérieur aux autres. En tout cas, il est pris d'une volubilité débordante, étourdissante. D'un seul jet, il lance devant lui le résumé de ses études; il mêle Kierkegaard à Nietzsche, Claudel à Gide, Jammes à Péguy. Il me permet à peine de murmurer quelque chose. J'en deviens agacé, mal à l'aise, et me fais l'effet d'être un pur imbécile. Devant sa volante élocution, je souffre de l'ankylose de mon esprit, et je n'ose rien dire; mais quand je dis quelque chose, de moi si tranquille, il saisit tous les propos, les fait siens, les développe en bouquet, en arbre, en monstrueuse végétation, de telle sorte que je reste auprès, ahuri, l'écoutant, n'étant pas un ami, mais un auditoire qu'il croit devoir instruire.

Malgré tout, et bien que ce qu'il dise soit hâtif et discutable — nous, à rebours des Pères, ne pouvons créer Dieu en deux mots —, peu importe, je l'écoute avec un certain plaisir car il m'apporte l'écho d'une voix que j'eusse tant voulu écouter; celle d'un maître.

*

Je traverse une très mauvaise période. Je pourrais bien me révolter, mais j'ai raisonné que cette révolte ne serait que des coups de voix et, par conséquent, inutile. J'accepte donc ma peine; je l'accepte même avec une sorte de contentement dont je suis fier. Il y a encore dans l'acceptation de l'irréparable quelque grand bienfait. J'écoute la leçon du «ça t'apprendra». Ici, il n'y a pas d'actes possibles; aucun, si ce n'est de se résoudre au silence, à la prière, qui soit un refuge dans l'absurde. Comme je n'ai pas de dieux, me reste le silence, acte possible, où je m'engage avec une joie humble et reconnaissante.

Je ne sais la raison d'aucune chose. Je n'ai pas le choix et dois accepter ce qui, intelligemment, serait inacceptable. Il y en a qui donnent tant de pourquoi aux choses, tant de pourquoi qui ne sont qu'accessoires, que je ne puis admettre qu'ils puissent vivre à l'abri de si fragiles châteaux de cartes.

*

L. Toute son attitude dénonce le combat intérieur. Il se livre aux monologues de celui qui cherche ses bonnes raisons, et les retrouve toujours un peu les mêmes. Nous avons cessé cette correspondance qui nous passionnait tant. Qu'en reste-t-il, au juste? quelques niais barbouillages que nous n'oserions relire. Nous avons gaspillé de splendides moments et à cause d'orgueil, de malcompréhension, mais nous avons décidé d'un commun accord de ne pas les rechercher, ces moments, et de les laisser à leur malemort. J'aimerais pourtant aller le voir et lui sourire et lui bien parler. Ce qui nous a séparés, c'est l'égoïsme; le sien fourni de vanités; le mien, méchant, hautain. C'est le même.

*

Il a passé par tous les arguments philosophiques sans jamais en adopter aucun. Ce qui le séduisait au fond, c'était la brusque négation de tous les sentiments. Je trouvais cela un mauvais rôle, car il ne peut être qu'un gamin sentimental. L'analyse d'une foi lui semblait enfantine si cette foi n'était d'abord rejetée dès le début de l'analyse. J'ai fauté par là moi-même car, ayant puisé aux mêmes sources notre mince savoir, il s'ensuit que les erreurs de l'un furent nécessairement celles de l'autre. Il est pourtant capable de ferveur, mais pas plus que moi-même il ne peut s'y maintenir. Il garde toujours intactes en sa pensée les espérances hardies de ses vingt ans. Je ne crois pas qu'il puisse jamais se convertir à la noblesse de pensée qui plaît tant à la lecture d'un Pascal, d'un Nietzsche — pendant sa lecture du *Zarathoustra,* ses lettres résonnaient comme des tambours, des cris osés, mais tout à fait physiques d'un Tarzan dans la jungle —, et à ma façon admirative d'un Gide, qui lui déplaît intensément, et sur qui ses réflexions moqueuses me causèrent un vif déplaisir en hâtant notre rupture.

*

Mon grand défaut a toujours été de porter une benoîte attention aux propos enragés des vilains. Je croyais devoir leur rendre cette justice...

167

Il faut semer dans l'immédiat les fruits de l'avenir.

*

Je voudrais deviner les êtres; saisir leur secrète intimité. Ceux d'ici d'ailleurs n'ont pas beaucoup de maîtrise, et la plus petite émotion apporte aussitôt sur leur visage des papillotements révélateurs; de la chair, du teint, de l'âme, que l'on peut surprendre et analyser à la perfection.

Je veux aussi décrire la nuit comme jamais elle ne le fut.

Car c'est durant la nuit que j'ai le plus intensément vécu.

18 juin

Le froid humide me tue. Dans cette prison maudite, où je connais l'amertume et mon âme, je laisserai mes os. Jamais encore je n'ai traversé de si mauvais jours; et la nature même se met d'accord pour aviver toute ma haine, sur l'affaiblissement de mon corps.

Seul, je puis rêver, et dans le rêve rabattre mon irritation afin de ne pas crier, afin de ne pas pleurer surtout. Honte de n'être pas au niveau de la vie! Prisonnier des hommes! mais pire chose se peut-elle! La mort même serait une délivrance, et une victoire plutôt qu'un échec. La mort! murmurent des ombres, infinie béatitude de n'être pas...

Mais je vivrai! et des actes à accomplir, qui feront oublier toute inertie; des joies, toute peine; des ivresses, toute privation, m'attendent, et déjà m'appartiennent dans le désir...

20 juin

Passé, seul avec Robert, près de deux heures dans les délices les plus variées. Il était aussi tendre qu'un chat à la caresse. Son petit corps souple et enragé de luxure, nu entre mes bras, a brûlé de tous les abandons. Visage passionné, bouche chaude, mains pressantes. Ah! Plaisirs!... Après certain acte il reste silencieux et comme stupéfié d'avoir trop joui...

*

Sur ma couverture de lit en laine gris fer, sont tracées ces lettres blanches: P-B. Je les considère longtemps, et fais dans la nuit cette réflexion bête: Pincé Beau.

*

Gide est un maître très cher pour moi, et il accompagnera ma vie. Si mes actes ne suivent pas le cours de son éthique, non plus surtout de ce que l'on accepte aujourd'hui, ce n'est pas que je sois indigne de lui, et que, accaparant sa pensée, je me permette d'être un criminel devant la société; et non plus qu'il fût coupable d'avoir faussé ma pensée. Tirer pareilles conclusions de mes actes serait injuste envers cet homme. En vérité, j'admire Gide parce que lui seul a su éveiller le gamin somnolant que j'étais. Tout d'abord, je portais en moi mes actes, mais j'avais la grande culpabilité de ne les pas oser. Il me libère, et je veux sous son enveloppante dictée, à chaque jour de ma vie, désinquiéter mon être.

23 juin

Je suis saturé d'ennui. C'est ma constante occupation. Un ennui d'âme, dégoûté, paresseux.

Ici. Il n'y a pas de moralité, mais une sentimentalité assez niaise. Il n'y a pas de moeurs, mais un fourvoyeux appétit de bête. Il n'y a pas d'intelligence non plus, mais une dégoûtante polissonnerie.

Même si je pouvais avoir la certitude que Dieu existe, je le renierais. Un Dieu créateur de telles abjections n'est qu'un puissant monstre qu'il faut abominer. Je renie le père jouisseur qui m'a jeté dans le monde; je ferais de même pour un Dieu qui cause la souffrance. Oui, sachant parfaitement Dieu, encore j'adorerais contre Lui le Lucifer des belles légendes.

*

E-6568 — *The Thought and Character of William James,* vol. 1.

J'ai lu ce livre avec une extrême attention et même avec plaisir. Tout ce qui me parle d'intelligence et d'études m'intéresse; c'est avec une joie humble que j'y cherche quelques progrès de ma propre instruction. Mais l'intelligence de l'homme, mais sa vaste culture, mais sa parfaite contention d'esprit, cela m'émeut.

*

Chaque retour vers ma cellule m'enchante, où je serai enfin seul. Tout le reste du jour n'est qu'une longue attente pour ce délicieux moment. Là, Bible en main souvent, je récupère assez de force morale pour me préparer à demain.

Les difficultés sont en moi, surmontables.

26 juin

Lever matinal. Rien d'autre qu'attendre. Devant ma cellule, une fenêtre ouverte me permettait de humer l'air frais et de bonne odeur qui arrive de la rivière. Le soleil déjà coulait entre les bâtisses qui se ferment en v près de la fenêtre, et, sur la pelouse, les pénétrations frissonnantes de ce soleil me réjouissaient abondamment. Dès cette heure, je résolvais que ce serait un beau jour, où je connaîtrais une joie intime de vivre, ici ou ailleurs. Fermant les yeux, j'imaginais, aux chants légers des oiseaux, une promenade à la campagne. Ah! j'eusse voulu que durât longtemps ce délicieux matin.

Petites joies. Consolatrices peut-être. Nous sommes tous restés ce que nous étions : des enfants malheureux qu'un sourire, même du ciel, contente un peu et jusqu'à demain. Mais qu'importe! je veux garder autant que possible l'insouciance joyeuse de ce beau matin.

*

Peut-être me suis-je trompé aussi ; et, à cause de ma nature paresseuse, n'ai-je pas su percevoir la vie de l'âme en moi. Il me semble que j'étais dans une hypnose, d'où les chocs extérieurs violents seuls me pouvaient sortir. Je ne ressentais qu'une vie toute physique, la seule forcément qui se présentait à moi. Mécontent de si peu, je n'osais pourtant pas en chercher une autre. Et longtemps ainsi, jusqu'à aujourd'hui même, je croyais que tout devait s'offrir à moi, et ne consentais pas à prévoir, à avancer, à informer mon être. La vie du corps ne me suffisait certes pas, mais ni le Bien ni le Mal n'avaient spécifiquement un sens pour moi, même si je rêvais d'une vie intérieure, que je n'avais pas et que j'espérais vaguement connaître.

*

F.D. Je ne suis plus son ami, et il n'est plus le mien. Cela me chagrine ; mais quoi! nos intérêts ont divergé ; les siens sont ici, les miens ailleurs, auxquels il ne peut se faire, et nous n'avons plus rien d'essentiel à nous dire. Entre nous, les jeux bénins, les mensonges réciproques, les illusions sentimentales sont finies. Au demeurant, il n'est pas trop tôt, car la plus grande partie de notre amitié s'est passée et perdue en forfanteries de toutes sortes.

L'excuse, si légitime qu'elle soit, ne manque pas de laisser certaines confusions qui peuvent être — et elles le sont — mal interprétées.

Je suis si souvent pris d'un exaspérant besoin de solitude...

*

170

Un type devant moi; je l'observe. Il me paraît niais, insignifiant. Peut-être ne l'est-il pas. Je l'ai entendu dire d'extraordinaires inepties; mais quand ses gros yeux éblouis me fixent d'un air effaré, je crois y percevoir je ne sais quelle ruse méchante. Il a un esprit lent; est-ce là le seul danger? Ici, tout est lenteur, stupidité, sournoiserie.

*

A.D. Il a fait son cours classique, pressé, et en bouclant ses études. Depuis il n'a pas pris le temps de ressasser ses leçons; de sorte que tous ses propos reflètent le cours classique, sans en éliminer ce qui s'y trouvait de livresque. Et d'ailleurs, je ne pense pas qu'il ait bien lu les indispensables livres à lire. Il connaît le manuel de littérature, je n'en doute pas, et il a feuilleté beaucoup de livres, mais sans beaucoup les approfondir. Ses opinions enveloppées d'égotisme sont assez banales. S'il parle de Verlaine, c'est un grand poète magicien des mots, et qui a passé sa vie en prison, sic, et dont les poésies religieuses goûtent le mauvais sel; de Valéry, c'est le plus profond penseur moderne; de Gide, c'est le parfait artiste du style; mais par exemple, encore il me parle de *L'Immoraliste* comme s'il s'agissait d'une stupéfiante pornographie, ce qui sûrement prouve qu'il ne l'a pas lu — ou bien, je me fais mauvaise idée du maître que j'admire...

*

Les réveils tristes sont la pire calamité d'ici. Ah! qu'il faut chaque matin le soleil pour pénétrer jusqu'aux ténèbres de mon coeur.

Il y a des jours où je me dis que je ne suis qu'un mécontent, et qu'il me faut changer tout cela; mais j'ai si peu d'aptitudes pour le sublimé que je n'ose rien, et je reste mécontent.

*

Les Faux-Monnayeurs, A. Gide, 1925.

Comme j'attendais ce livre! et comme j'étais mal préparé à le lire! Il m'a plu ce beau livre, et c'est même l'une de mes plus complètes lectures; mais comme je me sens aussi à court d'intelligence devant cette belle oeuvre d'art, d'une portée si significative.

J'y retrouve comme une romance de *Si le grain ne meurt.*

Rien ne me rapproche plus de la joie que la lecture de ces pages; certaines, je les ai reprises avec un plaisir renouvelé. Quoique, à vrai dire, je n'en veux pas trop parler; il ne m'appartient pas d'en faire le procès, et il me suffit, comme toujours, en ce cas, de noter mon plaisir.

C'est un livre complet, et voilà qui dit beaucoup de choses.

Je suis passionné d'admiration devant la multiple personnalité de Gide. Il n'est certes pas l'écrivain de ce genre qu'habituellement ici l'on préfère, et c'est encore une preuve de sa bonne pensée, de son élégance, de son classicisme; mais encore s'en trouve-t-il qui l'admirent, qui en parlent, qui prennent de lui la forme de leurs discours, et c'est encore une preuve de plus de sa grandeur. Car ceux-là sont les meilleurs. Vraiment, cet auteur a de quoi soûler les jeunes ferveurs. Son éducation soignée, sa sensualité rieuse, son beau dédain pour le conventionnel, tout donne en plein dans leurs aspirations les plus chères. Et il veut toujours se parfaire dans une discipline remarquablement constante. Son oeuvre n'est autre que le résultat de cette parfaite contention d'esprit; celle qu'aucun autre n'eut pu faire. Diverse, intelligente, il ne l'a pas imaginée, mais vécue, et c'est encore une qualité admirable. Le sens de sa vie, dont il a su se permettre — en les légitimant — des actes apparemment inacceptables, tout en restant, envers ces actes, strictement moral, rend l'homme à sa vraie dignité et grandeur. C'est qu'enfin il a eu le courage d'accepter une morale dictée par la nature, et qui ne nuisait pas à ses instincts. Une morale qui ne s'en tient pas à ce qu'on accepte d'ordinaire. «Lorsque j'étais jeune, dit-il, je prenais des résolutions que je m'imaginais vertueuses. Je m'inquiétais moins d'être qui j'étais, que de devenir qui je prétendais être. À présent, peu s'en faut que je ne voie dans l'irrésolution le secret de ne pas vieillir.» N'est-ce pas précisément l'attitude irraisonnable que je prenais devant la vie? avant d'avoir enfin compris que je ne pouvais agir que pour le mieux, si j'agissais selon mes instincts.

1er juillet

Joué aux cartes et gagné un peu. J'oublie ma peine dans cette excitation factice de l'instant. Mais cela ne soulève plus beaucoup d'émotions en moi. J'admire même combien je suis calme durant les surenchères de mains qui se valent. Mon ennui n'est plus dérangé par le risque, et il me semble que ce ne sont que des sensations moindres. J'ai maintenant besoin d'actes osés, de passions sublimes, c'est-à-dire excusables et légitimes. Rien d'autre ne peut me satisfaire.

Près de moi, à la table de jeu, ces êtres aux aguets, connus, assoiffés de gain, et abandonnés à une sorte d'agonie qui fait s'agiter leurs doigts, pâlir leurs lèvres, s'enduire leurs coins de paupières de cette chassie blanche qui apparente l'homme au reptile. Le jeu met en relief la mauvaise nature de chacun. Je suis des leurs, compagnon et complice; sans retour; sans autre échappée que les livres, qui ne sont encore que débris de rêves.

*

172

Soleils! routes! flots! que je vous attends! Promenades enivrantes, plongées bienfaisantes, levers matinaux. Vie!... Comme l'attente est longue, qui n'a pas de sens.

2 juillet

Paresse, jonglerie, stupidité. Depuis mon tout premier échec dans la vie, un sentiment d'infériorité m'accompagne comme un démon subtil et me fait juger l'effort si aléatoire que la moindre parcelle de bien en moi ne peut conjurer cette crainte qui me pousse à l'à-quoi-bon et à la fainéantise.

*

F-1162 — *Dominique*, Eugène Fromentin.

«Le jour où je trouvai dans les livres, que je ne connaissais pas alors, le poème ou l'application dramatique de ces phénomènes très spontanés, je n'eus qu'un regret, ce fut de parodier, peut-être en les rapetissant, ce que de grands esprits auraient éprouvé avant moi. Leur exemple ne m'apprit rien: leur conclusion, quand ils concluent, ne me corrigea pas non plus. Le mal était fait, si l'on peut appeler un mal le don cruel d'assister à sa vie comme à un spectacle donné par un autre, et j'entrai dans la vie sans la haïr, quoiqu'elle m'eût fait beaucoup pâtir, avec un ennemi inséparable, bien intime et positivement mortel: moi-même.»

Beau livre, auquel pourtant il me semble manquer encore du cynisme nécessaire qui met un peu de vrai, un mur à toucher entre soi et la vie.

*

J'ai manqué jusqu'à un degré inavouable de toute bonne application; et c'est de là que proviennent mes inaptitudes. Le monde que j'imaginais enfant était si différent de celui qui maintenant se révèle à moi qu'il m'est presque impossible d'accepter celui-ci. En vérité, je ne suis plus de la société; je n'ai rien à y faire et la société peut se passer de moi; je suis de ce nombre d'individus déclassés, dévoyés, criminels peut-être, et qui parcourent toute la gamme des émotions afin de mettre un terme à leur ennui. Ne le trouvant pas, bien sûr, ils portent effrontément le visage de leur révolte. Les occupations ordinaires ne les intéressent plus parce que, déchus de par le standard des autres, ils ont le sentiment trop vif du désespoir de ceux qui n'ont rien à faire ici-bas. Que le monde est rempli de médiocres qui s'affirment à la confiance des masses. Eux aussi, cependant, ils savent tricher, mais ils se disent toujours que c'est pour l'intention la meilleure. Ils croient que personne dans la vie n'occupe sa vraie place; et, plutôt que d'en occuper une mauvaise à leur tour, ils préfèrent être nulle part, libres et flâneurs. Désabusés de tout, ils ne songent qu'à se duper eux-mêmes.

Jusqu'ici, je n'ai connu qu'une discipline, qu'une croyance, qu'une forme de moeurs: absolument instinctive. Comment ensuite puis-je ne point m'égarer à l'orée de cet univers des livres, où je m'avance à l'aventure, où tout à la fois se diversifie et se contemple? Toute faculté bonne en moi, lorsque je me compare à ceux qui ont accompli quelque belle chose, se retire dans une honte pénible, dans une misère envieuse, dans une paresse découragée, dont j'ai peur mais dont la fuite est interdite.

J'écris tout cela d'un trait, et par simple passe-temps. Je réalise combien mon esprit se penche vers une paresseuse tristesse, et au moment même où ma volonté se soutient le mieux de sa propre ferveur. Il y a en cela un mal profond, inné quasiment, et que je dois tâcher de déraciner. Comprendre enfin que ce qui m'arrive n'est sans doute que le meilleur de ce qui m'était dû, ou, en tout cas, une juste punition dont je dois tirer le plus possible du bel exemple qu'elle m'offre.

5 juillet

Réveil pesant, attardé par une lassitude désespérante, hébétement où je me vautre comme dans un lit de volupté. C'est de mon corps seul, car il me semble que mon esprit est agile et pense facilement toutes ces choses; de mon état actuel et de ce qu'il devrait être dans la ferveur.

Conversation avec A.D. La présence de ce bavard garçon m'apporte une aura de cette atmosphère d'une chambre de collégiens ergoteurs, enthousiasmés à un moment, confondus dans l'autre, et le plus souvent dans l'erreur, mais déniaisés tout de même. Et c'est ce qui compte le plus. J'ai trop manqué de cette vie imaginative et fervente, la seule qui vaut la peine d'être vécue.

Il m'envoie ce soir *Le Procès,* de Kafka, que je lis avidement. Il a déposé entre les feuilles un billet tracé d'une écriture cursive, d'un extraordinaire graphisme, où il me dit qu'il «faut avoir le courage de ses idées et d'approfondir jusqu'au fond sa pensée, car le contentement, en définitive, nous trouve toujours dans la seule intimité.» Mais je ne comprends pas très bien ce qu'il veut dire. Au demeurant, je crois qu'il est plein du bel orgueil de posséder beaucoup de livres ici, et qu'il a pour son dire que les amis de ses livres sont ses amis.

Nous avons longuement conversé aujourd'hui, mais de peu de choses, et avec toujours un certain manque de sincérité.

*

174

Je m'efforce d'être moi-même; autant je le fais, autant je deviens maladroit. Je ne vis pas selon mon coeur, et pas plus selon ma raison. J'imagine aussi trop belle la promesse de demain...

Je fais peu de propos sur les livres que je lis, et je dis peu des gens que je connais — et quant à cela, je n'aurais peut-être pas beaucoup à dire. Je ne veux que prendre note de ceci ou cela, et quelquefois forcer mon expression, manier un certain style. Mais pour l'élaboration de mes jours, je pense que mon heure n'est pas venue, et qu'il me faut attendre d'être libre de mes actes.

*

J'en reviens à cela quand, chaque matin, j'accompagne A.D. durant la marche; quel couple nous y faisons! quel couple de gamins pédantesquement sérieux et phraseurs! Nous y ressassons toutes nos connaissances, toutes nos lectures. Parlant du climat d'intelligence qui prévaut ici, on convient de la difficulté d'y échapper. Puis j'ai conclu: «Tu sais que certaines de mes objections à la bonne morale me viennent d'une indupable certitude de mes manques scolaires. Les années nombreuses où j'ai fait l'école buissonnière ne sont pas sans m'avoir enclin à une vulgarité de pensée, où il faut, avec ton amitié, m'aider à sortir.» Mais je ne crois pas que j'étais sincère...

7 juillet

J'achève une autre période d'excès. Ce midi, de la lecture d'une Épître aux Romains, un grand besoin de ferveur, de purification morale et physique, m'a soudain exalté. Je sais bien que depuis des jours je n'ai vécu que sous le couvert d'une belle duperie; et finalement j'en sais d'autant mieux la honte à recueillir.

Dorénavant, ne me soumettre qu'à ma raison; je veux dire: à la raison de celui que je veux être. «Et je n'aurais plus su dire bientôt qui de nous deux guidait l'autre, car si rien n'appartenait à lui que je ne pressentisse d'abord et dont je ne fisse pour ainsi dire l'essai en moi-même, souvent aussi, poussant ce double en avant de moi, je m'aventurais à sa suite, et c'est dans sa folie que je m'apprêtais à sombrer.» Car il me plaît d'exagérer les rançons de cette discipline mienne, et d'augmenter à l'excès les difficultés qui m'y conduisent.

*

Il m'est toujours difficile de reprendre une première impression. Untel, par exemple; la première fois que je l'ai vu, je ne sais quoi de

175

côtoyant dans sa marche, de fuyant dans son regard, d'innocent dans ses propos, me le faisait prendre pour un hypocrite, un de ceux qui, à l'appât d'un tout petit gain, égorgeraient leur mère. J'essayais bien de surmonter mon dégoût pour lui, et comme un autre camarade l'estimait beaucoup en qui j'ai confiance, je ne voulais pas être de rabais en agissant mesquinement moi-même; mais, et comme toujours envers ces êtres-là dont la nature est à fleur de peau, il suffit d'une parole échappée, d'un regard surpris, d'un seul mensonge maladroit pour qu'aussitôt se rejoignent les deux bouts de ma méfiance un instant écartés. Et untel est un autre dont il faut se méfier.

Un mauvais tableau ne se répare pas; il faut le refaire. Comment reprendre ces êtres mal nés? tel celui dont je parle? Il est bien plus difficile de les tuer en soi, en agissant comme s'ils n'étaient plus là.

*

Mon mal de tête a cessé enfin qui durait depuis vingt-quatre heures. Ce n'est pas une simple migraine mais une violente douleur, localisée près de la tempe droite, et qui, durant la nuit surtout, me tourmente épouvantablement. On dirait un torrent de pus qui bouille et se verse dans mon sang. Je ne serais nullement surpris d'apprendre qu'un abcès est à se former. Pourtant, je ne veux pas voir le médicastre; ses tâtonnements d'abord ne feraient qu'aggraver le mal, et l'infirmerie ensuite n'est rien d'autre qu'un solitary.

*

Vu L. de loin et derrière un grillage. Il m'a aperçu et a fait mine de ne pas me voir. Oh, je sais pourquoi; mais à quoi bon se redire la maladresse, l'inquiétude, le malaise d'infériorité des autres? n'ai-je pas assez de moi-même en tout cela?

Mais comme je voudrais avec intelligence et
«With an armed and resolved hand,
...strip the ragged follies of the time
Naked as at their birth... and with a whip of steel,
Print wounding lashes in their iron ribs.»

(B. Jonson)

L'habituelle méfiance avec laquelle je scrute les autres me semble composée parfois, et je me demande si j'ai raison d'agir comme je le fais, si ce n'est pas moi plutôt qui devrait être jugé, aussi mauvaisement que je juge les autres. Bien sûr que, psychologiquement, l'éducation que je me donne m'éloigne des compagnons d'hier; mais, d'un autre côté, je n'ai jamais

176

pensé plus haut, pas agi mieux non plus, et comme eux selon une sentimentalité assez niaise. Je ne dois point, par petitesse absurde, mal juger autrui et, en comparaison de ses défauts, faire ressortir mes quelques qualités. En principe, je me révolte contre toute substitution de personnalité, et contre celui qui, par une verbalisation sonore, enlève à l'autre afin de s'en donner à soi. Si je suis sévère pour les vices de celui-ci, moqueur envers les prétentions de celui-là, c'est sans doute que je fus moi-même vicieux et prétentieux ; si je me cherche une discipline maintenant, j'ai par contre longtemps été soumis à la pire paresse ; si je ne veux que mon dû, et quelquefois moins, j'ai déjà ennuyé les autres de mes vantardises. Au demeurant, je ne suis pas devenu meilleur qu'aucun d'eux, mais peut-être que mon admiration ayant biaisé de Capone à Gide... Bref, ce que je censure chez les autres, ce sont mes actes de la veille. Ah ! que Satan me garde d'y revenir...

8 juillet

À l'atelier, cet après-midi, une petite comédie que je ne devrais peut-être pas rapporter. Oh, comme je voudrais que ma joie dans les mêmes circonstances fût plus simple et plus vraie. Il arrive toujours ainsi qu'on voit ce qu'il ne faudrait pas voir. Je lisais alors, pendant une trève du travail, quand j'ai remarqué la flânerie nerveuse et répétée de X et de C. près de ma table. En effet, dès que l'occasion fut propice, ils se sont tous deux escamotés derrière un alignement de rouleaux de papier-goudron. D'où j'étais, je pouvais voir, sur le mur derrière eux, leurs deux ombres mouvantes produire tour à tour une extraordinaire pantomine de tous les gestes connus... Plus tard, dans les rangs, ils étaient près de moi ; satisfaits, nourris, excités encore. Ils voulaient bien révéler leur joie, mais je me moquais un peu de leur faux secret. Je faisais l'intéressé pour une violente dispute au sujet de la balle-molle. Enfin, après avoir longtemps finaudé, X me dit : «Moi, je suis fort sur les bâtons», et il a ri longuement, en voyant tout de l'autre ; de ce voyou-là, dont je ne voyais que les dents jaunes, entre le sourire niais de ses grosses lèvres roses qui se doublent sur ses gencives comme un cul boursouflé d'hémorroïdes. Et j'ai dit, avec tout le sérieux possible : «Ah, mais ça, il le sait certainement ?» mon ironie était pauvre ; et C. aussitôt de fadaiser aussi : «Mets-en si on le sait.» Et leurs rires de se confondre et de s'éterniser imbécilement. Tous deux, à la fin, croyaient bien m'avoir dupé. Je n'ai rien à dire de C., qui est une de ces natures qu'un seul mot définit ; mais X ! qui est joli, fin, toute gentillesse, comment expliquer cette maladie qui l'occupe soudain, qui le dévore, jusqu'à ce qu'il ne pense plus qu'à ça ; ne plus se voir que dans cette position, et suçant toute sa soûlée ? Il y a en lui une gloutonnerie qu'une pathologie expresse seule

177

pourrait définir. Et, ô misère! c'est lui que j'aimais presque jusqu'à tantôt...

J'ai bien détaillé ce jour, et qu'est-il, sinon infâme? Mais ce qui le marque beaucoup mieux peut-être, c'est une lecture de *La Ville,* de Claudel, où je trouve ces paroles décisives:

«Le bavard
Cligne des yeux, comme un homme menacé de la danse de Saint-Guy.
Et le reste dont tout le voeu
Est de demeurer au chaud subsiste dans la stupéfaction.»

*

Que les notes confinées dans ces cahiers soient maladroites, personne ne le sait mieux que moi; mais qu'elles soient toutes inutiles, je ne le crois pas. C'est une furtive pratique que je fais du style et de l'observation. Je ne me permets pas d'élaborer ni sur ma pensée ni sur les faits que je remarque, mais elles sont, ces notes brèves, l'essentiel noyau de mon éducation. Personne d'ailleurs ne les lira, non plus que moi-même, et je les détruirai au bout de ma peine.

En somme, ce qui compte le plus, ce n'est pas tant l'endroit où l'on est, mais l'esprit dont on vit et dont on espère. L'inspiration, cette chose surfaite, n'a presque rien à y faire; et seuls quelques rares génies l'accueillent. Il va sans dire que je ne prétends pas au génie, mais que je me veux une intelligence adroitement appliquée.

Entre-temps, mon haïssable langueur s'éternise.

10 juillet

Conversation avec L. «Gide, me dit-il après sa lecture des *Faux-Monnayeurs,* n'ose pas tout dire; il voudrait bien décrire les tendances homosexuelles de ses personnages, mais les mots lui font peur, et les actes de même par conséquent.» J'argue qu'il faut ici savoir distinguer les nuances du langage et ne pas prendre ce qui est correct et bienséant pour de l'ennuyeuse réthorique. Que Gide, en vérité, dans les *Faux-Monnayeurs,* ose assez dire. Par exemple, le geste symbolique d'Armand, portant à ses lèvres le mouchoir ensanglanté de sa soeur qui vient d'être débauchée... L. paraît oublier que les jeunes décrits par Gide sont de bonne famille, ont un sens profond de l'amour et de la finesse de sentiment; tout cela dont notre milieu manque déplorablement. Même si les collégiens à peau douce frôlent — il est inévitable qu'ils le fassent — l'homosexualité, ils n'y tombent pas tous; bien au contraire; mais quand ils s'y engagent, c'est avec une délicatesse et un raffinement exquis; de même, cette poésie nous semble exagérée qui leur est naturelle et nécessaire.

Je rassemble ici un grand nombre de menus propos. L. reste de ceux-là que je fréquente assez régulièrement, mais avec qui je m'entends mal. Je l'aime quand même — ce sont peut-être ces désaccords qui font l'intérêt de notre camaraderie — ne serait-ce que pour ces heures où nous songeons ensemble à une vie plus abondante, plus éduquée que celle de jadis, dont nous ne retirions que des plaisirs physiques. Mais au meilleur de lui-même, il reste gaminement en arrière. Nous avons en commun cependant que ce sont les mêmes retombements qui périodicitent notre vie. Sa préférence, par quoi il imagine accomplir quelque chose, c'est la révolte; une révolte un peu niaise, butée, exigeante, et qui dénonce la limite de son intelligence.

Quand il parle d'écrire: «C'est, dit-il, qu'avec une bonne publicité, même pour des livres médiocres, il y a beaucoup d'argent à faire. J'en lis que je pourrais écrire.» Je tâche de lui démontrer qu'il y a trop de matière imprimée, qu'il faut garder en soi un grand respect et un grand amour de la littérature. Puisqu'il est trop tard pour nous, qui n'avons aucune préparation, aucun talent à développer, il est bien préférable que nous ne prenions dans les livres que notre juste besoin, sans plus, et sans chercher à répéter ce que les autres ont dit. Je lui conseille pourtant de tenir un registre de ses jours, ou un cahier de notes, dont la discipline imposée ne manquera pas de lui apprendre beaucoup. Mais, enfin, que pourrions-nous après les écrivains connus qui peuvent dire à peu près tout ce qu'ils veulent, et de la manière exacte, élégante, sciemment poétique qui les fait prendre pour de grands écrivains.

Il y a ceci de déplaisant chez L. qu'il croit toujours devoir mettre à leur place des gens qui ne savent pas du tout s'ils existent. Il est beaucoup trop fantasque. Il se flatte de cette présomption qu'il est un point de mire, un paon multicolore; que ses douleurs du foie, ses insomnies, ses urines intéressent l'autre plus que la guerre de Corée. Il est même une victime si facile pour cette duperie que, ce jourd'hui, s'apercevant qu'on se fiche de lui, il résout de tout changer, d'être plus fier, discipliné, hautain; sa décision dure une heure et, ce lendemain, il reprend son miroir et sa soif des regards obligeants.

Quand il ne se défend pas de lui-même, il est de bonne foi, et c'est pourquoi je l'estime. Neurasthénique à l'excès pourtant, il est souvent disputeur. Il vient avec des insultes féroces, et il pardonne rarement. Sa portraiture des autres est violente, en ce sens qu'il croit les mépriser et les voit avec les plus laids détails. Il ne connaît pas intimement. C'est d'ailleurs ce qui délimite son intelligence. Il manque totalement de spiritualité, et voit d'abord chez un homme la courbe laide de son nez avant de percevoir le sublime de ses idéals.

*

179

Que valent mes jours à cette heure? Tourner des pages et apprendre des mots, est-ce vivre? Ah! puissé-je enfin me libérer de mon enfance! Puissé-je redevenir celui que j'eusse dû être, et que j'ai soumis à la convoitise la plus crasse, que j'ai rendu aveugle et fourvoyé. Les actes ne m'effrayent pas, non plus que leurs conséquences; mais la bêtise! ah, comme je crains d'y retomber avant que d'avoir atteint la vie. Ma vie!...

Je lisais un vocabulaire afin de me familiariser avec certains mots qu'il est cependant inopportun d'employer ici, pour les mêmes raisons que je vais dire. Untel s'est approché de moi en catimini: «Qu'est-ce que tu lis là? Un petit roman salaud, je gage?» Et si c'eut été cela, il me l'aurait sûrement emprunté. «Non, c'est un vocabulaire...» Évidemment, il ne m'a pas cru. Il a longtemps ironisé sur ce mot: vocabulaire. C'est encore bien pire si je dis: la Bible; aussitôt, on pense à Dieu et que je suis un pieux; c'est-à-dire aussi un pieu. Gide, qui ne manquait pas de prendre comme une belle preuve de son caractère le fait de lire la Bible partout, et principalement aux endroits où il serait le plus en butte aux moqueries, devrait connaître ce à quoi je m'expose lorsque je sors la mienne.

Tant de mensonges ont été inculqués en nous qu'il faut longtemps, et de nombreuses hontes, pour les détruire et les remplacer par des certitudes. Le danger grave, c'est que, entre-temps, on s'effraye de tant de faussetés et qu'on se croit inférieur à ceux qui les dénoncent dans la moquerie.

«...ce qui ne se fait pas tout de suite rentre dans la catégorie du mal.» (S. Kierkegaard)

11 juillet

J'imagine qu'il serait bon pour moi de ne plus lire que ce qui se rapporte directement à mon éducation: littérature, histoire, grammaire et quelques revues instructives. Je termine cette phase dévorante de ma vie intellectuelle avec la lecture du *Procès,* de Kafka, ce livre inoubliable et inachevé. Maintenant, jusqu'à décembre, je veux m'appliquer aux leçons données, à l'élaboration de ce journal, à ma correspondance. Je continuerai les mêmes livres de chevet — *Volonté,* de Schopenhauer, la Bible (dont je veux mémoriser les ferventes clameurs de Job) et, pour l'application du style, quelques pages de Gide. J'ai établi une liste raisonnée de mes études d'ici Noël, et je veux m'y appliquer comme jamais je ne l'ai fait. Gide lui-même le conseille bien. «Je m'étais dressé un emploi du temps, à quoi je me soumettais strictement, car je trouvais la plus grande satisfaction dans sa rigueur même, et quelque fierté à ne m'en point départir. Levé dès l'aube, je me plongeais dans l'eau glacée dont, la veille au soir, j'avais pris soin d'emplir une baignoire; puis, avant de me mettre au travail, je lisais quelques versets de l'Écriture ou, plus exactement, relisais ceux que j'avais marqués la veille comme propres à alimenter ma méditation de ce jour;

puis...» Mais cela me manque qui fait suite, et dont je ne me sens pas le besoin non plus.

13 juillet

C'est la nuit. Il pleut. Ma cellule suinte une humidité nauséabonde. Une marécageuse vapeur de préhistoire monte du sol. Mille insectes voltigent follement autour des lampes de veille. Je suis las à mourir. Pourtant, je suis heureux car j'ai bien travaillé ce soir et me crois délivré du mal de la fainéantise. Ah! Satan! fais donc que je m'absorbe en ce surcroît d'étude et repère mon âme abandonnée déjà, afin qu'après la vie je te la rende, t'appartenant tout entière.

*

P., un gros réjoui, ancien complice à moi, et avec qui j'ai fréquenté les plus abjects lieux de débauche. Sans y rien voir d'ailleurs. Il cherche bien à me rappeler ces jours finis...

Ce qui me bouleverse de ma vie passée, c'est que j'y végétais dans un état de demi-sommeil. Mes actions avaient quelque chose de lointain, d'inachevé, d'irréel; à ce point que je me demande si vraiment j'en suis l'auteur et si je ne sors pas plutôt d'un rêve. Tout comme né avec de très vagues souvenirs, je cherche vainement le rappel de ces heures où j'ai dû pourtant vivre. Mon angoisse à cette heure s'augmente de refouiller ce passé sombre, quand j'étais de ceux-là qui:

«...sont ennemis de la lumière
Ils n'en connaissent pas les voies,
Ils n'en pratiquent pas les sentiers.» (Job, 24, 13)

«Ce sont des gens qui murmurent, qui se plaignent de leur sort, qui marchent selon leurs convoitises, qui ont à la bouche des paroles hautaines, qui admirent les personnes par motifs d'intérêt.» (Jude)

15 juillet

Rien ne me cause plus de plaisir qu'un réveil matinal. Je me sens allégé de ma honte, et vais à ce jour comme à un acte de joie. La fonction de l'éveil est en moi, de ma volonté, et c'est ce qui me contente surtout; car rien ne m'avertit de l'heure. Je suis dans le temps et les règles de ma discipline sont mes seules obéissances. Dans le matin, j'y veux puiser, comme à une source rafraîchissante, une belle poésie de joie et d'action.

Le rêve est peut-être intelligence pure.

Voir: *Idylles,* Théocrite.

«Quand le chevrier voit comment les chèvres sont saillies, les yeux lui sèchent de ne pas être né bouc.»

*

J'aime bien cette anecdote de R. Peyrefitte: une certaine poétesse scandinave, d'un âge un peu mûr, étant «ainsi faite que quand j'aime un livre je veux coucher avec l'auteur», disait encore: «Je ne veux plus des écrivains français ni de leurs livres; j'y renonce: j'ai été voir Gide, rien à faire; Claudel, rien à faire; Qu'on ne me parle plus des écrivains français. Tant pis pour vous...»
— Moi qui suis ¡siempre pronto!*

*

Des jours de température moite, déprimante, malsaine. Je n'ai le coeur à rien; une torpeur s'infiltre en moi comme un rayon lourd et lentement me tue.

*

Julien Benda, dans ses froides et trop logiques *Mémoires d'infra-tombe,* dit ceci que je tiens pour remarquable et justifié, parce que réveillant en moi les mêmes malaises que j'éprouvais à lire Giraudoux: «Leur sentimentalisme — Ils commémorent Becque, Giraudoux, d'autres encore moindres. Quand on pense que l'ancien régime ne commémorait pas Corneille, Racine, La Fontaine, Descartes!»
Mais s'il fallait que Gide fût compris dans ces «autres encore moindres»! Cet homme est d'une exigence maniaque.

22 juillet

Quel jour! D'abord on se disputait assez aigrement, Robert et moi, mais avec un brin d'amusement, malgré tout. Il m'a dit à peu près ceci: «Remarque bien que je t'accorde à toi ce que je n'accorderais pas aux autres, jamais. Si je ne suis pas capable de résister à la tentation quand elle se présente, ce n'est pas ma faute, tu le sais; mais tu sais bien aussi que je ne te joue pas dans le dos. Les actes que je fais maintenant sont comme ceux que j'ai faits dans le passé; tu sais bien que ce n'est pas d'hier que je marche. J'ai commencé à douze ans. Peux-tu me blâmer d'avoir eu des relations avec les autres? Non. Il y avait une entente entre nous que nous

---

* Moi qui suis toujours prêt!

ne mêlerions pas nos sentiments à ça. Je te préfère aux autres, mais il y en a quand même que je désire, et je ne veux pas que personne censure mes actes. Est-ce à toi qu'il me faut redire ça? C'est toi qui m'enseignais de même. Si j'avais des relations avec quelqu'un aujourd'hui, je n'irais pas te voir ensuite, mais tu sais bien que tu es bienvenu, toujours le premier.»

C'est à peu près ce qu'il m'a dit, et je le transcris tout en vrac. Quand il eut fini de parler, il me sourit de toute sa personne, et je l'ai tiré à l'écart pour le prendre brutalement contre moi. Il s'abandonnait, se renversait comme une femme dans mes bras, et son cher rire m'enveloppait de partout. Il cherchait à faire durer nos caresses, mais je l'ai forcé à genoux devant moi... Mais Satan, tu te moquais de moi! et ses lèvres rougies par l'acte étaient si douce, sa bouche sexuée si chaude, ses mains moites si pressantes... Satan, tu te moquais de moi!

Il a fallu, cet après-midi, la reprise du même désir pour que, heureusement, l'éjaculation soit copieuse et nous réjouisse tous les deux abondamment.

Ce soir, juste avant la rentrée, il me parle et je l'observe. Sa beauté est restée celle d'un désirable adolescent. Il a vingt-sept ans; c'est un homme; mais petit, mais délicat, mais gamin mignonnement. J'aime voir son visage ovale à chair rose, ses yeux clairs, ses lèvres rouges et boudeuses. Je fixe cette bouche mobile, qui s'est si bien apprêtée, donner, subtiliser la caresse; sur la lèvre, une imperceptible mucosité qui s'irrite et enfle légèrement lorsqu'il commet l'acte de joie. C'est comme un signe physiologique que je remarque depuis quelque temps, et qui agit infailliblement, de même que je le suppose. Il y a en lui la femme vicieuse et l'enfant sage, le gamin pervers et l'homme tourmenté. Ses humeurs sont fréquentes et contraires, mais sa vraie nature reste à fleur de peau; celle d'un gamin heureux d'être joli, désirable, et de se donner.

Il parle, parle, parle tout près de ma bouche. Son haleine est bonne et je la respire. De ce qu'il dit, je n'entends rien, mais j'acquiesce, je souris, je regarde ses lèvres rouges et nerveuses, toutes prêtes, et qui viennent de me donner la volupté la plus profonde.

*

«Chaque écrivain tente de se justifier, de justifier sa vie. Homme, il a un secret désir de bonne foi et, s'il se vend au diable il se convainc toujours que le diable est Dieu. Individu, il ne peut se mal juger, son premier idéal étant lui-même; mais parfois il se justifie a posteriori et ses convictions naissent le plus souvent de son action même.» (Lucie Faure)

Adrienne Mesurat, Julien Green, 1936.

Histoire d'une passionnée qui sombre dans sa folie. Je n'aime pas beaucoup ce genre de livre.

28 juillet

B. est revenu faire trois ans. j'hésite à lui écrire ; j'aimerais mieux le voir d'abord.

*

F-548 — *Le Képi,* Colette, 1943.

Quatre contes. Le «Gendron» est d'une audace plaisante.

*

F-7656 — *Pièces noires,* Jean Anouilh, 1942.

L'Hermine
La Sauvage
Le Voyageur sans bagage
Eurydice

*

F-657 — *Pièces roses,* J. Anouilh, 1942.

Le Bal des voleurs
Le Rendez-vous de Senlis
Leocadia
«C'est un étrange plaisir de réaliser ses songes.»

13 août

«Et je me suis mis en garde contre mon penchant au mal». (Ps. 18, 24)

*

«Or un journal est un journal sous peine de perdre son style. Je dois m'y contredire, apprendre en route, laisser mes erreurs où elles se trouvent, ne pas avoir honte de m'y montrer le perpétuel élève que nous sommes.» (Jean Cocteau)

*

Je sais mal duper les autres; jouer la comédie. J'aime mieux dire ce que je pense. Par contre, j'ai toujours mis du temps à détruire un sentiment d'amitié pour un compagnon qui me jouait. Ma rancune n'est pas forte. Mais dès que j'y parviens, rarement j'y suis revenu. Mon revirement ressemble un peu à une haine, bien qu'en réalité ce soit un acte d'oubli. C'est ainsi de certains compagnons à cette heure, avec lesquels je fus très intime et que, parce que j'ai surpris en eux une lâcheté, une gloutonnerie, un égoïsme qui prenait le dessus de leur nature aux temps d'épreuve, j'ai laissés entièrement et sans regret aucun. Au demeurant, ce n'était pas eux que j'aimais comme l'amitié qui me liait à eux. Or, les connaissant indignes d'amitié, j'eusse éprouvé une honte semblable à celle qui s'attaque à eux, si je n'avais pas achevé l'acte de séparation et d'oubli.

*

F-522 — *Paris de ma fenêtre,* Colette.
Toujours intelligente et charmeuse Colette.

*

Walt Whitman, John Burrough.
Le texte de cette petite biographie est presque naïf, et absolument admirateur, mais Whitman est si grand poète qu'on accorde cette attitude naïve et cette admiration. Mon coeur bondit à chaque citation. J'ai grand hâte de lire l'oeuvre, et je voudrais le faire durant un voyage aux U.S. Et d'ici là, pour moi qui vois les autres:
«Apart from the pulling and hauling stands what I am,
Stands amused, complacent, compassionate, idle, waiting,
Looking with side-curved head curious what will come next,
Both in and out of the game and watching and wondering at it.»

*

On Liberty, John Stuart Mill.
Beau style et pensée sûre. C'est une vraie découverte pour moi, et qui confirme en grande partie mon attitude envers la vie. J'étais mal préparé à ce livre; on m'avait fait de l'auteur un monstre logicien; et voici que je le trouve le plus charmant penseur, le plus humainement près de la vie, et à son aise dans les pensées les plus complexes. Je n'ai qu'à reprendre ce livre à n'importe quelle page pour y goûter et la connaissance et le plaisir de la lecture.

24 juillet

Soir. Je n'ai pas sommeil, et plutôt que de rêver, je préfère écrire. C'est rêver encore, avec des gestes. Il en est ainsi du *day-dreamer,* «esprit qui bat la campagne» et qui se précipite dans des aventures toutes de rêves tramées. Aussi dans mes propos en suis-je au même point : je n'écoute pas les dictées de ma conscience. La plus belle, la plus certaine, la plus adroite philosophie ne me paraît que ce qu'elle est, c'est-à-dire l'affaire d'une vogue, sans pour cela que j'accepte de la suivre. Schopenhauer est mon présent maître ; et j'admire son réalisme, je consens aux admonestations vivificatrices de sa pensée, mais je ne tâche pas ardemment vers ce qu'il enseigne, que je sais pourtant bien être le meilleur. Je mémorise sa psychologie, c'est tout, et vais ma vie indolente.

Je ne veux pas me soumettre à une discipline dans le but de faire pénitence, mais afin de reporter dans la bonne voie mon être désemparé. Le rôle exact de cette discipline est de me réhabiliter à mes propres yeux d'abord. Cela peut paraître facile à certains, qui sont remplis d'eux-mêmes et se dupent constamment ; mais à moi, qui connais la cause première de tout échec, les difficultés sont nombreuses. On ne change pas sa nature, pas plus que l'arbre ne devient fleur par un acte de volonté de ses fibres. Je m'en tiens à ce qu'il soit possible d'avertir, d'éclairer, de redresser l'être courbé par les mille illusions identiques qu'offrent les rêves. Il est nécessaire de volitionner ses actes. C'est tout ce que je veux.

25 juillet

Éveillé bien avant l'aube d'une nuit affreuse. Il pleut à noyer le monde, et le clapotis de la pluie sur la pelouse détrempée s'harmonise tristement à la fixité retombante de ma pensée. Affaissé dans mon lit, j'ai resongé à mes échecs. Je n'ai cherché aucune excuse. L'échec en lui-même apporte une culpabilité dont il serait duperie d'y vouloir obvier. Je suis gravement coupable envers moi-même seul, et tout le temps qu'il me reste à servir suffira à peine pour me libérer de la crainte de mon adolescence. Il serait fastidieux de faire l'énumération des fautes que j'ai commises. Tous mes efforts, incessants comme cette pluie, doivent se tendre vers la discipline de ma volonté, vers l'achèvement de mon éducation, vers le soutien de ma ferveur. Duper une seule de mes résolutions emmènerait un retombement et une recrudescence incurables de mes maux ; la paresse, la piperie, l'orgueil grossiers.

*

T. 38 ans, visage simiesque. Jamais il ne prononce une pensée intelligente. Il est fat, jaloux, mesquin, aigri et seul. Toute son occupation présente est de se «conserver», et cela est pour lui une discipline qui équivaut à la plus mystique — que son épiderme reste blanc et doux. Je concède d'ailleurs qu'il a, de dos, une taille vilainement désirable. Il en est très fier, et aussi, pour en garder la minceur, a-t-il adopté une posture guindée, une démarche sautillante qui le fait paraître un coq irrité. Il ne manque pas de prétention, et à peu près illettré, il affecte le beau langage. Bref, c'est une femme sotte.

*

Robert et moi. Furtivement, les yeux rivés contre une venue improviste. Ces actes de la moindre occasion sont devenus trop fréquents. Mais le revenez-y est bien alléchant ; on y croit ressaisir des parcelles de joies échappées.

F-3256 — *L'Inquiète paternité,* Jean Schlumberger.

Ces êtres qui montrent tant de force dans la souffrance, ils semblent nés pour cela, et c'est leur rôle. On dirait que leur honte aussi est avant tout nécessaire à cette souffrance ; c'en est comme le stimulant.

Les êtres y sont sans visage, les lieux sans description, les êtres d'abord y sont des entités de souffrance ; les lieux, des refuges à cette souffrance. Et seraient-ils, ces lieux, des cellules nues et blanches, peu de choses importent plus que la croissance jusqu'au paroxysme de cette souffrance.

Un beau livre sobre et bien écrit.

*

Ici. Il s'y trouve encore des naïvetés, des enfances toutes surprises, nigaudes et à peine éveillées. Plus que jamais, j'ai peine à me soumettre au compagnonnage de ce lieu mauvais.

Pas à pas, j'accompagne mes dégoûts.

*

La Femme pauvre, Léon Bloy, Vol. I.
Le Désespéré, Léon Bloy, Vol. II.

Emportements, hauts cris d'obscénité canonique, clameurs de révolte ; cela fait un style, une vie grouillante, un monde monstre, au-dessus desquels se balance l'ostensoir au coeur de Jésus, à la Vierge, au petit saint-père.

Et moi je suis un criminel parce que c'est ainsi qu'Il l'a voulu.

*

Je me lève tôt le plus souvent, mais je suis tout perdu ; il me faut me concentrer longtemps avant de regrouper mes idées de la veille : je suis comme sortant d'une profonde stupéfaction.

Ah ! que ce lieu-ci est incompatible à la raison ! Tout y est absurde, vilain, malpropre. C'est en soi qu'il faut garder une attitude qui seule permet en quelque sorte d'échapper à la perte totale de sa condition humaine.

Mais dans la tragédie la plus atroce, n'y a-t-il pas un certain comique ? du moins certainement avec une ironie voilée. Oui, il y a chaque jour à ce jour un côté risible ; mais, aussi longtemps qu'il est possible à quelqu'un de percevoir ce comique — je veux dire comprendre le quiproquo de l'absurde —, celui-là, rien ne peut l'atteindre, l'entraver et lui faire mal. Il échappe à tout et à tous. Heureusement. Il lui est aisé de passer à travers n'importe quoi, de s'élever même supérieurement aux autres, et de se différencier d'eux. Seulement, il lui faut le sens inné du saugrenu, et surtout qu'il sache le mettre en paroles.

En somme, devenir meilleur, c'est tenir tête contre les mauvaises habitudes, en contracter de nouvelles, et bonnes celles-là, qui portent au travail.

*

L'amour, c'est une naïveté du coeur ; ou peut-être que, dans le cas des jaloux, c'est une rage d'infatuation.

*

Il faut tenir avec ses dents à la peau de son âme.

*

Une déception m'advient qui me contente. Elle m'enseigne la fierté, et que c'est une belle chose légitime. Je n'ai pas à la dire, mais... et d'ailleurs chacun n'écoute que soi, pourquoi parler quand on n'est pas entendu ? Savoir écouter son propre ton intérieur, le surbaisser parfois, afin qu'il soit sincère, et l'écouter bien, car il raconte l'histoire splendide d'une vie.

Ce que je viens d'écrire est à peine compréhensible, et je suis certain que, s'il m'arrivait improbablement plus tard de me relire, je m'y retrouverais à peine, et sans ressentir l'émotion qui rage en moi à ce moment précis où j'écris. Mais il suffit que je prenne note de ma douleur et abêtisse par des mots l'immense peine qui me touche.

Mes plus fréquentes émotions sont pénibles à dire.

*

188

Ici. On n'y voit pas trop bien quelque différence que ce soit entre l'infatuation la plus ridicule et l'amour le plus malsain. Ce sont des sentiments que l'on falsifie à ses propres dépens et à sa honte. On sacrifie à d'éphémères joies sexuelles le meilleur de soi-même. Ces sentiments, on les extériorise grossièrement par des gestes. Aucune retenue. Et je connais de bons amis devenus mauvais à cause de serins grappilleurs, et dont la conduite volage les obsède jusqu'à la violence. Ah! si tous ces sacrifices pour les faveurs d'une petite frappe plus ou moins gentille étaient mis au profit d'une discipline, comme l'on atteindrait vite à la maîtrise de soi-même!

Pirouettes devant les miroirs.

*

Tout intrus m'est suspect.

*

Dans une certaine zone littéraire qui affiche la libre opinion — libre ici n'est qu'un mot; une opinion n'est jamais plus que ce qu'elle vaut —, l'on semble mépriser Gide. On ne le nomme que rarement, et c'est évident qu'on l'évite. Il arrive que l'on en parle brièvement, et c'est pour le narguer. On y affirme quelquefois qu'il ne vaut rien sur le plan littéraire ou rationnel, et que ses paradoxales invitations à la volupté comme à la ferveur mystique ne servent qu'à détraquer les jeunes et à les jeter dans la débauche. Or rien n'est plus injuste; Gide a toujours mis en avant une pensée adulte, mûrie longtemps dans le monologue avant d'être soumise au dialogue. Sa liberté d'agir ne vient que d'une sévère discipline. Dès le *Prométhée,* il allait bien en avant de son âge; à une époque où les jeunes n'écrivaient que de petits romans autobiographiques ou des poèmes tendrement névrosés, il invitait à l'évasion, à la droiture de l'esprit, à la recherche d'une nouvelle richesse de l'âme. Certes, il a eu ses fautes, mais il les a admises, et c'est déjà d'être absous que de redresser ses torts. Il n'a jamais d'ailleurs voulu des applaudissements trop bruyants qui se donnent à qui les veut. La louange facile le choque, et je crois même que c'est là qu'il m'est le plus admirable.

C'est toujours un maître, et j'aime à l'affirmer respectueusement.

*

Il arrive durant les récréations qu'un groupe se forme, où l'on discute de la validité de ses désirs à chacun. Le plus grand nombre ne sort jamais des pages flamboyantes des revues à la mode qui abondent ici, ou d'un plaisir d'autrefois qu'ils remâchent jusqu'à satiété. Leurs désirs les plus chers, à ceux-là, consistent à passer la nuit dans un cabaret; s'y saouler et flirter les filles. Même libres, ils cherchent ainsi l'oubli de l'heure qui passe. Ce que je ne dis pas et que je désire le plus serait de me retirer à la campagne, dans une maisonnette remplie de livres, aménagée à mon goût sobre. Une pièce bien aérée où j'aurais ma table de travail et mon piano; devant une large et haute fenêtre, un lutrin en forme de prie-dieu pour y lire et adorer à l'aube le dieu-soleil. Là, m'y garder une paisible retraite, où je pourrais rejoindre dans l'étude de leurs oeuvres les quelques maîtres que j'aime déjà, par ce que je connais d'eux de ouï-dire. Là encore, je voudrais dresser mes jours, en faire une somme de travail, racheter un peu d'intelligence du temps perdu. Ah! de longues promenades près d'un lac, dans les montagnes! Le soir, des études musicales, des analyses de mon être régénéré, des observations à même la nature... Ensuite, après le temps de refonte, courir la longue aventure de par le monde. Mon Dieu, mais qu'est-ce que je fais ici? à attendre? à me désespérer? à me morfondre? Ah! vienne le jour où je partirai sur la route ouverte et mystérieuse!...

J'ai voulu exprimer ma solitude et je l'ai peuplée d'ombres...

*

«*Lorsque ensuite je fus mieux instruit, certes tout cela m'a paru plus facile; j'ai pu sourire des immenses tourments que de petites difficultés me causaient, appeler par leur nom des velléités indistinctes encore et qui m'épouvantaient parce que je n'en discernais point le contour. En ce temps il me fallait tout découvrir, inventer à la fois et le tourment et le remède, et je ne sais lequel des deux m'apparaissait le plus monstrueux.*»
(A. Gide, *Si le grain ne meurt*, p. 286)

19 août

La nuit est mise, calme et sombre. Dehors, face au mur, le noir bouche la fenêtre; à peine si, vers le haut, une pierre en saillie cueille une tache de lumière qui s'y plaque sans reflet. L'air humide frissonne et apporte une senteur d'eau. Des bouffées lentes s'épuisent jusqu'à moi, éparpillant une bruine légère qui, à la lueur triste des lampes de veille, s'amenuise et doucement tombe sur tout, y déposant une buée grasse au toucher. Mon papier même se déconsiste, et la plume y creuse un lit sous le trait d'encre. Cette température malsaine m'enlève tout sommeil.

J'écris afin de retracer ce long jour morne et de ne perdre point l'émotion que me donnent fugitivement les heures de la nuit. Dans le silence parfois, il m'est loisir de penser. Le jour vraiment ne peut rendre l'impassible crudité de la nuit.

*

Je suis constamment occupé de cette stylisation du moi; de ma pensée et de ma volonté. Ce n'est pas une contemplation, mais une fouille que je fais en moi, autour de moi, au coeur des errements où j'ai perdu mon intelligence. Bien que je fasse grand cas des littératures, et les place aux premiers abords de mes études, je n'ai aucun désir de devenir écrivain. Non, bien sûr, il est trop tard, et je sais que ce n'est pas mon talent; plutôt que d'imiter ceux qui en ont, je préfère savourer les fruits du leur. Mais dans l'art d'écrire pourtant, je veux m'engager autant que quiconque.

Je sens que chaque instant de ma vie reste pelotonné dans ma main, prêt à être dévidé au gré de mes souvenirs.

Chaque instant peut être touché du doigt.

*

R.S. Je l'ai trouvé seul et lisant. Ma présence soudaine auprès de lui l'a fait sursauter. Il m'invita à m'asseoir, et tout aussitôt se mit à balbutier ses étourderies, découvrir ses rancunes qui — ne le sait-il pas? — se dirigent contre moi comme contre les autres, puisque dans une même envie il veut se venger de l'humanité tout entière. Je regarde sa petite bouche mobile et sournoise. Averti déjà, j'entendais la confidence mentie de chaque phrase. Pourquoi l'arrêter? pensais-je, c'est ainsi qu'il réalise le plus cher de ses rêves. Il n'est pas un grand coupable, mais pour lui le silence est une honte, et il parle, parle sans raison, dans une excitation de plus en plus grande, où il oublie de penser même. Mais pourquoi me mentir, et si mal? Pourquoi surtout dépenser en babil des instants précieux où une conversation bien tenue, aisée, amicale, serait si engageante à l'éducation de la pensée de chacun. Il irait longtemps nulle part, comme un moulin à paroles, et je brusque, le ramène ici-près. Mais encore pourquoi me ment-il, et si mal? J'éprouve une sorte de pitié pour lui; s'il s'entêtait à prendre cette voie, comme la meilleure, la voie des mots...

Je ressors de ces rencontres, abattu, trompé, et avec un insatiable besoin de solitude.

Réveillé tard; mécontentement. Il est vrai cependant que j'ai passé une partie de la nuit à lire *Journeyman,* de Caldwell, 1935.

J'y ai retrouvé la dégénération où s'est perdue mon enfance. Je l'ai même revécue dans toute son horrible misère. J'avais presque pu oublier l'état d'abrutissement de ces mêmes gens qui ont, de toutes parts, guetté ma naïveté et l'ont fait nourriture à leur dévorante mesquinerie. Ici, au repos, dans l'ennui, je perdais notion des exigences inhumaines de la pauvreté.

J'ai lu ce livre avec avidité. Il n'était pas nécessaire à l'éducation de ces jours, mais j'y ai trouvé tant de choses de mon passé qu'il prend à mes yeux une puissance de vérité que d'autres refuseraient de reconnaître. J'ai pris des heures de nuit pour le lire, et j'en oubliais même ma fatigue. Cette lecture me revient ce matin avec toute sa farce, son étrangeté et sa laideur morale. Je songe à la vie de ces gens, figures de dégénérés, ombres obscènes qui avoisinèrent mon enfance, quand j'écoutais leurs propos et surveillais leurs va-et-vient grotesques. Les faubourgs sont un lieu pareil à ce coin de Géorgie, mais avec plus de mouches, de saleté, de pauvreté. Les blancs, c'était nous, vivant dans une pauvreté soigneusement cachée; les noirs, les plus pauvres des bouts de rues, qui se plongeaient et se roulaient dans leur misère avec une sorte de désespoir soûl et fier. Que n'ai-je entendu, vu, compris? qui ressort de ce livre, durant les années où tout devrait être tendresse et sollicitude et où tout n'était que méchanceté et rancune. Absurdement, il a fallu la prison et la solitude de ces nuits pour que je comprenne l'avilissement de ces vies-là, l'intransigeance de mon rôle d'homme. Hélas! j'ai vécu toute mon enfance dans cette farce ignoble et trop réelle qu'est l'humanité de *Journeyman.*

*

Lisant Paul, aux Romains 7, 14..., je m'aperçois que je lisais assidûment la Bible sans rien accepter de son éthique. J'avais peur de m'y soumettre à des lois qui pouvaient ne pas être les bonnes, et de m'asservir à des voeux dont je n'aurais pu atteindre l'accomplissement. Et je reconnais encore ici l'effet de ma paresse. Je ne veux pas dire que je commencerai maintenant à marmotter des prières avec des yeux renversés vers un ciel qui *«no es cielo y no es azul»,** mais j'entends tenir mon être à la complète perception de ses actes. En cela je prends Paul pour ce qu'il est, un philosophe, et non un saint.

*

* qui «n'est ni ciel ni bleu»

Les étapes aventureuses ne sont pas sans mésaventures.

22 août

A. vient de me prêter deux livres de Gide, et mon être entier vibre de l'émotion la plus intense. *Paludes* et *Journal des Faux-Monnayeurs,* deux minces volumes de complet enchantement. Cela, j'en suis sûr. Or! merci, cher ami, merci; tu es devenu le grand génie qui, *a dar palmadas,* * devance les plus difficiles désirs.

Dans ces deux livres, le styliste savant, le penseur correct, l'analyste profond que j'y croyais devoir trouver. Mais en plus, dans *Paludes,* un état d'âme qui, sous le lyrisme, est suggestif des plus beaux devenirs, et la certitude que partir est le plus complet des mots. Le *Journal* est une synthèse approfondie du roman moderne, pendant que ce roman est en cours. Gide s'y montre homme de haute culture, esthète, artiste; bref, un intellectuel de première maîtrise.

Cet homme admirable me comble en toutes choses. Un beau jour, je le redirai plus longuement et mieux.

23 août

La température est splendide, et c'est ce qui m'enchante d'un matinal lever. Un reste de nuit encore halète une fraîcheur que je respire avec ivresse. Déjà, du soleil bas et roux, les radiations éperdues coulent dans ma cellule jusqu'à mes pieds. Une vitalité bondit en moi, et je me voudrais courant dans l'herbe verdie de sa rosée. Vers nulle part, longtemps, fuir. Ici pourtant, à cette heure même, je suis bien et rien ne me manque. Tantôt je terminerai l'excellent *Journal des Faux-Monnayeurs.* Je m'y plais tellement que j'oublie l'endroit et l'heure. Mais d'abord, dès le saut du lit, je m'adonne à quelques brusques exercices qui font claquer mes muscles dans la détente. Après, j'essuie la fièvre de la nuit avec un linge trempé dans l'eau froide; les premiers frottements me pâment puis me calment. C'est extraordinaire, le contentement que m'apportent ces menus gestes. Contentement et vigueur, l'un ne va pas sans l'autre.

Soudain, dans un grand désaccord, les moineaux piaillent une aubade. Je ris content, et je chanterais si je ne craignais pas d'inquiéter les voisins. Le psaume 32, 3 dit: «Tant que je gardais le silence, mon corps dépérissait...»

*

* d'un geste de la main

193

Sur le style : on dit châtié ; je préfère retouché.

*

Maintenant les saints ont vécu. Quelques niais aspirants à cet état marmottent encore des prières, mais c'est par habitude et par goût du malheur. Ils n'oseraient tout de même pas se porter garants de ce dieu-leur, qui n'a plus sa raison d'être puisque l'homme a trouvé le moyen d'anéantir la race humaine tout entière. Auparavant, c'était l'affaire de Dieu seul.

*

Dans un énorme et embrouillé bouquin, *Napoléon devant l'Espagne,* il y a un passage qui rapporte que les prêtres d'alors affichaient à l'entrée des églises cette pancarte : *«Aqui se sacan las almas»;* * où, pour une offrande, l'on rachetait l'âme en purgatoire d'un parent ou non, décédé ou non. Quêter fut toujours le grand art de l'Église ; et saint Paul lui-même y allait avec une finesse... Mais j'en veux venir que, ici, se pourrait afficher cette pancarte : *Aquí se pierden las almas.* ** Évidemment, pour l'une pancarte comme pour l'autre, il faut entendre *«los que tienen almas»,* *** car c'est une condition premièrement essentielle.

*

Ah ! bien faire ! et que les résolutions du soir survivent au matin.
Les jours d'ennui ou les jours de joie sont les mêmes ; l'esprit est meilleur pour ceux-ci que pour ceux-là, et c'est tout.
Le diable est puissant qui chuchote : Eh ! à quoi bon... plus puissant ici contre la volonté la plus tendue, contre les raisons les plus valables.

*

Mon goût pour l'étude est sorti de l'ennui et, m'y engageant, j'entrevoyais déjà les accomplissements les plus beaux. Ma belle exaltation du début s'est un peu tempérée depuis, mais reste suffisante pour que j'aille jusqu'au but que je me suis fixé. J'ai bien dû réaliser pourtant que je n'avais pas ce génie (ni les moyens pécuniaires d'aider une intelligence normale) qui permet de reprendre en quelques mois des années entières

* Ici, on délivre les âmes
** Ici on perd son âme
*** Ceux qui ont une âme

194

de fainéantise. Ma vie est toute tracée devant moi: connaître des heures de veille pleines de ferveur.

Je crois bien que la plus grande partie de mes études ne me servira à rien et que j'oublierai vite ce que j'ai mis tant d'heures à apprendre. Mais il en est de même des plus intelligents, je suppose.

J'explique mal tout cela. J'écris surtout afin de tromper le démon qui me presse de m'abandonner à la paresse. Je veux vaincre ce monstre parasite de ma nature.

25 août

Paressé au lit, regorgeant avec un plaisir reptilien les dernières fumées d'une soûlée de rêveries... Mon esprit me jugeait sévèrement, mais mon corps ne pouvait bouger... Ma volonté ne s'acharne sur rien. En ma conscience pourtant, au plus intime de moi-même, j'observe ma honte. Je prends désespoir de cette paresse qui est le plus grand de mes maux. Oui, vraiment, la paresse a tout gâché du bon que j'avais en moi; et souvent révolté de ce vice sans pardon, j'y retombe toujours avec les mêmes hypocrites promesses.

Ce qui cause tant de peine, ce sont les moments manqués où l'homme n'est plus lui-même, à cause d'excuses, de gênes, d'incertitudes. Ces moments d'épreuves lui sont imposables. Il faut être constamment exceptionnel, et j'ambitionne d'y parvenir.

26 août

La porte étroite, A. Gide, 1909.
Je n'ai temps pour rien d'autre.

27 août

Dimanche. Levé tôt. Temps triste, pluvieux et froid. J'ai mis la matinée dans la lecture du *Théâtre* de Gide. J'ai lu d'une traite, avec un enchantement durable. J'en voudrais dire plus, en converser longuement avec quelqu'un qui saurait me reprendre; mais je me contente ainsi, heureux de l'avoir lu, simplement. Et durant toutes ces heures, je me suis tenu en cette émotion close, mienne, fervente.

À midi, il pleuvait à verse, et une fraîcheur malsaine pénétrait jusqu'aux cellules. Je me suis préparé à un après-midi d'étude, mais très bientôt la pluie a cessé et nous sommes sortis. J'ai erré un peu, distrait et presque idiot de mécontentement. Le mignon Robert m'a rejoint; et soudain, plus que jamais, j'ai bien aimé son rire, sa présence gentiment prometteuse...

La pluie a repris, mince et glacée. Réfugié sous l'avant-toiture d'une porte d'atelier, près d'où une partie de poker était tenue, j'ai eu une forte envie de jouer, mais j'ai pu me retenir. Robert ne joue pas. Par amusement trompe-heure, j'ai surveillé le jeu. A.D. en était, et j'ai remarqué qu'il y faisait faute, étant trop pauvre pour soutenir la moindre perte. Il joue mal d'ailleurs, en indécis — je l'ai vu regarder par trois fois sa carte de mise —, et il ne pourra jamais mieux que de fournir aux gagnants. Il eut été malséant de le lui dire, et je l'encourageais d'attendre un jeu. Mais un démon lui parlait bien plus subtilement que je ne le pouvais. Les autres aussi jouaient avec des gestes vus de gamblers fameux, quand je voyais leurs lèvres se cendrer et trembloter au rythme de leurs doigts. Pauvres gens.

Erré quelque temps encore, ci et là. Je me sentais lourd et somnolant, comme un argonaute au fond de la mer; toute l'aquosité du jour et son froid me pénétraient jusqu'aux os... Soudain, un moment, et avec éclat, le soleil est tombé, glissant par fuseaux palpitants d'une trouée dans les nuages, et cette lumière a tout blanchi. Puis, un vent a charrié un nuage noir et re-clos hermétiquement le ciel. J'ai songé: sûrement nous aurons ce soir encore une tempête, et j'en fus tout triste.

Or, voilà ce que fut ce jour! Tout ce qu'il y a de beau, c'est Robert; de bien, c'est une lecture; et encore l'un et l'autre ne font-ils que me renfermer un peu plus en moi-même. Si je pouvais, ou s'il n'était pas dangereux d'avoir honte, je pleurerais...

C'est la nuit maintenant. Je ne puis dormir, et, sous prétexte, j'écris ces choses mauvaises. Dehors, le vent et la pluie ragent furieusement. De longs jets de foudre brûlent en zigzagant autour des bâtisses, et leurs éclatement grondent et roulent, se répercutant jusqu'aux confins de la tempête. Je suis bordé et fiévreux. Longtemps j'ai jonglé avec des rêves, mais je n'ai rien pu saisir de ma pensée qui fuyait dans une évagation triste et monotone des choses passées.

Je m'efforce de noter ceci encore, je ne sais pourquoi — pour moi seul. Un souvenir me revient et sournoisement me reprend. Je le repousse mal, et déjà il est là, entier, pervers, empoignant comme la chair chaude de cette femme-parente qui me prit et se donna à moi par une nuit semblable, à la campagne, dans une maison close. Ah! cette frénésie épuisante qui ne s'acheva qu'au matin, après qu'un soleil neuf nous eut surpris enlacés encore. Je me laisse hanter, et mon corps douillettement bordé retrouve l'acharnement de ce désir soudain et comblé déjà...

*

«C'est une triste conséquence de sa propre infériorité morale qu'on ne se sente plus le droit de parler aux autres.» de Claudel — Ou de n'accepter plus d'être moralisé.

*

Rictus de la bouche et démarche claudicante; c'est d'abord ainsi que je le vois. C'est d'ailleurs la première fois que je lui parle; je ne l'avais même pas remarqué encore. Il était charlatan avorteur, et il sert douze ans pour tel crime. Nous nous garions de la pluie l'un près de l'autre quand, de propos en propos, il en vint à m'expliquer sa méthode. Sa démonstration est un peu confuse, mais j'en retiens ceci: qu'il n'acceptait aucun cas plus avancé que trois mois (danger d'hémorragie); que c'était tout au plus une courte série de lavements au savon noir. Ces lavements répétés détachaient les tissus du placenta; puis une drogue quelconque, dont je ne sais plus le nom, occasionnait les spasmes, et le foetus était rejeté. Les suites n'exigeaient pas de curetage. La patiente prenait un court repos, et tout était dit. Il chargeait en moyenne vingt-cinq dollars; «...et il y avait le plaisir, la curiosité, le... enfin, il y avait des aventures», souligne-t-il en ricanant. Il aurait sans doute beaucoup à me raconter, mais son personnage m'écoeure un peu. Il parle avec des gestes par quoi il veut suppléer à la pauvreté de son vocabulaire; et je remarque ses ongles encrassés, ses mains sales, ses gros doigts de mécanicien. Ses dents, il les néglige et une végétation verdit sur les molaires. Son cou porte des marques de furoncles; ici une oedémateuse enflure sertie de tannes nombreuses, et qui forment des taches aussi larges que l'ongle, sous la rasure des cheveux. Je songe en le regardant à ces filles qui lui confiaient leur corps, et je suis traversé d'un frisson. Il les a palpées, il leur fut utile, il fut aimé d'elles, peut-être...

*

Voir: *I Was King of Thieves,* James (Big Jim) Morton.
Et sur une autre hauteur:
Descartes, Jacques Chevalier
Vie de Descartes, Adrien Baillet.

29 août

Il pleut encore, et ce temps me tient maussade. Je fume, par vice, par découragement aussi; la cigarette est brûlante à mes lèvres et détestable à mon goût déshabitué, mais je l'aspire comme si c'était un secours, un fortifiant à ma lassitude. Peut-être en est-ce un.

Il me semble que j'ai vécu depuis dimanche un grand nombre de jours, encore que je ne les retrouve pas, que je ne retouche que des sensations petites, hagardes, isolées. Ma pensée ne reprend qu'un mirage, où les actes que j'avais cru achevés s'évanouissent dans une lourde torpeur de tout mon être.

31 août

Ma présence devant le Board m'est toujours une ignominie. Quoi que je fasse et quoi que je dise, j'ai tort. On ne veut strictement rien m'accorder de ce que je demande. J'en chercherai longtemps la raison. Sans doute existe-t-elle hors de moi, cette raison, et sur elle n'ai-je point de prise. En vérité, je suis incapable de jouer, de manigancer, de faire des courbettes envers les autorités. Ma haine pour eux est trop forte. Quand je dois comparaître, me raidir est plus fort que moi. Mais on veut ici l'homme humilié très bas, et j'accepte mal cette condition. Je préfère les détester de toute ma haine, gens médiocres qu'ils sont.

Prendre sur soi; ne rien oublier.

Mais les rieurs ne sont pas toujours du côté le plus fort; c'est affligeant.

1ᵉʳ septembre

Soir. Impossible de travailler. Cette sensation a repris que j'ai un abcès au cerveau. Mon crâne est traversé de brûlures lancinantes qui resserrent mes tempes et font pression derrière le globe de mes yeux. Quelque grand mal me touche-t-il? ou, psychologiquement, l'effort immense que je fais pour refouler l'hystérie qui se gonfle en moi apporte-t-il une fatigue du cerveau, telle qu'elle m'épuise complètement et me charge de fièvre?

*

Lassitude et ennui toujours. Je ne fais rien, je n'ose rien, je n'espère rien de bon de moi-même. Tout en moi est devenu caprice et mauvaise pensée. Et je suis affreusement seul.

198

Un peu plus tard pourtant, dans la soirée, je trouve un certain repos à lire le magnifique livre de Knut Hamsun: *Growth of the Soil (Markens Grôde),* que je termine sur le petit jour. Isak, le héros, est un des plus nobles caractères qui se puisse créer dans un livre, et j'imagine qu'une vie romancée des plus belles figures de la Bible présenterait parmi elles cet homme de légende. Le livre m'a apporté ce rare apaisement que je trouve parfois dans la littérature biblique.

Knut Hamsun est le plus complet romancier norvégien du siècle. Son premier livre — paru en 1890, il avait trente ans —, *Sult (La Faim),* étonnait déjà le grand public des pays du Nord. Ce n'est pourtant que récemment, avec la traduction de *Markens Grôde* que cet auteur fut reconnu comme l'un des plus puissants conteurs européens. Il est près de la terre natale, et sa poésie simple porte le message de l'Homme. Et bien plus, je dis que *Markens Grôde* compte parmi les plus beaux livres jamais écrits.

6 septembre

Repassé au Board. Ce que je demande ne leur signifie rien. Le petit prince des Quatre Fours y fait son Farouk et se moque de mes illusions en me casant à la buanderie, parmi les vieillards, les infirmes, les demi-fous. C'est avec une extrême difficulté que je retiens la crise nerveuse qui est là, en moi, toute prête à me finir.

Là, ici, maintenant, dans l'heure même — choc, sensation pénible de fatigue. Je traîne un boulet. Saleté, poussière; grondement des machines, éclats des voix querelleuses; sympathies et méfiances.

E. Fonctionnaire abruti par son demi-siècle de service.

Près de moi, un nègre énorme, ventru, rieur. À longueur du jour il me conte des histoires obscènes.

Le vieux B. J'imaginais — au temps de son procès — qu'il était un homme encore séduisant. Mais je le vois près de moi: court, presque nain, tout blanc de cheveux et haut en couleurs. Dents pourries. Il bavasse tout ce qu'il sait, comme une plainte. Il ne croit pas qu'il y ait un personnage plus intéressant que lui-même, et c'est un fameux mensonge qu'il se dit. Sa manie est de copier tout ce qu'il trouve sur l'amour dans les livres. Il est sentencé à vie pour le meurtre — à coups de couteau — d'une jeune femme dont il était le vieux daim.

10 septembre

Avec Robert. Petits plaisirs furtifs, gardés, repris à souffle court, et qui me désespèrent. Mais ses lèvres! mais son corps! mais la faim éperdue de sa joie! et la mienne s'y unissant!... Ah, le diable! certes ma sensualité est une chose plaisamment insatiable.

13 septembre

Re-présence devant le Board, où j'obtiens d'être retourné à mon ancien travail. Un «c'est correct» têtu, muffle, inutilement autoritaire, et qui donne un peu la mentalité de ces gens-là.

Il grossit un nombre. Homme d'une force extraordinaire; type parfait de l'esclave. Il le dit d'ailleurs. Avec de grands détails, il me raconte sa vie: de 6 à 16 ans, la Réforme; de 22 à 42 ans, l'aile des fous à la prison de Bordeaux; aujourd'hui, à 48 ans, il en est à sa troisième ou quatrième année d'une sentence de quinze. Je l'écoutais avec un certain intérêt et, malgré ses dents pourries et son haleine empestée qui me tombait dans la figure, je prenais son personnage.

*

F-7676 — *La France byzantine,* Julien Benda.

Cette critique vaut tout ce qu'une érudition peut valoir, mais elle est malignement à froid, tandis qu'il ne faut jamais oublier que la littérature s'adresse premièrement aux émotions. Ce qu'il dit sur Gide, par exemple, me choque, et il va jusqu'à dire que Gide niaise parfois pour dire quelque chose qu'il ne paraît pas bien saisir. Alors, n'en déplaise à monsieur Benda, Gide m'est admirable jusque dans ses moindres défauts. Bien mieux, le tremblement est sa plus belle qualité d'artiste. Non, Benda ne pense pas à trembler, c'est un roc.

J'ai songé à tout, il ne me reste plus que les actes à connaître.

17 septembre

Cet après-midi, rencontré L. dans la cour; c'est effrayant comme nous nous disons maladroitement peu de choses. La pose entre nous est telle que je la puis toucher et haïr. L'orgueil nous empêche à jamais de nous entendre. Mais comme il est aussi devenu stupidement vain de son personnage. À un certain moment, nous étions près de la cantine et lui se trouvait derrière moi; il se guettait et se souriait dans la porte-fenêtre que lui renvoyait, tout grimaçant, son visage. Il ne savait pas que je le voyais. Et je ne voudrais pas rire de cela, car j'en ai un extrême chagrin. Il fut tout de même un ami que j'estimais beaucoup, si rien ne me choque plus que la fatuité.

*

Depuis quelque temps, j'ai feint de lire ces livres excellents :
Ape and Essence, Aldous Huxley
Antic Hay, Aldous Huxley
De l'Amour, Stendhal.

*

À présent paraissent les lettres échangées de Gide à Claudel, qui me seraient nécessaires, mais que je ne pourrai acheter, voir même, que lorsque tout cet intime besoin que j'en ai en moi, pour l'étude et ce genre de nourritures, aura passé. Je suis triste et pâle à cause de cela surtout que je suis pauvre, que la différence entre un certain bonheur, ou du moins bien-être, et un malheur certain de même tient entièrement dans la valeur du dernier sou.

Mon goût pour l'étude, c'est ce que j'ai de meilleur en moi.

*

Il serait intelligent d'avoir un théâtre ici, où chacun à sa guise pourrait développer ses talents artistiques : qui écrirait, qui décorerait, qui jouerait. Il y aurait un grand profit, et un amusement non moindre, sans compter les bienfaits d'un autre climat intellectuel, qui jusqu'à aujourd'hui est absolument nul.

Chacun porte en soi la cause de sa misère. Penser à ses fautes est bon.

«Si nous pouvions déposer toutes les misères du monde dans un plateau de balance et toutes les culpabilités dans l'autre plateau, l'équilibre en serait sûrement établi.» (Schopenhauer)

18 septembre

Levé bien avant que l'heure ne soit tardive. J'ai comme sursauté hors d'un rêve érotique, sous l'empoignement de la jouissance. Il me semblait être conduit dans une prison, où deux femmes-gardiennes visitaient ma personne. Je dus me mettre nu devant elles afin qu'elles voient que je ne trafiquais rien inter-muros. D'une quelconque façon pourtant, je désirais cacher de l'argent, et pour cela me faufilai aux toilettes ; or, voici que, pendant que je feins d'uriner, je remarque les deux femmes accroupies derrière moi qui m'observent. Le fait d'être ainsi vu me cause le plus vif plaisir et, me tournant vers elles, je jouis fortement dans leurs visages étonnés...

Je me souviens aussi d'un autre débris de rêve de cette même nuit. Mon souvenir en est hagard, et je ne revois que les deux personnes inconnues qui me rencontrent et qui, tour à tour, m'interpellent ainsi : «J'ai vu

L., n'est-ce pas qu'il cause bien?...» Extrême surprise de ma part, car je ne pouvais pas reconnaître le bien-fondé de cette phrase. J'en étais tout inquiet.

Dans ces deux rêves la délivrance de deux déceptions.

28 septembre

Déjà l'automne! que le temps passe vite lorsqu'on le vit à peine. Les jours derrière moi sont vides, non perçus. Rêveries, sautes d'humeur, rencontres qui ne m'intéressent pas. Jours inutilement jetés. Quelques désirs mal assouvis qui me tiennent jusque dans la moelle des os. Durant cette hypnose, j'ai même négligé l'espoir.

*

Encore des livres que je n'ai pas bien lus; deux romans de Tristan Bernard qui m'ont ennuyé. *Les Caves du Vatican,* d'André Gide. Merveilleux livre, tout plein de saugrenu et de bonne raison, je le sais bien, mais dont je ne prends pas toute la beauté, tout le charme, l'inquiétude que l'auteur y montre.

*

J'ai été pris par le mensonge délicieux de la volupté, et aucun effort ne m'en peut délivrer. Mais c'est ici la moindre sensation, quelque peu intime, qui permette par instants d'oublier. Faut-il donc encore chercher à la détruire? Ah! outre-mur, la fuite permise. Partir! s'apercevoir de sa vie, accroître son être, dans l'immense bonheur d'être libre. Que de joies sont ici percluses, qu'on croit par des vices fugitivement remplacées.

Mauvais jours! Mauvais jours! J'oublie même de sourire!

Froid brumeux qui me pénètre et m'enfièvre. Et mon sang qui se brouille; au bas de la joue droite, près de la bouche, grossit une pustule qui m'enlaidit, me déjouit, qui me fait trembler de honte.

«Absent, présent... je suis bien seul
Et sombre...
Moi, qui jette ici-bas l'ombre d'un personnage.» (Paul Valéry)

*

Je vis en moi un grand drame. Tout est à refaire; biffer est impossible; un mouvement se fait, un sentiment court sa chance, un espoir se dévide jusqu'au désespoir, et rien ne peut être repris. L'erreur est absurde. Ici, décourageante impossibilité des actes. Tout se décide mais rien ne se fait. C'est de ça les déceptions qui courbent l'être presque jusqu'à la prière, ou jusqu'à l'ignoble, quand il ne sait pas atteindre une attitude ferme et digne.

La tricherie me fait grimper.

*

C.E. Complice d'un meurtrier. Il eut son heure de notoriété dans la publicité tapageuse que font habituellement les journaux sur une chasse à l'homme. J'étais très jeune alors, et je suivais avec une curiosité admirative les exploits de ses complices évadés. Déjà j'aimais l'audace. Ces fugitifs, je rêvais de les recevoir, de les héberger, de les mettre à l'abri de la police, et je ne manquais pas de guetter les passants louches, le soir. Maintenant, l'un d'eux est près de moi. Soumis, il sert sa longue sentence à vie. Depuis quelques mois, peu à peu, je le connais. C'est un homme très honnête, sentimental un peu, et de ce fait un peu niais. Excessivement réservé, il sert seul sa sentence. Parmi les autres, sa tenue, sa propreté, son allure ne sont point d'ici. C'est un *Étranger;* et, pour cela je m'en rapporte au roman de Camus, sa sentence est injuste.

Entre-temps, il étudie la musique.

*

J'ai sur ma table devant moi une pomme. Grosse, bellement mûrie et rouge, je la sais juteuse et sucrée; elle est de cette qualité de pomme qu'on achète outre-mur à dix sous. Je retiens la tentation de la manger, et dans cette tentation subie, je savoure un grand plaisir, égal, je pense, à la volupté que ce serait d'y rougir mes lèvres. Je sais que demain le plaisir sera plus fort. Cette tentation est toute pareille à celle de la chair, et de cette pomme à moi il y a toute la métamorphose d'un désir.

*

Il y a une certaine critique qui est follement inapte. Dire ainsi: ce n'est pas un bon livre, équivaut ridiculement à l'admonestation de celui qui dirait à l'autre, qui lui parle de son plaisir favori: ce n'est pas un bon plaisir.

3 octobre

Rencontre de B. Dès que je l'ai aperçu, j'ai compris qu'il surveillait mes réflexes. Nous nous sommes avancés en souriant l'un vers l'autre; beaucoup de gêne grandissait à mesure que l'espace entre nous diminuait. Mes premiers mots: You weren't long outside, le blessèrent

203

sans doute, car il fut excessivement mal à l'aise avec moi. Pourquoi? Je ne puis m'expliquer cette tension presque inamicale qui paraissait sous nos propos. J'ai remarqué surtout que sa beauté s'est un peu affadie; son visage pâle, tiré, presque mauvais. Son regard ne se soudait plus au mien, ainsi qu'il avait coutume de tendrement le faire. Il ne faut pas revenir sur le passé. Et je suis un peu triste à penser que nous ne sommes plus guère intimes, et que cette amitié déjà si chère à mon coeur n'est plus possible, n'a plus sa raison d'être.

*

Je suis mal à l'aise vis-à-vis des autres. Je crains de les obliger. Consciencieux à l'excès, je ne veux pas qu'ils aient, fut-ce un seul moment, à souffrir ma présence. C'est pourquoi je préfère si souvent être seul. Mais une telle discrétion maniaque est parfois mal en point; croyant embarrasser les autres de ma présence, je les offusque avec mon laconisme. Quittant quelqu'un afin d'être seul, seul je le laisse, et il en résulte des froids encore déplaisants. Mes amis, j'aime parfois qu'ils soient là, comme parfois j'aime être seul, tranquille et rangé.

Oh! comme je voudrais détruire en moi ce sentiment de culpabilité qui m'accable. J'ai de belles intentions, mais je n'en tiens pas une. Mon inconstance est impardonnable en cela, et tout ce que je prends la peine d'analyser m'advient dans le reproche. Il est vrai aussi que j'entrevois toujours une possibilité autre, meilleure que celle atteinte à ce moment-là. Stupidement, j'ai recours à la promesse de cet instant à venir, et j'oublie, ou plutôt néglige, de parfaire l'admirable présent.

Je dois mettre au point une foule de choses.

*

G.B. Comment expliquer cette sympathie qui s'ouvre en moi pour lui? Beau et sauvage, il mérite d'être dompté. Je voudrais y réussir, mais que d'approches infiniment douces, et pas très franches au fond, il faudrait.

Je m'amuse encore...

*

Terminé *Andromaque,* ce soir. C'est ma deuxième lecture de ce chef-d'oeuvre de versification et d'analyse. J'ai mis bien du temps à me permettre de savourer cette pièce de beauté. D'abord j'y voyais un peu d'affublement; une certaine pomposité de sentiments; mais depuis je vois mieux, du moins je le crois. J'ai lu maintes fois cette page affolante, où Oreste, au comble de l'horreur, crie ses affres d'une vision infernale:

204

«Eh bien ! filles d'enfer, vos mains sont-elles prêtes ?
Pour qui sont ces serpents qui sifflent sur nos têtes ?» et, en réplique, le sang-froid drôle de Pylade :
«Il perd le sentiment...»

Je veux savoir cette pièce par coeur. Il s'y trouve un grand art qui, s'il n'excuse pas le crime, du moins l'augmente jusqu'à en faire le désir des dieux mêmes.

5 octobre

Violent mal de tête. Tout travail impossible. Après le dîner, haut-le-coeur épuisant. J'en ai comme le goût de crever.

6 octobre

Je me lève beaucoup mieux, de bonne humeur, même. Je n'ai rien fait de mes études pourtant; plutôt, j'ai flâné sans soucis en faisant une minutieuse toilette.

*

The Fountainhead, Ayn Rand
The Moon and Six pence, S. Maugham

Ces deux livres ont, sous un cynisme apparent, une naïve sentimentalité.

8 octobre

La nuit me fut très mauvaise. Levé tard. Nouvelle fatigue qui me courbature et me rend indécis de tout. Le moindre geste à faire me trouve tout hésitant. Mais d'où vient donc cet abattement de mon corps ?

Les aguiges de Robert m'ont laissé un peu froid.

9 octobre

Jour d'action de grâce. C'est tout ce que j'ose dire.

*

Les calorifères claquent et claquent, empêchant tout le monde de dormir. Quelques-uns, contre ces bruits, s'exaspèrent de ne trouver point le sommeil et y ajoutent leurs voix criardes. Cela porte sur les nerfs;

depuis plus d'une heure que ça dure. Pour les systèmes nerveux, la plupart détraqués, la tension est affolante. Et on n'y peut rien faire, c'est la prison...

Il passe minuit maintenant. Enfin le silence. Dehors, la nuit défendue paraît belle, si belle. Pas une étoile ne m'est visible; mais ici, qui fatiguent mes yeux, les pâles lumières de veille sont encore comme des cris aigus.

*

Sur l'occasion avec A. C'est une femme presque complète. Sa féminité est telle qu'il n'a pas hésité à me parler de ses «règles»; des jours, chaque mois, durant lesquels il se sent faible, a des maux de tête et ne peut s'offrir à la sodomie, parce que son anus est si resserré et douloureux «que tu n'y pourrais pas entrer ton petit doigt». Il se maquille et retouche finement la courbe de ses sourcils. Il me parle ensuite de poésie et de musique — c'est un pianiste accompli —, et je comprends mal pourquoi il est ici, tellement il est talentueux. Il agit, pense, rêve comme une femme. Sa grande songerie parle d'une chambre proprette, reformée à son goût délicat, dans une pension respectable. Il souligne «respectable» pour bien me faire comprendre que, lui-même, il est respectable. Il me fait la promesse d'un party intime... J'écoutais avec un peu de stupéfaction ses balbutiements sentimentaux.

*

F-3340 — *Le Vagabond sentimental,* A. t'Serstevens, 1923.

Je viens tout juste de finir ce merveilleux livre de poésie et d'amour. De page en page, ma surprise a été telle comme s'il s'était agi d'une création, et j'allais de désirs en désirs au gré de ma propre sensualité.

C'est le roman d'un jeune, beau, savant et tendre. Pris d'une soif inapaisable de vagabondage, il parcourt les routes ouvertes et ensoleillées d'Italie. Des fleurs, des paysages, des rencontres; des femmes si jolies qu'il désire mais n'ose approcher, et qui s'effarouchent de ce beau garçon sérieux, sentimental et mythologique. Toute femme pour lui est une déesse, une nymphe qu'il veut adorer. Un matin, haut monté sur une charrette de foin, il resonge au rêve de la nuit passée, dans lequel il fut visité par une palpable vision de femme. Soudain, un choc des roues sur la route le culbute en bas... Il revient à lui dans un palais de rêve, entouré de jardins dont la splendeur lui paraît également irréelle. Soigné, il reprend ses forces, et une belle châtelaine l'aime, lui fait connaître tous les trésors de ces jardins, de ces grottes, de ces allées, de sa personne. Il est ravi au ciel dans les voluptés les plus subtiles...

La poésie de ces pages est d'une sensualité que je n'avais point encore vue, à peine rêvée. Ce livre me fait penser au *Jardin sur l'Oronte,* de Barrès; mais je compare ainsi afin de mieux apprécier ce livre-ci qui a une poésie libre, saine et joyeuse, au mépris de celle du livre de Barrès qui a une poésie terne, malade et triste... Celui-ci, où l'on va sur des routes baignées de soleil vers l'amour, où il y a des jardins d'une luxuriance iné-puisable, où les femmes sourient en montrant leurs seins roses perlés de frais parfum... Celui-là, où la route ne conduit qu'à la guerre et à la mort, où, dans des jardins assoiffés, les fleurs se fanent, où les femmes sont couvertes de voiles, et pleureuses... Celui-ci tout vrai, celui-là factice un peu...

13 octobre

Je recueille dans *France Illustration* quelques comptes rendus des quatre-vingts ans d'André Gide. Cet anniversaire passé depuis un an déjà, ses échos ne me parviennent que si tard. J'ai quand même un ex-trême plaisir à regarder les pages où ce grand écrivain fait parler de lui. Et me retiennent particulièrement les photos où il joue aux échecs contre Marc Allégret, où ses mains tiennent ouvert un livre de Simenon, et cette photo en hauteur de page où il prend tout le soin possible pour allumer une cigarette. Je regarde longtemps cela qui me cause une joie presque indiscrète, et à quoi sans autre pensée je mêle la tristesse d'être ici, nul-lement disciple.

*

O.P. Il fut retransféré du pénitencier de Dorchester. Approchant la cinquantaine, il a encore pourtant bon port; sa démarche est assurée et vive; mais son visage est fatigué, tacheté de marbrures. La face est plate et osseuse, le nez large et bossué. Son bras gauche est noué au coude, et il porte cette main comme offerte devant soi. C'est un type extrêmement vulgaire, crachoteur et bougonneux, genre matelot ou bûcheron si je peux dire. Il parle fort et dit tout ce qu'il pense. C'est un encanailleur de la pire espèce. Or, voici qu'il est logé, ce soir, immédiatement au-dessus de moi...

14 octobre

«...ce sont eux qui provoquent des divisions, hommes sensuels, n'ayant pas d'esprit.» (Jude) Oui, ils sont indignes des plus belles significa-tions de la vie. Malgré tout pourtant, c'est aussi de moi qu'il s'agit, et il faut que j'ordonne ma pensée. Depuis quelque temps, ce cahier n'est plus qu'un mémento où j'inscris les faits divers de ma fainéantise. Jusqu'à maintenant, j'ai passé par les brumes et n'ai pu soutenir l'effort nécessaire à l'accomplissement de ce que je m'étais dicté.

Mais tout cela encore est bien mal dit. Je dois savoir que cette vie présente, que chaque instant de cette peine à servir, est fourni d'émotions uniques, personnelles et disables. J'éprouve quand même à les dire des difficultés presque insurmontables. J'hésite trop à fouiller en moi-même.

«Je suis comme un homme qui n'entend pas
Et qui n'a point de réplique à la bouche.» (Ps. 38)
Je dicterai mes jours avec un fouet.

*

Tenté de finir *Le Démon de Midi,* de Paul Bourget, mais je n'en puis plus longtemps supporter la lecture. Je ne crois pas que ce livre est aussi bon qu'on le dit.

15 octobre

Flâné au lit, resongeant et stylisant, comme pour les mettre en phrases, les premières années de mon adolescence. Comme elles étaient violentes, mes passions! toutes de feu et vite passées. Mais comme j'étais naïf aussi, insouciant et pauvre d'idéals. Ces années m'ont perverti, et j'ai trop de nostalgie à les revivre en rêveries imprudentes et fausses. Et chacune de ces paresseuses rêveries, je la paie cher en oubliant que le présent est condamnable.

Lu la dernière partie de *Moïra,* roman de Julien Green, qui paraît en épisodes dans la *Table Ronde.* Ce roman de feu décrit une vie telle que je n'en ai point eue, mais que j'eusse désirée, comme celle de cet adolescent rempli de ferveur qui a nom Joseph. Il y a ceci d'incompatible dans ma vie que, sans cesse, j'ai été poussé dans les actes absolument contraires à ceux que j'eusse voulu faire. Jamais tendre, je boudais de ne l'être point; criminel, j'avais de sublimes envies d'abnégation; pervers — et cette perversion presque toujours satisfaite —, je voyais la chasteté comme le propre de l'homme. Ceux qui disent qu'on fait sa vie ont tort; le choix est impossible parce que toute vie est accident. Il n'est permis parfois qu'une mensongère impatience entre les tentations, à peine l'illusion de légitimer des désirs; et c'est, au bas sens du mot, de succomber à la tentation.

18 octobre

Décidément, j'ai repris mes études. Elles n'ont pas changé, que je croyais maîtriser en peu de temps. Elles sont ardues, et à cette difficulté s'ajoute le fait de l'intervalle où j'ai paressé. Mais dans ma nouvelle application, je retrouve une joie aidante.

Et je veux me reprendre ici. Il me semble que je parle trop souvent de mon indolence et de mes rêves. Il ne faut pas me complaire à ce niais petit drame personnel qui consiste à déverser à tout moment ses déboires. En vérité, j'ai toujours eu du goût pour l'étude, de la poussée aussi ; mais je manquais souvent de moyens. Ne pas confondre l'ignorance de celui qui a fait tous les cours avec celle de celui qui n'a pu s'informer que très peu. Celui-ci d'ailleurs se distingue de celui-là, généralement plus bavard.

Commencé ce soir la partie «S» de mon petit Larousse. De plus en plus, je suis émerveillé de tout ce que contient ce livre, mince dictionnaire en somme, et qui m'apporte à chaque page, étonnamment, comme en surgis, des renseignements tout à fait neufs pour moi. Hier soir, notamment : ruginer, que j'avais oublié dans ma description de l'opération à la jointure de mon auriculaire droit, et qui est le terme exact à l'action de racler l'os. Ce soir : sacerdotalisme, peu usité, mais qui s'applique parfaitement au climat intellectuel du Québec ; et sacre, dans le sens de débauché, sans conscience, et qui s'applique fort bien à Untel, ici. Vraiment, la lecture du dictionnaire doit être tenue jour à jour, comme un rite. Gide, dans son *Paludes,* confie sa façon quasi pareille de chercher les bons mots comme devoir, chaque jour. Il pratiquait cette recherche plus méthodiquement que moi, bien sûr, qui veux surtout le verbe propre à l'action, et lui l'épithète à la qualité.

*

Robert m'a boudé aujourd'hui et il voulait ce soir que je lui signe un billet. C'est trop sentimental. Demain, je m'approcherai de lui, je poserai mes mains sur son petit corps ardent et il retrouvera bien sa joie.

*

Il est minuit et demi. Le silence de la prison entière est une sorte de torpeur où je perçois les exaspérations de mille drames, égoïstes chacun. J'en connais moi-même un nombre angoissant, de ces drames imaginés.

Je devrais plus souvent parler de la nuit. C'est la longue heure de pénombre où l'être s'équilibre de la tension du jour. En tête à tête avec son moi, un homme retrouve l'assagissement le plus grand ou les rêveries les plus vaines. Je songe au petit nombre de ceux qui, pendant que les autres ruminent des joies de bêtes, s'agenouillent et prient ; au petit nombre encore de ceux qui ne prient point et se désespèrent de ne pouvoir réagir à l'affreuse dégénération où ils sont tombés. Je suis de ceux-là, moi qui ne crois plus et qui voudrais trouver envers moi-même cette attitude de l'orant envers son dieu. Parvenir à l'intelligence, à la discipline, à la ferveur. Ah! pouvoir enfin justifier ce cri d'ivresse:

«And for my soul, what can it do to that,
Being a thing immortal as itself?
It waves me forth again; I'll follow it.» (Hamlet, I, IV) et, comme suivant un fantôme, me régénérer.

*

Voir: *A History of Philosophical Systems.*

*

F-3341 — *Un Apostolat,* A. t'Serstevens, 1920.

La fin du livre manque; et ce n'est pas l'acte d'un idiot puisque voici une très vieille copie aux pages jaunies et cassantes. Je n'aime guère d'habitude qu'on me siffle une fin, mais pour cette fois j'ai lu quand même parce que c'est un bon livre. L'idéaliste t'S. ne peut que bien parler de ces intellectuels, quelquefois faux-bonhommes, et qui, vers les 1900, cherchèrent à rendre possible l'utopique Thélème du bonheur en fondant des sociétés, des refuges, des fermes, des abbayes... t'S. se moque d'eux, mais avec sympathie, car il en fut sans doute.

J'ai aimé ce livre; c'est un beau témoignage d'action, quoiqu'il me paraisse souvent que la pensée de t'S. est assez superficielle, dans ce livre notamment, où la poésie du *Vagabond* ne la soutient plus.

21 octobre

Levé de bonne heure, et cela est à mon compte. Les heures du matin sont propices à l'étude, et ce n'est pas trop ardu de les prendre. Le corps est magnifiquement constitué; il s'adapte à ce qu'une discipline lui règle. J'ai appris — je suis même positif que cela est — que je m'éveillerai à l'heure proposée si, la veille, juste avant de m'endormir, je me suis résolument dit qu'à telle heure il me faudra me lever.

*

Conversation avec J.L. Il revenait de jouer aux cartes et tenait à la main ses accessoires. Il semblait las, même s'il avait gagné. Je n'ai pas pensé à le questionner sur sa santé, mais il m'a lui-même dit ses troubles du foie, car il en est à l'âge des complaintes. Il n'a pas beaucoup changé; son visage garde cette teinte rosée et tendre des êtres en bonne santé; ses yeux pourtant sont striés de sang, et le coin des paupières plisse comme la diaphane enveloppe des cocons. Sa démarche est lourde mais décidée.

Il me confie qu'il commence à rédiger l'histoire de sa vie, sic. «Ce sera terrible parce que je dirai tout. Et ceux-là qui passent pour des durs, je dirai comment ils sont lâches et mesquins.» Il a assez vécu pour rendre cette expérience qui ne peut plus lui servir. Toute sa vie s'est passée dans la révolte, dans la colère, dans les manigances. À présent, il est seul, mais il ne s'en accable point et dans la solitude redevient un autre que lui-même, qui sait penser. Dans cette fonction supérieure, il trouve une joie meilleure que celle qu'il trouvait déjà dans les actes. Il me parle de sa vie avec un calme qui me rend timide. Je ne suis pas sans l'aimer un peu. Pour placer ce respect que j'ai pour lui, je dois dire qu'un jour il m'a récité par coeur, et avec une voix chargée d'émotion, de longs passages de Racine, par exemple:

«Le remords n'est pas ce qui me touche,
Et je n'ai plus un coeur que le crime effarouche:
Tous les premiers forfaits coûtent quelques efforts;
Mais, (...) on commet les seconds sans remords.»

Certes, ce n'est pas un saint que je rencontre. Ces passages raciniens qu'il aime citer ont été les grandes maximes de sa vie; et quoiqu'il les découvre à peine, de lui-même, qui n'est pas bien éduqué, qui manque totalement de culture, cela n'est peut-être pas sans donner une grande valeur et qualité morale à son être.

«Je lis beaucoup, me dit-il, et avec une application qui me paraît un peu maniaque. Je lis le dictionnaire surtout, et croirais-tu que je le trouve plus passionnant qu'un roman? et plus utile, bien sûr. C'est bête, mais j'ai besoin des mots maintenant que j'ai fini d'agir. Je veux que mon livre soit vrai, et non pas un canard; pour cela, il faut des mots précis. Notre langage à nous est laid et menteur... Je n'ai pas beaucoup de regrets; je sais depuis longtemps que les regrets ne valent pas cher sur le compte d'une vie; mais j'ai celui — je pourrai même dire que c'est mon seul remords —, je veux dire que j'ai le regret de n'avoir pas poursuivi mes études jusqu'à vingt-cinq, jusqu'à trente ans, jusqu'à aujourd'hui. Il me semble que ma vie, vécue comme elle l'a été, vaudrait le double si j'avais été instruit.»

Ce disant, il hausse les épaules. Je rapporte ses paroles à peu près, comme il me les a dites. Il m'a parlé encore longtemps ainsi, sur lui-même, et je crois que je reçois là une grande leçon. Ce qu'il a fait, je ne veux pas le refaire, bien sûr, mais ma vie sera l'enjeu d'une même expérience que la sienne.

Je suis le seul à qui il ose ainsi se confier. J'ai dit déjà comment il se châtiait pour avoir fauté. Je sais bien que certaines gens aiment déverser dans une oreille attentive leurs déceptions nombreuses; mais lui n'ajoute rien d'abject, de sordide, de complaisant à ses confidences. Je sais qu'il m'aime et qu'il me fait confiance.

*

F-903 — *Le Blocus,* Erckmann-Chatrian, 1935.

«Une fois qu'ils ont adopté une idée, que de gens l'enfouissent au fond de leur cerveau, puis passent le reste de leurs jours à la défendre, sans jamais l'analyser à nouveau pour s'assurer si le temps ou les éléments ne l'auraient pas réduite. Cela leur permet d'être toujours conséquents — et souvent dans l'erreur.» (R. Clapper)

F-656 — *Le Mauvais,* André de Richaud, 1937.

Quel passionnant petit livre! Encore, je n'ai pas manqué de m'y retrouver tout à fait. Enfance guettée de toutes parts et prête à fuir. Michel, tout court; c'est le nom du héros. Sa famille est dégénérée; ce pourquoi, comme tant de familles, elle peut rester anonyme. L'important, c'est de connaître les convoitises qui entourent la belle figure du *mauvais.*

«Il était un animal heureux.»

Voir: *Le Mauvais,* t. II

La Voyante, t. III

Dimanche 22 octobre

Matinal lever. La première neige tombe, froide, aqueuse, de biais coulant, et pluie dès qu'elle touche le sol. C'est une température détestable, mais qui fait songer, en les désirant, aux belles neiges abondantes. Il faut passer par ces journées humides et tristes avant d'en venir aux mois d'hiver blancs.

J'ai lu et j'ai écrit. J'étais un peu las et n'ai pu me décider à l'étude. Il m'aurait pourtant fallu achever une traduction espagnole. C'est une autre heure presque perdue, et je le note avec un certain déplaisir.

*

Dans la cour, je regardais Untel, homme condamné; il retrouve un grand plaisir à se vêtir comme il se vêtait durant les années les plus dashing de sa vie. Je veux dire qu'il recoupe de son mieux l'uniforme du pénitencier. Pantalons qui moulent la taille jusqu'au troisième bouton de chemise, excessivement larges du bas, couvrant toute la chaussure, formant jupe; coupe-vent stylé garni de bagatelles. Il se donne ainsi l'allure

212

d'un maquereau à la mode 36-37, et ce sont là d'ailleurs ses années de liberté les plus comblées. Depuis, il s'illusionne et fait aller sa loquèle afin de n'avoir point loisir de penser. Et ce n'est pas tant malice que rancoeur du mauvais sort de sa vie. En toutes choses, il recherche ses années perdues — et c'est peut-être ce que nous faisons tous.

Seul, je me suis promené. Je voulais rejeter une certaine confusion qui pesait sur ma pensée, et pour cela je me préoccupais beaucoup de ma marche. Je réglais mes pas, ma tenue; vifs, dégagée. J'ai observé le ciel en frissonnant; de gros nuages sombres, laids et froids s'y roulaient lentement. Tout le jour semblait fermé, mais au loin, vers l'est, il s'ouvrait, et de cette embellie jaillissait là-bas, comme dans une cave, une lumière propre, abondante et pleine d'éclat. J'ai récité pour moi seul: «Je vous ai vus, grands champs baignés de la blancheur de l'aube.» et j'en étais à: «Si j'avais su des choses plus belles, c'est celles-là que je t'aurais dites...» quand L. est venu me rejoindre avec son petit. Ils souriaient. Notre marche s'est réglée à trois ensemble. Mais il a fallu parler d'ici, et nous n'en avons tiré que de mauvais rires.

Son muchacho est un jeune gamin tout noir de teint, bruyant comme un petit diable, et à l'allure vicieuse pas mal. D'ailleurs, il se vante tout haut de l'être. Tous deux se taquinaient devant moi; ils se disaient des secrets avec des mots qui semblent ne rien dire. Entre eux, je faisais la tierce bête. Quel monde dépare ma solitude...

25 octobre

Reçu les quatre revues de cette quinzaine: *M. de France, R. des deux Mondes, R. de Paris* et *Table Ronde.* Cette dernière est la mieux tenue; celle de Paris est toujours de bonne qualité. Par contre, j'estime que la *R. des deux Mondes* est beaucoup descendue de son standard d'avantguerre.

Généralement, la correspondance des écrivains, et des plus grands, révèle qu'ils écrivent assez mal d'un premier jet; or, voici que Gide dans ses lettres, principalement avec Charles du Bos, écrit comme un ange.

Ne pas fumer m'oblige à écourter mes heures d'étude le soir; car, à la lumière, sans la nicotine, mes yeux se fatiguent plus vite. Éloigner le sommeil est d'ailleurs une des propriétés du tabac. C'est le deuxième soir de suite que je dois me coucher tôt, et il est à peine neuf heures...

*

Je n'ai presque pas conscience de ce qui se passe autour de moi. Je vais à mon affaire avec des paupières chargées d'accomplissements. Il faut, pour me remettre en contact avec les lieux, que l'on me pousse du coude. Sans doute, je manque beaucoup de choses ; mais, et las ! j'ai trop vécu ici. Infailliblement, presque, je puis juger ces êtres, rapporter l'état de ces lieux. C'est ici que l'heure s'immobilise ; or, une heure, toute chargée qu'elle soit, dure peu, quand ici elle déroule l'espace monotone de mille années. L'heure seconde est tout identique à l'heure première. Je ne pourrai l'oublier, tout ce temps ; chaque année est indentée en moi comme les paroles sur un disque.

J'écris surtout pour tromper l'heure.

Sur la littérature avec L. Il s'enthousiasme devant ma ferveur, mais avoue bien qu'il lui est difficile de lire Gide à la lettre. Précisément, je lui explique qu'il faut aimer Gide pour son esprit d'abord.

*

Levé tard. Une douleur lancinante à la tempe droite me fait beaucoup souffrir ; névralgie crispante. Et je ne songe qu'à ce mauvais réveil chargé de paresse. Puis, pendant ma toilette, j'ai senti contre ma joue froide la chaleur de mon épaule ; cette sensation m'a remis, tant elle était plaisante. Robert murmure souvent la même chose ; de mon épaule contre sa chair nue, et le plaisir que cela lui est.

À l'aube, je suis comme Narcisse.

*

Matinée en classe, où je me rends pour plaire à Robert. Ce qui devrait servir de prise de contact, quelques heures de délassement pour l'esprit, en est une d'ennui et de malencontre. J'étais extrêmement mal à l'aise pour eux, élèves imbéciles pour dire le moins. J'avais l'impression d'être bafoué ; ainsi écrasé de honte et de silence. Derrière moi, devant moi, tout autour de moi, des questions oiseuses fusaient, accompagnées de rires niais et fastidieux plus encore. L'atmosphère en était une de nursery, ou, ô misère ! d'une salle d'asile. Il n'y avait que Robert, avec sa promesse de volupté ensuite, qui me retenait là.

*

C'est le début de la nuit. En attendant que le silence m'accommode, je me suis allongé un peu. Au préalable, j'ai fait quelques brusques exercices et pris un bain froid. À présent, je n'ai plus sommeil. Je fume ; la cigarette a un goût écoeurant de foin sec et grésille à chaque bouffée, mais je m'y délasse comme dans une ivresse. Je suis pauvre devant la tentation de fumer.

La nuit intérieure est pleine de cauchemars où gémissent des voix peureuses; dehors, elle est douce et feutrée. Devant moi, une fenêtre soulevée à peine aspire une fraîcheur mystérieuse. Des ombres me guettent, attentives et silencieuses. Je me gîte en elles. Je regarde et j'écoute couler des heures lentes. Sérénité... Mes yeux se posent sur mes livres; minces possessions très chères; ici, près de la Bible, les deux livres de Gide: nourritures et promesses de bien faire. Ma vie à venir se dispose dans mon application à ces lectures; et j'y puiserai des labeurs enivrants. Ah! cette nuit-ci m'est une grande ferveur que je ne veux pas anéantir par le sommeil! Je suis bien et me sens porté au travail. Veiller tard, méditer un peu, faire le sage et le scribe.

«Ô —, crée en moi un coeur pur,
Et renouvelle en moi un esprit bien disposé!»

Avec ces paroles du psalmiste, j'invoque mon intelligence. Qu'elle fasse de cette nuit mes heures les plus profitables.

Mais que vaut la prière quand on n'a pas la foi? des paroles envieuses, qui dénoncent la faiblesse de celui qui les murmure. Je ne suis pas ce croyant que le prêtre accable, mais ma ferveur est toute pareille à celle du catéchumène épris de justice, de poésie et d'amour, et qui, dans le coeur de son âme, médite le voeu de bien faire. Nuit murmurante et prohibée; ombre chargée de mes chaînes; solitude où je souffre en peine, dans l'intimité de tes heures que ne saurais-je oser dire!

Si souvent ai-je saisi à pleines mains les affres de mon infortune, et me suis-je effrayé de mon recul avec la vie; constaté douloureusement avoir cédé aux rêves les plus belles années de mon adolescence. Mais je n'ai voulu aucune de ces heures telles qu'elles furent toutes occupées. Il semble que durant ces années maudites, j'ai été comme cette figure peinte sur une banderole, qui fait des culbutes, des élans, des gestes obscènes et grotesques, au gré des vents. J'étais mené sans âme, et enfantinement pris dans les hasards de la vie. J'acceptais tout, sans chercher à comprendre qu'un seul effort de volonté me pouvait sauver comme un acte d'intelligence. Je ne voulais qu'insensibiliser les perturbations de mon jeune être et tromper l'exigence de l'heure. Ma fainéantise allait même jusqu'à l'impuissance. Plutôt que de vaincre, j'acceptais d'être vaincu. Je vivais médiocrement parmi les médiocres, comme pour grossir un nombre, et sans voir l'issue vers la lumière. Mes désirs mêmes n'étaient pas voulus mais acceptés. À cette heure, je réalise à peine ces choses.

Je me relis. Il semble bien que je me répète. J'inscris peu de mes joies, et c'est que je ne démêle mes difficultés que de jour en jour. Je ressasse un grand nombre d'années qui furent identiques, rarement heureuses, et ce qui paraît être le remâchement d'un même remords est la lente évolution de mon esprit qui progresse. La meilleure volonté du monde ne saurait réparer en quelques mois la fainéantise de quinze années.

L'aube est presque venue maintenant. J'achève ma lecture de l'*Oedipe-roi*, de Sophocle. Je voudrais exprimer dans sa plénitude toute l'émotion qui me touche de pouvoir enfin goûter la lecture de cette pièce, dont on a tant dit. Oui, je découvre une joie, un étonnement, une faim sans cesse renourrie. Que de lectures j'avais faites, qui n'étaient restées que des lectures douteusement comprises et qui me reviennent, à moi seul, aussi intimes que des conversations de maîtres.

Ma pauvreté est toute pécuniaire!

«Ah! Ah! Ah! comme je souffre!

— Ah! pourquoi suis-je né?

Je suis accablé comme un fantôme

Et ma voix est arrachée de ma poitrine,

Pendant que ricane le démon. La fin! quand? où?»

L'effrayante fatalité de la vie d'Oedipe, la nôtre y est toute semblable. Rien n'est changé, mais il n'y a plus de dieux. L'*Amor fati* est devenu Désespoir...

29 octobre

Joyeux réveil. C'est un beau jour, ensoleillé et prometteur. En attendant l'heure du déjeuner, j'ai fait le quiz du *Time*. Manqué à 43 questions sur 105. C'est épouvantable. Ma mémoire est rétive à ce point, et je ne sais vraiment pas quoi tenter pour développer cette aide-intelligence, sans quoi... Il est vrai aussi que j'ai souvent détourné mon esprit des grands événements, et que je les ai souvent mal entendus. Les faits politiques surtout n'attirent pas mon attention. Je prétends n'avoir pas à m'occuper pour le moment des accidents d'outre-mur.

Cela viendra quand j'y serai moi-même.

*

À la sortie, j'ai humé avec ivresse l'air pur, si chaud pour ce temps-ci de l'arrière-saison. Le sol achève d'imprégner les pluies de la veille. Il reste encore, dans une encoignure, où jamais ne s'aventure le soleil, des flaques d'eau croupie sur la lisse surface desquelles tout un peuple de bestioles patine, y traçant de fuyantes courses. Déjà, dans les estrades pleines, de hauts cris d'avant-victoire remplissent le ciel, où s'épouvantent quelques moineaux. Seul, à l'ombre d'un tas de pierres, je lis des chapitres de *Si le grain ne meurt*. Des belles pages de mon maître, où il décrit de ce style fervent que j'aime les premiers éveils de son intelligence. C'est tout cela, à la lettre, que je veux accomplir. Mais comme il faut tenir compte du temps, du lieu et de l'esprit dont on est inspiré.

1ᵉʳ novembre

Sauté du lit dès l'éveil, mais il était tard déjà. Le jour se montrait sale, humide et d'une fraîcheur pénétrante. Mauvais jour. Je voudrais pourtant qu'il soit une belle chose, et par ma bonne conduite utile. Dans un mémorandum que je tiens, j'avais inscrit des heures chargées d'étude, mais il se fait toujours que le réveil est pareil au départ pour moi; triste ou joyeux, il achève son premier mouvement. Et de ce jour que je voulais faire mien, hélas! j'en ai désoccupé la toute première attente.

Le plus petit manquement à la promesse donnée me cause un chagrin qui n'a pas de cesse. Par la suite, quoi que j'essaye afin de suppléer à ce manquement, je reste comme accablé de tristesse. Ah! enfance! enfance et mère! quel monstre vous avez fait de moi!

*

Rien ne m'accable plus que quand on donne la mauvaise raison de mes actes. Robert, par exemple; je veux que nous cessions notre intimité particulière, et que nous restions simplement amis. Il me croit aussitôt jaloux, mesquin et pire. Que lui dirais-je qui le convaincrait de ma franchise et de mon amitié sans cela?

*

«The time is out of joint: O cursed spite,
That ever I was born to set it right!» (Hamlet, I, V)

2 novembre

Jour correctement tenu.
Mort de Bernard Shaw.
Vers 7 heures p.m., un aérolite passe en trombe, bas dans le ciel, à l'horizon, courant le long du mur et jette une fustigation de lumière et de bruit pareille au craquement d'un proche coup de foudre.
Schopenhauer dit: «La vie de tout individu...» et tout ce passage de vérité me donne raison sur ce que je pense d'ici; plus que n'importe où ailleurs, nous y vivons une tragédie terrible, mais nous ne pouvons être que des personnages de comédie, et cette comédie-là est bouffonne.

8 novembre

Avec Robert, ah! je me suis épuisé de joies physiques! Ces actes, le désir seul en est l'âme.

9 novembre

Il m'est accordé un mois en plein air. C'en est le premier jour, et j'y veux commencer tout un programme d'exercices et de longues marches. Méditer beaucoup et bien. Rénover mon esprit de discipline, la rendre plus exacte encore.

F-2325 — *La Fin de la nuit,* F. Mauriac, 1935.

C'est une fin à *Thérèse Desqueyroux.* Un peu de l'art savant de Mauriac s'y trouve; avec ce grand conteur, un peu c'est beaucoup. Mais trop de sa triste religiosité. C'est un beau roman, encore qu'il ne me touche pas pour le présent. J'y ai lu d'admirables pages, où sont décrites des angoisses de nuit, comme j'en éprouve sans pouvoir les dire bien.

11 novembre

Séance filmée: *Criss-Cross,* avec Burt Lancaster dans le rôle principal. Comme ils sont enfants! Ils en discutent pendant de longues heures, et on entend, sous l'excitation de leurs propos, qu'ils viennent de voir se dérouler sur la toile leurs plus chères ambitions. Un café dansant où s'époumonne un orchestre de jazz, une fille complice, eux s'y trouvant, revolver en poche, le sourire-canaille-pour-rien accroché dans la moustache. Ils ont vu tout ça, ou, plutôt, ils l'ont refilmé avec eux avec la formule qui s'y trouvait déjà. Hélas, comment agir autrement... Mais ils n'ont apporté aucune pensée valide à la nécessité de leur vie. Ils n'ont pas vu l'incrédibilité de l'histoire, les trucs trop apparents du filmage, l'absurdité du dialogue. Ils n'ont pas vu la dernière heure du criss-cross et sa pathétique morale, qui en était d'ailleurs la seule valeur.

C'est assez triste, mal engager sa vie.

J'ai à présent l'émouvante perception de beaux monologues qu'il me serait peut-être possible d'entretenir en moi; mais je n'ose pas m'y engager et m'y perdre, la honte de ces jours-ci étant trop grande.

26 novembre

Avec Robert. Des heures ensemble dans la nudité la plus complète. On n'aurait eu qu'à nous surprendre. Je m'approche de lui comme d'une jeune femme. C'est la même chose, avec en plus cette flamme de perversité qui nous excite. Sous la caresse s'apprête toute sa chair, et se révèle la beauté mouvante de son corps. Ses moindres gestes sont d'une délicatesse, d'une obscure science qui me troublent jusqu'au fond de l'âme. Comme il s'y connaît aux plaisirs!...

Jours, jours et jours. Pour échapper à l'ennui, je laisse libre cours à mon effarante sensualité. Mais je n'ai plus d'âme! Je vis comme une bête. Je me plonge dans tout ce qui se passe, et chaque plaisir s'achève en dégoût pour ce plaisir, pour moi-même et pour celui avec qui je le partage.

Au demeurant, je ne dénigre pas ces actes de joie, mais leur excès. Je ne fais rien d'autre, et c'est alors une recrudescence de honte, de fainéantise, d'inintelligence.

Et j'en ai encore le goût stupide de pleurer.

«Qui pleure là, sinon le vent simple, à cette heure
Seule avec diamants extrêmes?... Mais qui pleure,
Si proche de moi-même au moment de pleurer?»

*

Le génie m'a manqué, qui accorde de réaliser ses rêves.

*

L'on me dit que Gide, depuis leur rupture, évite délibérément de prononcer le nom de Claudel, et même d'en parler dans ses écrits. Or, voilà quelque chose qui ne me plaît pas; maître tout admiré qu'il soit, je le trouve mesquin de bouder, jusqu'à l'injure du silence, le poète admirable de *La Ville;* parce qu'il ne partage pas ses idées, encore qu'il ait été jusqu'à mettre Gide en demeure de partager les siennes, qu'il croit les meilleures. Il est vrai que Claudel, du côté de la religion, manque d'honnêteté. Ce qui fait toute sa haine, c'est la pédérastie de Gide et son influence qu'il dit néfaste sur les jeunes. Et en cela, Claudel injurie l'homme; de ce fait, le silence de Gide est peut-être la plus belle attitude.

Je viens de lire dans la *Revue de Paris,* juin 50, une longue étude de Marcel Thiébaut sur le dernier volume paru du *Journal d'André Gide, 1942-1949.* Le trouble comportement de Gide, en tant qu'écrivain et en tant que personnage, y est finement analysé. Il me semble pourtant que le ton en est nettement antipathique. Mais est-ce possible que Gide ait joué toute sa vie un rôle de hasard, rectifié à loisir selon une morale d'excuse? — que dans la recherche d'une pose plus ou moins fantasque, il ait voulu avant tout plaire à sa nature gâtée? En un mot, qu'il ne fût qu'un maniaque assez intelligent... Ce qui me touche surtout, c'est l'aveu que fait Gide, dans ce *Journal,* de son dégoût et de sa tristesse, et que soudain, à la fin de sa vie si riche en émotions de toutes sortes, il semble démuni et pauvre: «Tiens ferme ce que tu as. Tous ces biens dont je me suis laissé dessaisir?... Pour tout accueillir je vivais les mains ouvertes et je n'ai su les refermer sur rien.» Alors, moi qui l'écoute et le veux suivre?... Me mènera-t-il à la fin au mécontentement que j'eusse trouvé seul?

Comme j'ai hâte de lire le *Journal* en entier!

*

Je ne puis être plus égoïste que quand je ne le suis pas; alors, je pressens mon égoïsme, et j'ai bien plus d'audace que quand je le suis et m'en inquiète.

J'ai l'horrible défaut d'être insouciant.

*

Jivan-mukti, guru: maître de philosophie hindoue. Dès que le disciple se présente, les maîtres lui font réaliser qu'il n'est rien du tout de ce qu'il prétend être: «Je» n'est plus et ne fut jamais, selon eux.

«Abijam, roi de Juda. Sa mère s'appelait Maaca; elle était fille d'Abisalom. Il s'abandonna à tous les péchés que son père avait commis avant lui.

«Asa, son fils, régna après lui. Sa mère s'appelait Maaca, elle était fille d'Abisalom. Il fit ce qui était bien; il destitua, affligea sa mère...»

D'ailleurs, les veaux d'or étaient de forts taureaux.

*

Je me plais à transcrire ce beau poème de Verlaine:

Mon rêve familier

«Je fais souvent ce rêve étrange et pénétrant
D'une femme inconnue, et que j'aime, et qui m'aime.
Et qui n'est, chaque fois, ni tout à fait la même
Ni tout à fait une autre, et m'aime et me comprend.

Car elle me comprend, et mon coeur, transparent
Pour elle seule, hélas! cesse d'être un problème
Pour elle seule, et les moiteurs de mon front blême,
Elle seule les sait rafraîchir, en pleurant.

Est-elle brune, blonde ou rousse? Je l'ignore.
Son nom? Je me souviens qu'il est doux et sonore
Comme ceux des aimés que la Vie exila.

Son regard est pareil au regard des statues,
Et pour sa voix lointaine, et calme, et grave, elle a
L'inflexion des voix chères qui se sont tues.»

*

Le Détour de la route, de Cézanne. Qu'est-ce donc, dans ce paysage intact, qui fait qu'il soit un chef-d'oeuvre? les tons?...

La Fille dans un studio, de Toulouse-Lautrec. On dirait que l'artiste a voulu exprimer là une suspicion jalouse.

Maison à Anvers, de Van Gogh. Le brossage en serpentin de ce tableau me suggère des perversités.

3 décembre

Je délibère moins avec moi-même. Il m'apparaît d'ailleurs que mes dires ne s'adonnent pas à l'endroit, dont j'ai peur de toucher trop profondément la triste réalité. C'est comme une eau dont les dessous vaseux ne doivent pas être brouillés.

Les actes que nous faisons ne sont peut-être jamais les bons; autrement, pourquoi tant de vies manquées?...

Avec Robert. Je ne pourrais connaître des sensations plus vives. Il arrive parfois que je m'inquiète de son aisance dans les actes, et je ne sais quoi dans ses manières me paraît une imposture. Cela dérange un peu ma passion. Je dois d'abord, à force de caresses, apaiser mes craintes avant de parvenir à la joie. Mais elle est abondante, cette jouissance qui s'arrache du plus profond de mon être et fait déborder mon âme dans la sienne...

Je voudrais dans ma vie être guidé de mon ombre. Au matin, la fuir; à midi, m'arrêter et me reposer; le soir, la suivre; devant moi, derrière moi, ombre fidèle et me guidant sur la route, comme ce dieu méchant qui, au désert, devant eux, derrière eux, accompagnait les Hébreux fuyards et voleurs.

Mais ne t'inquiète pas de Dieu; c'est une surcharge. Quand Il voudra de toi, Il saura bien te trouver. Jusque-là, va droit ton chemin vers l'apaisement de ton moindre désir...

*

Je trouve fort pertinents ces mots d'une putain qui répondait à un visiteur: «Je fais vivre un maquereau qui me bat, parce que j'aime voir un être plus abject que moi quand je m'éveille le matin. Ça me console.»

*

Nous sommes autant d'Ahasvérus.

*

Garder une attitude raisonnable devant la vie. C'est à quoi je songe en feuilletant les revues du mois: *Paris, Hommes et Mondes, Mercure.* Tous les écrivains qui y figurent n'ont pas d'autres ambitions, mais ils manquent parfois de sévérité. En ce cas dont je parle, sévérité veut dire: vérité. Quelques-uns disent plus qu'ils ne pensent et leur déficit est énorme.

4 décembre

Il tombe de biais une pluie froide, monotonement égale. Je suis stupéfié de tristesse. J'ai joué aux cartes aujourd'hui, et j'ai perdu; plus que je n'aurais dû sans doute, quoique ce ne soit pas la cause exacte de ma lourde tristesse. Non, elle est plus profonde et de source sexuelle. Mais au jeu j'ai brûlé ma seule chance d'attraper sinon une tranquillité, du moins une insouciance qui eut été commode. Tandis que maintenant, pour régler mes dettes, je dois vendre des livres; ces seuls mots disent toute ma gêne.

En somme, c'est à peu près fini d'être sage. Je dois redevenir celui que je ne veux pas être. Je m'y suis poussé, par vice.

Et par contre, Robert a été bien aimable avec moi. Il ne m'a rien refusé, en souriant de toute sa gentillesse, et cela m'a touché beaucoup; d'autant mieux que j'étais romantiquement porté à la sentimentalité. Mais dois-je admettre maintenant que je ne puis satisfaire toute sa faim? que c'est la vraie cause de ma tristesse. Il me semble même qu'une rupture de notre «liaison» pourrait être amenée par cela; par son dédain pour ce qui est devenu mon manque de virilité. Je sais que la cause en est toute psychologique, et que, quand il fellationne sur moi, la vue de sa bouche me terrifie, à la pensée que je vais éjaculer dedans. Je ne puis combler qu'après une longue séance la joie qu'il éprouve à savourer la tenue de cet acte. L'inquiétude qui me prend soudain, au moment de jouir, je ne cherche pas à l'expliquer autrement qu'il en est peut-être responsable. Devant lui, je deviens fébrile; avec tout autre, je suis vif. Il prend aussi un grand plaisir à me satisfaire autrement, et il s'y prête comme une femme habile — mais je sais bien qu'il aimerait un peu plus du plaisir de la bouche... Et c'est ainsi que se révèle ma tristesse; elle est blâmable.

Tout cela, que je n'aurais pas dû écrire, est une terrible révélation. Je la fais avec une insouciance que je ne parviens pas à trouver coupable. Cela m'amène à réfléchir sur ces dernières années, dont les plus grands malaises surtout sont fidèlement inscrits dans ces mauvais cahiers, et alors que j'ai repris maintes fois, d'illusion toujours, des espérances qui devaient commencer dès demain. Diable! qu'ai-je fait de ma vie? et que faut-il en faire encore?...

*

222

Qui donc a dit : « Il faut du talent pour entrer dans la littérature, et du génie pour en sortir. » Oscar Wilde, peut-être ?

*

J.L. Avec lui chaque jour, je fais de longues marches, tenues en conversations sur tous les sujets imaginables, mais spécialement sur la réalisation de notre rêve commun le plus cher. Nous parlons de retraite dans un bois, près d'un lac, entre des montagnes hautes et bleues, le soir. Là, y possédant un chalet confortable, vivre en paix et bien. D'ici, il nous est facile de voir le moindre détail, la plus mince possibilité de liberté, et nous nous surpassons l'un l'autre dans la description de cette vie idéale. Sans doute, plus tard, pareille vie ne nous suffirait plus, mais pour l'instant elle nous comble, qui signifie liberté, et comme le ferait pour un dieu la création d'un univers.

*

Je viens de lire quelques extraits d'un *Journal sans date,* de Julien Green. Il m'a paru que l'auteur était bien las, et qu'il n'attachait qu'une mince importance aux résumés de ses jours. Mais une belle page sur Gide me vaut plus que maints livres.

*

Quoi que je dise, quoi que je fasse, je ne serai jamais plus que ce que dit de moi mon surnom. L'opinion publique est marquante, est contre celui qui ne s'y subordonne point. Il faut ici garder le silence ; la voix n'y a pas de portée, comme l'action y est impossible et absurde.

5 décembre

Premier jour de l'époque des fêtes, où l'on repasse la grande classique de la pleurnicherie humaine : la Charlotte de Notre-Dame.

Il a fait tout le jour un temps splendide ; le soleil me pénétrait par tous les pores, et j'étais si heureux de le sentir sur moi que je n'ai pas du tout bougé de la chaise longue où, languissamment étendu, je prenais vacances. Vraiment, j'éprouvais cet état séraphique qui exalte les crédules au moment où ils reçoivent eucharistiquement leur dieu. Et tout comme eux le leur, j'eusse voulu adorer le mien, un dieu-soleil. Mais je suppose que mon tempérament est atmosphérique.

*

E-3734 — *You Can't Go Home Again,* Th. Wolfe, 1934.

Pathétisme! et tout l'art de ce beau mot. Mais pourquoi les cash-valuers ne font-ils pas plus de cas de cet écrivain? le plus grand et le plus national que les U.S. aient produit. De tous les écrivains modernes, Th. Wolfe est peut-être le plus perceptif et le plus bellement ému.

8 décembre

C'est le jour férié de l'Immaculée Conception je crois. Qui m'eût dit ce matin ce que me réservait la journée, certainement j'en eusse ri, ou du moins, y croyant, je n'eusse pas osé en connaître toute la mauvaiseté. J'ai encore surpris Robert avec un autre. La stupeur, la gêne, oh, je ne sais quoi enfin, m'a fait presque courir ailleurs. Mais déjà, loin d'eux, j'étais redevenu moi-même. Curieusement je ne souffrais pas. Il fallait que cela advienne et, certes, tôt ou tard cette honte devait me toucher. Depuis trop longtemps, j'avais profité d'une maldonne, que j'allais finir par croire mon dû. Au demeurant, ce n'est pas tant l'acte qui m'offusque, mais plutôt la trouble nature de celui en qui je venais parfois placer ma confiance. Non, il est de ceux qui ne peuvent refuser l'invite; et je ne puis honnêtement en cela blâmer sa nature. Il est ce qu'il est, et rien n'y peut faire. Sa nature est comme celle de ces femmes nymphes dont l'esprit est tourmenté par une faim insatiable. J'ai vu Robert bouleversé d'une étrange émotion sous ma caresse, et, pour l'avoir touché aux fesses, se jeter contre moi avec une sorte de frénésie folle qu'il m'avait fallu calmer avant qu'il n'arrache ses vêtements sans plus aucune retenue devant les autres. Oui, j'avoue que je me suis frotté les côtes un peu. Il fallait que cela arrive un jour, et je devais m'y attendre. La chose, d'ailleurs, ne valait pas tant d'émotion. Ce n'est qu'un incident pénible que j'aurai vite oublié en me rejetant dans mes études.

Il ne faut pas mêler les sentiments aux plaisirs. Jamais.

La difficile leçon d'aujourd'hui m'apprend à détester l'amour, et je voudrais qu'avec son insulte à mon amour-propre elle prît une grande influence sur mon comportement à venir.

Tout ce qui m'est dit avec un sourire, je dois le considérer comme une possible insulte.

Autrui est mauvais.

Être appliqué sans relâche, égoïste jusqu'à la perversion.

Bref, me rendre intouchable.

9 décembre

C'est l'heure terne qui se glisse entre la nuit et le jour; murmures, glissements, odeurs lourdes. Les moineaux nichés partout et fienteux déjà dégorgent d'étourdissantes aubades. Je suis courbaturé et mon cerveau brûle de fièvre. Toute la nuit, j'ai songé sans sommeil. J'ai refait des phrases et des phrases, toujours les mêmes, qui répétaient les gestes surpris hier et qui me torturent encore dans une sorte d'épouvante. Les phrases que je voulais hurler, je les ai, par habitude, réordonnées dans ma pensée. Ah! j'ai maudit Dieu, le diable et moi-même.

Maintenant, ce que j'avais résolu mais, par fainéantise, n'ai pu tenir, par obligation je devrai le faire. Tout cela, en ce matin du recommencement de ma vie, je le résume par cette phrase: je vais redevenir un autre homme.

*

Tout le jour, j'ai tenu à mon silence, et ma peine se cachait derrière un sourire fallacieux. Ce soir, dès la rentrée, il est venu à ma porte, à l'improviste. Il était humble, repentant, puis arçonné sur son orgueil d'enfant pris en faute. Sans broncher, j'ai attendu qu'il parle: «Tu ne veux plus me parler?» Sa voix m'est parvenue à peine. «Mais oui, je te parle aussi bien que je parle aux autres, pourquoi?» Il a récité avec volubilité: «Ce n'est pas ma faute, ce qui est arrivé. Le feu était à côté de moi; tu ne l'éteins pas comme tu veux, ce feu-là. Tu trouves pas que c'est assez de m'avoir laissé comme tu as fait? Qu'est-ce que les autres vont penser de moi?...» Il a interrogé le passage, si quelqu'un ne venait pas qui pût entendre. Dans ce geste, en accord avec ses dernières paroles, j'ai compris tout son pauvre malaise. Je l'ai regardé un peu; ma lampe maquillait son tendre visage; il était beau, et l'envie m'a pris de l'attirer à moi. Mais j'ai pu me contenir: «Il y a des jours où je me demande si tu es responsable de tes actes», ai-je dit, un peu durement. Il s'est cabré d'orgueil: «Tu veux dire que je suis fou?» «Oh! prends-le comme tu veux, mon cher.» Mais j'ai ajouté plus doucement: «Ne t'en fais pas, voyons, tu n'y perds rien...» Il a parlé encore, mais au bout d'un moment, sa récitation s'est embrouillée, et tout son trouble est aussi devenu le mien. Je l'ai touché vers moi, lui ai souri en silence. En retournant à sa cellule, je crois qu'il pleurait, et mon émotion n'était pas facile non plus...

Et durant la soirée, je n'ai pu sortir de cette scène. J'ai tâché de raisonner; mais hélas! la raison ne résout pas les problèmes du coeur...

Pourtant, je ne dois pas changer ma conduite.

Tout acte est volontaire, quoique la raison parfois en paraisse irréfléchie. Lorsqu'il a commis son méfait, sa nature (sa conscience) l'y poussait, qui était mécontente de moi.

10 décembre

J'ai joué gros aux cartes, et j'ai perdu mes derniers sous. Non, le sort ne se change pas.

L'avidité sournoise que j'apportais au jeu ; quels déchaînements indicibles en moi, et qui m'emplissent de dégoût. Il me semble que j'étais un autre.

12 décembre

Vendu le reste de mes livres. Je n'ai gardé qu'un dictionnaire français, deux livres de Gide *(Si le grain ne meurt* et *Les Nourritures),* ma Bible, invendable d'ailleurs. Et me voici Job...

Fumé deux cigarettes. Au moment de les prendre, j'étais à bout. Mes mains tremblaient comme celles d'un vieillard. C'est effrayant comme le corps est faible. J'ai peur de n'en plus finir avec ma peine.

Et son «méfait» qui me torture... J'aurais peut-être quelque raison de le haïr ; mais, ah ! l'inoubliable souvenir de certaines heures qui furent heureuses !...

Il m'a dit : «Tu es jaloux.» Oui, hélas ! et parce que je t'aimais bien un peu.

*

Relu ce soir un chapitre de *Si le grain ne meurt.* Consoler et guérir, c'est le rôle de la littérature. Cette lecture me console un peu, surtout pour sa promesse qui me touche de si près : «...j'ai hâte de sortir enfin des ténèbres de mon enfance. (...) ...l'irrégulier. Le fait est que je ne m'astreignais qu'à grand-peine ; à cet âge..., l'obstination laborieuse, je la mettais dans la reprise à petits coups d'un effort que je ne pouvais pas prolonger. Il me prenait des fatigues soudaines, des fatigues de tête, de sortes d'interruption de courant, qui persistèrent après que les migraines eurent cessé, ou qui plus proprement les remplacèrent, et qui se prolongeaient des jours, des semaines, des mois. Indépendamment de tout cela, ce que je ressentais alors, c'était un dégoût sans nom pour tout...»

*

Tout m'arrive en même temps ; mais je dois bien admettre avoir couru un peu après tout en même temps.

Mon silence est le blâme que je porte contre moi-même.

14 décembre

Un tel de mes amis, qui ne sait rien de mon trouble : «Depuis quelques jours, tu as vieilli beaucoup, me dit-il. Tu as l'air d'un tourmenté.» Or je le suis ; tourmenté et vieilli.

Je copie ce soir le beau conte de La Fontaine : *Joconde*. Son ironie est si propre qu'elle me console. J'aime rire ainsi, et ôter l'amertume de mon âme.

*

Il y a des écrivains chez qui le style a donné une conduite à l'homme. Gide en est un.

Sa photographie paraît cette semaine dans le *Time*. Il prépare, à la Comédie-Française, la mise en scène de son *Lafcadio*. Impression sur moi de cette photographie. J'y vois d'abord l'aventurier que cet homme fût. Son visage est beau ; un peu sévère, un peu rieur.

*

Je n'ai aucunement l'impression que les «fêtes» approchent. On me le dit. Je n'existe pas dans le temps, mais dans l'attente. Tout ce qui fait l'excitation des autres me touche à peine. Je dois avouer aussi que je suis pauvre à faire pitié, et cela n'est pas en accord avec l'esprit des fêtes. C'est une grande méprise, oublier la valeur du dernier sou ; elle est immense et rachète tout.

*

Il m'arrive que je ne retiens plus rien, que j'éprouve même des pertes de mémoire complètes, où j'ai conscience qu'un grand vide se fait dans mon cerveau. Je ressens comme si quelque chose me laissait, et d'un violent effort je tente de retenir cela qui me quitte. Après, une lassitude immense m'envahit, une sorte d'épuisement qui exige un long repos et durant lequel je suis tout faible, sans volonté, envieilli. Je ne supporte plus cette tension que par habitude.

Parfois, un mot que je dois placer dans mon discours m'échappe et je le cherche en vain. Dans mon sommeil ensuite, souvent il me revient pour me hanter la nuit durant, comme un remords. Il se fait le centre de mon cerveau, l'attache, le point de départ de toute idée ; autour de ce mot, des phrases se forment en grand nombre et deviennent cauchemars. En psychiatrie, on dit : fixation, mais d'où vient donc que, connaissant la cause et le remède, je ne puisse me guérir ? Certes, le lieu n'est pas celui qui permet le repos. Mais j'ai tout essayé, et même la privation, afin de retrouver un peu de lucidité. Que puis-je faire maintenant?...

Guérir? le plus souvent, c'est oublier son mal.

C'est le présent qui m'inquiète, et non pas l'avenir.

*

F-4794 — *Aux Fontaines du désir,* H. de Montherlant, 1927.

Je n'ai jamais pensé qu'il en fût autrement. Et pourtant oui, au début du désir il y a le songe.

C'est le testament de l'impuissance. Témoin de tout, il a vu la limite de l'homme.

La tristesse (celle-ci, surtout) n'est pas plus profondément ni plus lentement ressentie que la joie; on le croit, mais c'est parce qu'on le dit avec plus de conviction.

Cette phrase: «Ce squelette me tire une caresse à fendre l'âme», déborde tout le reste du livre.

· C'est une absurdité que de déprécier ses joies, fussent-elles finies à jamais.

Lorsqu'on est jeune, ces plaisirs nous scandalisent qu'on n'ose pas; vieux, ils paraissent trop légers; mais ce sont les mêmes, et nous aussi qui n'avons pas assez d'audace pour obliger notre être.

Il n'y a pas de plaisirs bas, de joies vulgaires non plus. Il faut sans cesse s'apprêter à eux, et les savourer, elles.

*

Causé longuement avec Robert, lui ai expliqué qu'il est toujours impossible de réparer le passé; qu'il est sans doute préférable qu'il en soit ainsi. Entre nous, les actes d'hier ne sont plus possibles.

Je refuse d'être comblé par des demi-joies.

Je m'amusais à l'aimable pensée d'être cher à quelqu'un que j'aimais. Je me prenais souvent au sérieux, tandis qu'il ne me fallait y chercher que le plaisir d'occasion. C'est ainsi qu'il faisait, lui. Quoiqu'il ne l'admette pas et que sa préférence fût pour moi, il ne se gênait pas avec les autres.

*

Il n'y a qu'une vie; la mienne. Je donne à chacun le droit de dire et d'agir de même, mais c'est pour mieux me défendre. Autrement, sans haine, que deviendrais-je? Je ne puis plus vivre que pour moi, à cause de la haine qui m'habite.

Ces paroles sont mauvaises; oui, mais elles sont vraies. Je saurais répondre à celui qui me les reprocherait. J'ai les arguments qui me les justifieraient.

*

Le soir. J'entends Robert dans sa cellule à deux de la mienne. Il fait des éclats de voix et de rires afin, je suppose, de me laisser entendre que mon attitude ne l'affecte pas du tout, que si je crois l'embêter je me trompe fort... Je le sais bien, et c'est même pourquoi je me retire sans causer de scènes, sans trop d'explications, sans bouderie. Au vrai, c'est par fierté que j'agis. Il est parfois difficile d'être fier, mais je saurai m'acquitter de cette tâche. J'aimerais lui dire, avec ma seule franchise: Ce que j'ai fait, je l'ai fait pour ton bonheur; et c'est de ton bonheur que me vient ma tranquillité.

Nous serons compagnons de même sort, c'est tout.

*

Entre l'autre et moi, il y a cette différence que j'essaye de penser. Je n'y arrive pas toujours, et c'est mon malheur. Chez l'autre, rien ne se passe intellectuellement; il connaît le bonheur irresponsable du vide, la béate satisfaction de la bête repue. J'ai fait mienne une morale trop exigeante ici, et pour le moindre manquement je souffre des jours durant.

23 décembre

Aurore; devant ma fenêtre, la neige sur le sol est blanche à peine. J'aime jusqu'à l'adoration ces premières heures du jour. Je fais le voeu d'être sage aujourd'hui, de me dompter «par un labeur forcené et grisant».

Je reprends ma Bible, les Psaumes 25. Instruis-moi et je connaîtrai ta vérité.

J'ai besoin d'heure en heure d'une cigarette qui me calme.

Faire de sa solitude une oeuvre d'art, la remplir d'émotions, de poésies et de vérités.

*

Il se trouve, dans la dernière partie de ce cahier, un grand nombre de pages que je devrais arracher, mais je les y laisse parce qu'elles sont le témoignage fait à moi-même de ma honte.

Et je quitte une période grossière de ma vie.

Quatrième cahier
1951

«Here do I sit and wait, old broken tables
around me and also new half-written
tables. When cometh mine hour?

The hour of my descent, of my down-
going: for once more will I go unto men.

For that hour do I wait now: for first must
the signs come unto me that it is mine hour
— namely, the laughing lion with the
flocks of doves.

Meanwhile do I talk to myself as one who
hath time. No one telleth me anything new,
so I tell myself mine own story.»

(Thus spake Zarathoustra, Nietzsche,
Modern Library Edition)

1er janvier 1951

Levé tôt, dès que le carillon de cinq heures, à la volée soudaine, a rompu le silence où je songeais depuis longtemps. J'attendais cette heure avec une hâte, méritoire elle-même, de commencer à neuf l'année, la fin du demi-siècle et ma vie. Après m'être aspergé d'eau froide et frictionné d'une serviette rude, j'ai pris ma Bible et, pendant plus d'une heure, avec une attention nouvelle et passionnée, j'y ai lu et écouté en moi des promesses ferventes de devenir meilleur.

Journées tranquilles de prison. Je n'ai pas touché mes études, mais j'ai beaucoup lu s'y rapportant; tenu quelques conversations, observé quelques faits, encore que je n'estime pas qu'il soit, ici, important de les inscrire. Je veux que l'homme ait changé un peu plus en moi pour que ce journal prenne une certaine valeur vis-à-vis de moi-même.

Tout le jour j'ai cherché la solitude, comme si j'eusse voulu me cacher. Je traînais encore une sorte de lassitude en reliquat de ma dernière soûlée de rêveries. Il me faut combattre point à point mes habitudes mauvaises; habitudes profondes, enracinées dans les pires vices, et que le temps seul peut extirper.

3 janvier

Commencement de grippe; violent mal de tête, prenant encore le côté droit du crâne, comme une brûlure aiguë qui passe et repasse derrière l'oeil; avec quoi, un coryza tenace me tient à souffle court. J'ai étudié un peu, mais dès neuf heures, il m'a fallu prendre le lit.

F-4436 — *La Clé perdue,* Marc Chadourne, 1947.

Beau roman, plein d'intérêt psychologique. Des angoisses y sont décrites qu'à présent je traverse; une intelligence et un langage aussi qui me causent de belles émotions. Lecture qui me fournit une inexplicable expérience.

22 janvier

Vingt jours sans écrire une seule ligne. C'était aujourd'hui ma naissance, il y a vingt-huit ans et je ne le réalise que ce soir tellement je suis dans les brumes. Il est temps de me secouer un peu, sans quoi je risque fort de ne plus jamais sortir de ma léthargie. Obsession des actes partagés avec Robert; puis, sans le haïr, ne plus le désirer. Benjamin Constant disait bien: «Quand on est dur, on profite de ses avantages sans être ému par la douleur des autres.» Mais, et non plus que lui-même, je ne sais être dur; et dans un lieu pareil, c'est le manque le plus spécieux.

28 janvier

Un grand froid sain, et tout le jour est pétillant de soleil. Je suis joyeux d'une admirable joie de vivre. Oui, je me sens capable de beaux exploits et j'aimerais agir dangereusement. Après quoi, il faut suivre les marches en rangs.

30 janvier

Tout ce mois vite passé; il signifie encore le malheur de ma vie. Déjà passé, ce temps est oubliable à cette heure. Mais je n'ose plus rien faire! rien entreprendre! et c'est effrayant la douleur qui me touche. Afin d'oublier, je rêvasse quelque absurde promesse de bonheur, qui tient tout entier dans un bien-être de gourmand. Je compose des mets, j'harmonise des desserts, je peins des banquets. C'est stupide.

*

J'ai lu pour le seul vice de la lecture:

F-3553 — *Le Signe du Taureau,* H. Troyat, 1945

E-1265 — *B.F.'s Daughter,* J.P. Marquant, 1946

F-4147 — *Comme Dieu en France,* t. II, A. Billy, 1927

F-4404 — *De Montmartre au Quartier latin,* F. Carco, 1927.

«La personnalité humaine: le juste et l'injuste», S. Weil. Un émouvant essai paru dans la *Table Ronde.*

Un pantoun, chanson indonésienne, dit ceci :
«Ne crois jamais un homme
Il ose jurer
Mais il n'ose mourir.»

*

Je regarde passer le temps ; il est vide, absurde, ennemi de mon être.
D'amis, de parents, de patrie, point ; je suis seul.
Je n'ai jamais été honnête qu'avec moi-même.
J'ai connu la dangereuse illusion d'aimer.
Je suis quelque chose comme un artiste du rêve.
Et un être double en moi diaboliquement se moque des convictions de l'autre.

1er février

Levé dès l'aurore ; ablutions, courte marche, lecture de la Bible. Toute la journée, j'ai soigneusement occupé chaque moment. Études : français, histoire.

2 février

Je suis un être mené par les habitudes, bonnes et mauvaises, sans distinction. J'ai honte de cela, car j'en ai parfois l'impression d'être une fille qui couche au hasard des rencontres, avec le premier venu, fut-il noir, rouge ou jaune. Il faut encore changer tout cela et faire de ses habitudes des qualités disciplinaires.

Cessé de fumer.

*

La Condition humaine, A. Malraux, 1946.

La vérité sur l'homme se trouve dans les romans de ce genre. Chaque personnage tente d'échapper à sa condition ; c'est terrible. Livre intensément intelligent, dont les phrases sont le sel même de la vie. Comme j'aime la figure de Gisors — sa personnalité qui est un peu mon idéal — et celle de Ferral, de Tchen. Il faut vouloir, mais pas excessivement. Ce livre m'apprend surtout que l'homme, avec un peu d'audace, et de lui seul, dans la défaite même parvient au sommet de la grandeur humaine. J'y prends aussi une terrible leçon, qui agit sur moi comme un coup de fouet mérité. J'ai été faible, veule même.

«Un mépris aussi intense que la colère qui l'inspirait compensa instantanément l'infériorité qui lui était imposée. Il se sentit entouré de la vraie bêtise humaine, celle qui colle, qui pèse aux épaules : les êtres qui le (gardaient) étaient les plus haïssables crétins de la terre. Pourtant, ignorant ce qu'ils savaient, il les supposait au courant de tout et se sentait, en face de leur ironie, écrasé par une paralysie toute tendue de haine.»

Cette même haine depuis des mois m'épuise ; et rien, pas même l'action ne m'est permise, qui pourrait m'en défendre et l'alléger. Je suis prisonnier des hommes et paralysé de mon mépris pour leur tâche facile et absurde. Pourtant, je n'en dois rendre compte qu'à moi-même, et voir à mieux équilibrer les actes à venir. Et voici encore une phrase-preuve dont je ne dois jamais me départir, qui est le contrepoids à tout : «Lucifer est le plus beau des anges, mais il est ridicule parce qu'il a été vaincu.»

5 février

La retraite commence aujourd'hui ; régulièrement, à cette époque-ci de l'année, l'on vient avec cela rendre un peu plus profond notre ennui. Ceux qui ne croient pas restent en cellule, pendant que les «bon-voulant» se rendent en chapelle hypocritement entendre les sermons paternes, catéchisants, douçâtres d'un vieux prédicateur qui rachète ainsi sa pénitence. Je suis de ceux qui restent en cellule ; et j'en profiterai pour avancer dans ma lecture de la Bible. Méditer...

*

J'apprends une chose extraordinaire ! Causant de littérature avec X, sur Marcel Proust dont il vient de lire une traduction anglaise des *Jeunes Filles en fleurs,* il me dit qu'un livre vient de paraître, qui soumet la théorie que Proust aurait commis l'inceste avec sa mère. Cela me bouleverse. Je demande des détails sur ce livre qui dut faire scandale, mais il ne peut m'en fournir... Est-ce possible que le ton si tendre que prenait Marcel Proust pour parler de sa mère résultât d'une coucherie ! Mais alors ! j'ai aussi quelque chose à dire...

*

Au début, je croyais que le choix était simple ; mais de ma vie je n'avais pas encore réalisé l'importance. Toute vie est inutile qui ne tend pas à préciser son rôle. Or, j'ai un rôle unique à jouer sans doute, et qui ne peut être celui de personne d'autre. Jusqu'ici pourtant, j'étais comme ce mauvais acteur qui ne songe qu'à répéter les paroles du souffleur, sans y mettre un peu de lui-même.

«Tous mes biens sont tombés de moi comme un manteau. Il ne me reste plus que l'ajustement de mon corps et de mon esprit.»

(Paul Claudel)

*

J'ai toujours renoncé, avec un peu trop de nonchalance, et dès la première difficulté, à ce à quoi je tiens le plus et qui souvent me serait nécessaire. C'est un complexe d'enfance. Crainte de m'imposer, désir de plaire par la soumission, défaut de persévérance; et puis, opposé à tout cela, l'orgueil maladif de ne devoir rien à personne, tandis que, tout au moins, j'entrerais dans mes droits. Sentiments méprisables par quoi je pèche le plus volontiers, qui sont en moi, composant ma nature, mes défauts apparents, et qui m'entravent le plus. Ces tristes mécontentements de moi-même, que j'entretiens avec chacune de mes fautes à la conduite que je m'étais désignée. J'ai trop paressé déjà, et à cette heure où je comprends en quoi consiste bien faire, sans m'y mettre encore, je deviens plus mauvais et mets en avant toute la méchanceté d'un raté.

Mais vouloir, c'est devenir.

Chaque fois que j'ai plié devant l'adversité, j'ai composé pour mon excuse des fables maladroites qui devaient suffire au moment et dont je me suis servi avec trop de complaisance ensuite. La duperie où j'encourage de pauvres espoirs, c'est d'abord de cela que je dois me sortir.

Mais j'ai toujours voulu recommencer, et par conséquent il n'y a aucune continuité, aucun achèvement en moi. J'ai failli sans cesse à la plus obligatoire des tâches: se parfaire.

En vérité, je sors d'un rêve affreux, où j'ai dépensé le meilleur de moi-même dans une paresse sans intelligence.

7 février

Mes innombrables fautes passées reviennent toutes à la fois m'accabler, et la perspective qu'il me faut les racheter toutes achève de me désespérer de la lutte que je mène contre moi-même. Je ne crains pas cette lutte, je l'accepte même avec joie, mais le démon séducteur qui me chuchote ses va-donc est puissant et ne me quitte jamais. La nuit, la chair me torture, que j'aurais pu, le jour avant, satisfaire dans la jouissance la plus osée. Je suis faible à la tentation pressante, quand l'idée se fixe en moi que je manque quelque chose en repoussant tel plaisir qui me serait abondamment donné. Cette idée devient, au même point que mes fautes, une autre tare désespérante. J'ai peur de n'en plus finir de mes fautes. Je trébuche trop souvent sur la moindre occasion, encore qu'autrement je me comporte comme celui qui se maîtrise et ne se détourne pas d'une exacte discipline. À nouveau, c'est une duperie que je dois avouer. Ah! et je l'ai redit: je veux bien faire, mais c'est encore que, la première impatience passée, il ne me reste plus à suivre que la plus fastidieuse routine, par quoi toute exaltation m'est ôtée.

Dieu, comme Satan, est mauvais.

10 février

Fin de la retraite. Même si je n'accompagnais pas celle des autres — je la dédaignais presque —, j'ai tenu la mienne. J'ai lu, j'ai médité, j'ai été sage. Et jusqu'à ce matin encore, j'étais tout fier du progrès accompli au cours de cette seule semaine.

Ce matin, hélas! j'ai flâné au lit, et tout le jour a été morne, épuisant, inutile. Ce soir, excédé par ces privations, légères au vrai, mais multiples auxquelles je m'oblige, j'ai cru mettre fin à mon énervement en me jetant dans l'autre solitude; celle du plaisir à tâtons où croit se réfugier un homme seul. Mon retombement, alors que j'écris ces lignes, est affreux.

Je me relis. Certes, j'ai tendance à la morbidité; je ne souligne rien que mes fautes; j'affiche les spasmes de ma névrose. On croirait que je tiens à cette misère morale, que toutes mes paraphrastiques promesses de mieux faire ne tendent qu'à étaler avec une joie masochiste la dégradation où je me fourvoie. Vraiment, il paraît que j'y mets de la complaisance. Je ne manque pourtant pas de bonne volonté; mais, outre moi, j'ai affaire à forte partie: ma pauvreté, mon entourage, le diable chuchoteur surtout qui me mène depuis l'enfance. Mon manque pécuniaire d'abord m'empêche sur bien des points, car d'être si pauvre et dénudé de tout m'enlève beaucoup de garantie intellectuelle. Dans un tel cas que le mien, la fierté est de mise, mais à son tour elle nécessite gros d'énergie, et son refuge n'est qu'un autre malaise où se perd une force employable ailleurs. Autour de moi, la moquerie est une arme terrible et l'on ne conquiert pas franchement contre elle. Bien plus, avec la médisance, elle est l'apanage de la bêtise humaine. Tout ce qui tend ici vers l'intelligence passe pour de l'idiotie. Le démon, lui, sait bien mieux que moi toutes ces choses, et il subtilise avec des imprévus séduisants les écueils où je trébuche.

En somme, j'ai fait des efforts sensiblement louables — encore que ma volonté ne se soit exercée que transitoirement. Il faut comprendre le mécanisme du dédoublement de personne qui se produit en moi dès que je me mêle aux autres. Seul, je suis tout esprit; mais dès que je rentre dans les rangs, je ne sais quoi me rend pareil aux autres, inutile à moi-même. Et ces dédoublements réguliers forment de mauvaises habitudes à peu près indéracinables, parce que le moi qui les accepte refait chaque jour les mêmes gestes qui ont amené leur formation. Comme si un ivrogne pouvait sevrer son vice en passant chaque jour à la taverne s'asseoir et regarder boire ses copains. Non, non, son attitude même : moi-je-n'y-touche-plus serait ridicule, et il n'y a pas de personnalités assez fortes — à part les saints et les fous, mais il n'y a plus de saints, et les fous sont des fous — qui peuvent vouloir un revirement aussi complet.

J'inscris mes difficultés ainsi non pas afin d'abandonner la lutte, mais bien de m'y mieux préparer. Je me propose de prendre lentement le pli, peu à peu, presque malgré moi, d'amener cette discipline qui fera de moi l'homme que j'ai le droit d'être. Muer à son heure cette carcasse ignoble dont je suis chargé et reprendre ma sérénité d'avant la névrose.

Le moins possible songer aux mauvaises années.

«Vous avez vu ces années! Qu'aucun de vous désormais soit si perdu qu'il se laisse séduire.

Par la voix semblable de l'homme inconsidéré.» (Paul Claudel)

Et il me semble que Claudel aurait pu écrire :... par la voix redoutable de l'homme inconsidéré...»

*

Voir : *Le Secret de Marcel Proust,* Charles Briand, 1951.
Peut-être est-ce le livre dont me parlait X.

*

Fragments of a Great Confession, Theodor Reik, 1940.
L'auteur est aussi un maître, sorti de ce groupe de penseurs modernes que forma Freud durant l'entre-deux-guerres. Très beau livre, plein d'intelligence et d'érudition. C'est une analyse délicate d'un passage fameux de *Poésie et Vérité,* de Goethe, et se rapportant au premier amour de cet auteur. Écrit dans une prose vigoureuse, ce livre fait pendant à l'oeuvre de Goethe.

Ma vie; une confusion macabre.

*

Je m'énerve beaucoup du besoin de fumer; à vrai dire, c'est une effarante obsession. Gide, dans ses *Interviews imaginaires* je crois, parle de la difficulté de briser l'habitude de la cigarette. La décision est assez facile lorsqu'on veut s'en priver, mais lorsqu'on est à court et que, obligatoirement, il faut s'en passer, il semble que la volonté s'irrite de cette punition. Il faut n'avoir pas un mégot pour que fumer paraisse si bon. J'y songe constamment et cette fixité de ma pensée me désoriente. Mon travail s'en ressent beaucoup aussi.

239

Rien, absolument rien, et pas même le rire, ne vient me divertir de l'injuste vulgarité de l'heure. Il y a peut-être les livres; mais, sans échappées, sans créations, sans échanges intellectuels, la lecture est un vice étrangement impuni, dont l'acte physique seul peut empêcher le lecteur de tomber dans la dégradation du rêve. Je veux parler de la difficulté, ici, d'engrosser intelligemment son intelligence. La vie même qu'on y mène est dépourvue de toute spiritualité. Comment faire?

Au demeurant, je crois qu'il n'y a qu'une seule conduite à prescrire: ici, occuper chaque heure à perfectionner en soi l'art merveilleux de se découvrir, de se connaître, de se parfaire. Du moins s'y peut-il trouver un plaisir infini.

«Il n'avait de plaisir que quand il se tournait en dedans et qu'il regardait en lui-même comme en un puits.» (Sainte-Beuve)

*

F-1454 — *Le Livre de mon père,* E. Henriot, 1938.

Charmant livre où l'auteur se communique, comme à un frère. J'éprouve presque de l'envie contre cet homme sympathique, parce qu'il eut un père si admirable. Toute ma vie en serait changée à moi aussi. La mort d'un père est, après l'éducation reçue de lui, comme une promotion. Hélas! sans père-ami, l'enfant cherche ailleurs où appuyer son admiration, et le plus souvent cette admiration se voit détournée sur d'étranges personnages. Ma propre vie en fait un peu preuve.

*

J'ai la mauvaise habitude de me former des convictions, que je juge indispensables parce qu'elles sont les miennes, quoique, si je prends la peine de les analyser, elles ne valent pas grand-chose. C'est un autre vice à corriger.

16 février

Lettre de L. triste et naïve. Il me raconte avec des nombreux points d'exclamation les duperies — il dit aventures — de ses jours; l'amour bafoué dont il s'exalte pour une agaçante petite frappe, et autour de qui il rôde inutilement depuis une année. J'ai répondu un peu raidement, avec tout le désabusement qui m'est venu pour ces choses.

Je n'accepte pas le corps quand je veux le coeur.

18 février

Éveillé dès la pointe de l'aube, je suis resté au lit à rêvasser paresseusement. De mon lourd sommeil remontait en moi l'atroce sensation de vide, d'inutilité, d'amertume qui me vient des aubes ennuitées et tristement pluvieuses, comme celle-là qui pénétrait à peine jusqu'à mon lit. Dehors, je ne percevais que la grisaille qui retombait mollement d'outre-mur et s'éparpillait en nappes vaporeuses autour des bâtisses. Je déteste cette température malsaine; elle m'étouffe, elle m'enlève une somme incroyable d'énergie. Je n'ai plus goût que de dormir, que de me renfoncer dans la profonde tristesse qui me vient pour toute chose, et pour moi-même par surcroît.

L'étude ce matin me répugnant, j'ai passé la journée dehors, comme il m'est permis, à voir les jeux, à détester le gâchis du sol, à huer ou à applaudir sans grand discernement, comme les autres. En ces retombements où dès que les sens se réjouissent, l'esprit est forclos, je rejoins les autres, les pires voyous mêmes, et me mêle à eux bien plus que je ne le fis jamais dans le passé. J'agis alors avec une sorte de rancune contre moi-même, dans l'affolante réalisation que je ne vaux guère mieux. Revenu seul pourtant, dans ma cellule, le soir, je reprends contact avec ma ferveur, et constate enfin que je ne partage plus leurs rêves. Car la validité de son espoir seul distingue celui-ci et l'écarte heureusement de celui-là.

Atmosphère déprimante; réalisation pénible de chaque jour, de chaque heure, de chaque instant. Le sommeil est une lourde mort; la rêverie, une tromperie dangereuse; le travail, l'absurde fonction de passer le temps. Il faut, tout en ne perdant que la plus petite part de dignité humaine possible, se conformer aux pires hontes. Monotonie abrutissante; conversations vides de sens; repas répugnants; lettres et visites ennuyeuses. Tout sens des responsabilités perdu si non gardé en soi, maniaquement, comme un remords.

*

Je me trace dans ces cahiers tel que je me vois. Je me trouve hideux, nu et démaquillé de mon hypocrite attitude. Chacun cache soigneusement aux regards d'autrui ses tares les plus laides ou les néglige et prétend n'en pas avoir. Je suis confondu de ce que ma vie jusqu'à aujourd'hui n'ait été qu'un mensonge. Je croyais bien me connaître, et voici que ce que je découvre encore me fait peur. Ah! si je parvenais enfin à me corriger de mes fautes! Hélas! comme un personnage de roman, il me semble que «j'ai la victoire dans les yeux et la défaite dans le coeur».

*

241

J'apprends ce soir la maladie d'André Gide. Il serait au plus bas, souffrant d'une infection pulmonaire. Il se meurt peut-être! Cette nouvelle m'afflige profondément et augmente encore mon immense détresse. Ces années qu'il me reste à vivre peut-être, fermées, pauvres, réduites à la bêtise, comme il saurait en faire de belles choses. Ce monde est injuste...

19 février

Et l'on annonce ce soir l'affligeante nouvelle de sa mort. L'émotion me paralyse. Certes, je n'y ai peut-être pas droit, n'ayant pas approché ou écouté, avec la précise ferveur qu'il eût voulue, ce maître sévère; mais elle est en moi, cette émotion, aussi vraie et aussi intense que chez son plus ardent disciple. Je n'ai pas accoutumance aux pleurs, et n'ai pas versé une larme non plus; pourtant, une folle peine m'éloigne de tout. Je voudrais avec des mots de poète rendre hommage respectueux à sa mémoire; hélas! je suis simple, mon âme est pauvre et mon langage limité en-deçà de mon émotion.

Sa mort dans un sens est un avertissement qui m'arrache un voeu; celui de bien faire. Dans la nuit de cette prison, ô maître aimé, je vous adresse cette prière: Puissiez-vous inspirer ma voie, raffermir chaque jour ma constance. Vous pouvez, maintenant, juger de mes faiblesses et les excuser peut-être, en sachant quel passé les amène. Votre vie, certes, à présent m'enseigne, mais je suis faible et l'avenir est un piège. Guidez-moi dans la sincère persévérance qui fut la règle de votre vie et je serai heureux...

*

F-1313 — *Varouna,* Julien Green, 1941.

C'est un beau livre, mais quelque chose m'empêche toujours de goûter complètement les livres de Green. Je ne sais quoi dans sa pensée me paraît superflu et un peu composé; une recherche trop poussée du fantastique qui, au contraire des romans de Kafka, n'est pas nécessaire, n'est même qu'accessoire à l'histoire racontée. Ce genre engage les protagonistes dans une fausse prison, où ils paraissent rester parce qu'ils le veulent. Ils courent après ce qui leur arrive. Il est vrai que, vue en perspective, toute vie fatalement va au sort qui est le sien. Ici, le premier conte, Hoel, m'ennuie un peu; le deuxième, B. L., est fort bien tenu, est fascinant par son audacieuse étrangeté. Le troisième, le journal de la jeune femme — ces contes n'en forment qu'un seul, reliant entre elles des vies dont les destinées sont menées par une chaîne magique —, est celui qui, par sa forme, me plaît le mieux. Des pages nombreuses pourraient en être arrachées, servant à la description de la vie de cette prison-ci. Le livre rapporte un fatalisme terrible, dont la foi même la plus voulue, et quoi qu'en espère l'auteur, ne peut réduire l'angoisse. Écriture souple; pensée intelligente. Sous la légèreté du ton, ce livre est lourd de sens.

Il est peut-être entre quatre et cinq heures du matin, comme j'écris ces lignes. J'achevais justement ma lecture. Je n'aurais pu poser le livre sans en savoir la fin, et c'est sans doute significatif qu'il devait être écrit.

Gide: j'aimerais encore parler un peu de lui, mais je n'ose pas, de crainte de mal dire. Seulement que ma peine est immense, mon admiration respectueuse et durable...

*

Tenir un journal, c'est un roman qu'on lit à quelques pages, de jour en jour.

Mais j'y manque de correction.

...ou bien est-ce que je songe encore?

*

F-570 — *Gigi,* Colette, 1945.

Quelle conteuse charmante est Colette! Mais ici, principalement la petite pièce ajoutée à ce volume, Flore et Pomone, est écrite dans un langage d'une luxuriance merveilleuse. C'est un court chef-d'oeuvre descriptif, de botanique, d'un rien d'art ménager et d'une abondante et simple joie de vivre. J'ai pris un grand plaisir à relire ces quelques pages parfaitement écrites.

*

Souvent j'ouvre au hasard mon livre préféré, *Si le grain ne meurt,* et chaque page me transporte dans ce goût pour l'application que je souhaite garder, mais qui m'échappe dès que je pose le livre. Est-ce qu'enfin ma bonne volonté ne rachètera pas mes fautes passées? Est-ce que je ne pourrai jamais sortir de la honte? Est-ce que, surtout, je ne parviendrai pas à pareille intelligence? Quand je considère que le passé ne mène qu'à un même avenir, je me sens comme enchaîné à moi-même.

Gide, l'homme de ce livre, je le reconnais et je l'aime. Enfant appliqué, il m'enjoint à la persévérance; aventurier, il légitime intelligemment l'audace, préférable à toute stagnation. Il me donne sa vie entière en exemple. En toute occasion, je trouverai chez lui l'aide nécessaire à mon propre perfectionnement.

Ah! je l'ai redit assez souvent: tout est à refaire...

25 février

Maurice Richard, l'étoile du hockey majeur, est venu nous voir. Il a été reçu comme un grand héros par une bande de gamins délirants. J'étais parmi ceux qui ont applaudi discrètement, mais non moins sincèrement à son geste généreux. Toute la population en parle; de sa réserve, de sa belle prestance, de sa gloire. Je suis d'accord en tâchant de ne rien exagérer. Mais un tel événement, extraordinaire dans notre monde muré, aide efficacement au bon moral de certains détenus. On occupera toute l'année à en parler et on oubliera ainsi sa peine. C'est une drogue qui ne coûte pas cher.

Mais cela me fait songer que le public ne porte pas assez intérêt aux détenus. Il faut être ici et porter un numéro pour le comprendre. Réalisera-t-on jamais que le criminel le plus entêté n'est le plus souvent qu'un gamin qui n'a pas toujours eu sa part? Il y aurait trop long à dire là-dessus.

28 février

Beau jour qui m'a pleinement contenté. Or, c'est de moi-même que me vient ce contentement. En agissant selon mon coeur, j'ai trouvé une abondante paix.

Il me semble que je me dépréciais avec une sorte de masochisme vulgaire. Avant tout, ne pas m'abuser en ne soulignant que mes défauts; car l'autosuggestion est sournoisement dangereuse et refrappe celui qui s'en fait un moyen d'excuse. Je ne suis pas l'être totalement obtus, médiocre et veule que je laisse entendre à travers ces cahiers. Certes, j'ai bien des défauts et bien des vices, mais je crois me connaître jusque-là pour affirmer sans fausse honte que je possède aussi des qualités passables.

Chaque retard, chaque indulgence, chaque mensonge que je m'accorde se repaye au centuple et exige toujours sa rançon sur la trempe de mon être. En vérité, chacun de mes vices me détruit peu à peu, me déclasse et m'emprisonne dans un enchevêtrement de complexes pernicieux, d'où je ne ressors que fourbe et névrosé.

C'est entendu: ma chair est faible; mon esprit, par contre, est prompt, et je puis à présent soumettre celle-là à celui-ci pour réagir vaillamment contre les faiblesses du passé. Mon cerveau n'est pas atrophié, j'espère, et je sais de quoi ressortent mes maux, aussi comment les guérir. Mais dernièrement, j'ai commis l'erreur de me livrer à une sorte de mysticisme et je ne pouvais si intensément soutenir en moi une discipline. N'ayant pas de foi aucune, je finissais par rire de mes transports; et d'épouvantables excès venaient ensuite. Plutôt que de prier maintenant, il suffit que je tende vers ce qui me paraît le meilleur, dignement. Je puis, par exemple, m'en tenir à cette description de l'apôtre: «tout m'est permis, mais tout n'est pas utile; tout m'est permis, mais je ne me laisserai asservir par rien...» afin d'acquérir l'indépendance que je souhaite si ardemment.

*

C'est la nuit. On dirait qu'il tempête, mais les fenêtres sont si hermétiquement closes que je n'entends rien qu'un léger sifflement, rageur par saccades. Dans l'aile de la prison, l'atmosphère est lourde, chargée de fièvre et de poison. Tout mon être est engourdi par la touffeur âcre à senteur de rouille qui semble sortir des calorifères, des murs, de tout. En moi, ma peine paraît monstrueusement objectifiée; elle me saisit tout entier, me terrasse, me monte à la gorge, et je me sens étouffé comme par un sanglot pénible. Oui, je touche de mes mains mon immense solitude, et ma détresse m'empêche de dormir.

La rêverie est facile; elle a ceci de dangereux qu'elle mène à une exagération absurde, qu'elle atrophie suffisamment le cerveau du songeur, qu'elle l'empêche de réaliser l'incrédibilité de ses songes. L'adolescent s'y prête aisément, et c'est à ce stade qu'un maître intelligent doit intervenir et tirer le rideau qui sépare la réalité de l'apparent...

Un train tâtonne hâtivement dans la nuit. À son bord, des gens roulent vers l'ailleurs inconnu. On ne se doute pas que, tout près, le long du train presque, plus d'un millier d'hommes ici gémissent dans la pire des solitudes. C'est monstrueux, les choses que l'on accepte dans la vie. Les voyageurs dans ce train sont absolument oublieux de nous, et ceux d'ici même, les fonctionnaires — et je ne parle pas des césaristes —, ne réalisent rien. Ils ne réalisent pas que ceux qu'ils se pressent de renfermer le soir, selon les ordres reçus, passeront la nuit tout à fait seuls, chacun dans sa cellule exiguë, en proie à toutes les craintes, à tous les remords peut-être, à toutes les tentations sûrement. Non, tout ce qu'on veut, c'est punir, et cela aussi est insensé.

*

J'aime de plus en plus les mots, et j'ose espérer que c'est un signe d'avancement intellectuel. Je lis le dictionnaire avec le même intérêt que je prends à lire un beau livre. D'un terme à l'autre, j'éprouve une excitation sans cesse croissante, par quoi je découvre tout un monde nouveau. J'ai pris comme étude la connaissance du terme exact. Il me semble que c'est le fond d'une méthode logique de penser. Il ne s'agit encore pour moi que de mnémonique, mais sûrement la pratique d'un bon style pourrait en résulter.

Ce que j'en dis n'est pas d'hier; j'ai pourtant compris ce soir plus précisément le rôle vital des mots. Chaque mot a sa précision que le synonyme le plus proche ne peut remplacer. Par conséquent, est-ce une règle de bonne pensée que de connaître le plus grand nombre de mots possible. Je voulais tantôt expliquer un fait d'ici; or, je ne trouvais pas l'expression juste, mais je tombe sur ce mot: sortant, qui dit tout à fait ce que je veux dire, en parlant des entrants et des sortants. Ces deux mots fort simples et familiers, ils prennent soudain une signification nouvelle, qui précise ce que j'ai à dire.

*

F-1474 — *Le Beau risque,* François Hertel, 1945.

Simple histoire d'une adolescence en quête de pureté, vue par un père jésuite, professeur du garçon. C'est court, bien dit, lyrique un peu. Mais comme ce petit livre évite de justesse la sentimentalité la plus niaise. Par chance, l'auteur, qui est lui-même un religieux je pense, y apporte une fine poésie d'humaniste, par quoi il s'adresse personnellement aux jeunes âmes et les engage dans la voie du travail, dans une vie spirituelle faite d'abord d'intelligence. Vraiment, ce livre renferme de jolies pages, encore que leur portée soit avant tout catholique.

*

Toutes ces lectures tenues par hasard ne m'apportent pas grand-chose que déjà je ne pouvais trouver dans ma Bible. Je crois qu'il vaudrait mieux cesser d'égarer mon esprit dans tous les livres disponibles. Oui, d'ici juin, par exemple, ne suivre qu'une lecture; relire la Bible, assidûment. Les Épitres de Paul, surtout, dont je veux assimiler la vigoureuse logique.

«Il faut intarissablement se passionner. En dépit d'équivoques découragements et si minimes soient les réparations.» (René Char)

Ne point perdre ces spontanéités rares qu'il m'est parfois heureux hasard de ressentir.

Vivre si intensément chaque minute, qu'elle m'amène à la connaissance de mon être. C'est ainsi que je pourrai réparer la honte des mauvais jours.

Je ressens mon passé aussi tragiquement qu'un remords.

*

«Décide seul de ta tactique. Ne te confie qu'à ton sérieux.»

Comme avec Robert, j'ai rompu hier avec mon passé... Ces voluptés jouies sans même en laisser le souvenir... j'ai la vie devant moi; le présent est dur, mais l'à-venir est beau. Je suis seul, fièrement. Mon coeur est dur et mes mains sont vides, mais je m'occupe de raconter mon espoir et cela m'instruit.

«Seule est émouvante l'orée de la connaissance. Les commodités sont mortelles.» (René Char).

*

Ah! Satan, que n'es-tu pas! Je pourrai me damner aussi, et tout comme Faust signer avec toi un pacte...

Agir! Je le voudrais bien, et me vois obligé ici de combler d'ennui des heures absurdement vides...

Jusqu'à cette heure, j'ai cru innocemment que ma vie s'arrangerait toute seule, et je n'ai osé que des efforts hésitants. Certes, j'ai vécu dangereusement, mais par le bas, en laissant à l'ignoble des années de ma vie. C'est l'esprit qui fait foi de toutes choses.

*

Je ne suis pas si complètement seul que je ne puisse soutenir ma ferveur. À chaque instant, un cri rauque, un éclat de voix, un gros rire, un beau gamin qui passe me souriant, et viennent ces embûches me distraire de l'essentiel maîtrise de mon être.

Toute présence étrangère m'intimide, ou m'offusque, ou m'excite.

La sincérité n'est pas la vérité, mais elle y conduit.

Et je me consume dans le souci de bien faire.

*

Remémorisé les 52 premiers vers du *Livre de Job.* Pour quelque temps, j'avais délaissé ce devoir; or, voici que, les vers appris déjà, déjà je les avais perdus. C'est une misère combien ma mémoire est peu sûre. Je dois sans cesse revoir ce que je ne veux pas oublier. Et c'est durant le jour, lorsque j'accompagne les autres, qu'une sorte de lente décomposition se fait dans mon intelligence, tout ce que j'avais assimilé de bon la veille s'éparpille au matin hors de moi comme une poussière dans le vent. La transition est si brutale qu'elle paralyse toutes mes facultés, au point même que j'hésite de peur, car il me semble assister à mon commencement de folie. Je voudrais tant garder intactes les belles heures de nuit où je pense.

247

10 mars

Levé un peu tard, bien que dès l'éveil. Le plein-jour réfléchi par la neige entrait tout blanc et coulait sain dans mon lit. J'étais tapi, face dans l'oreiller, quand en ouvrant les yeux j'aperçus soudain cette blancheur splendide qui me baignait. J'ai sauté hors du lit, mais déjà la cloche signifiait l'heure du lever. Ma joie première est devenue terne. Rien n'annonce, me dis-je, que ce jour amènera le bonheur.

Été à la cuisine. Retrouvé là deux compagnons. Le premier d'abord : ossu, court, point joli ; mais sans façons et le meilleur camarade de tous. Le seul, il me semble, qui soit toujours à son naturel. Pas envieux pour un sou, malicieux comme un gnome, et de forfanterie point ou si spontanée qu'elle a son mérite ; il cache un coeur d'or sous un air bourru. Malgré qu'il portât son bras droit en écharpe (il s'est encroché la main droite de part en part sous le poids d'un boeuf qu'il voulait suspendre), il a tout préparé mon repas lui-même. Et, ma foi, ce fut un repas de prince, que j'ai dégusté lentement, au seul plaisir de manier la coutellerie.

Le deuxième compagnon, c'est L., est plus complexe, étant sensiblement plus intelligent — du moins d'une intelligence plus avertie, lorsque l'autre est naïf, jeunet même —, mais il est égoïste aussi ; c'est-à-dire plus faux et prétentieux. Je l'ai retrouvé excité, poseur encore et jamais franc de regard. Tout ce dont il parle sert à le vanter, à le dresser à ses propres yeux. Entre nous sa prétention, qui ressemble à une coquetterie, me choque et toute conversation bientôt est impossible. Il faut se contenter de bavarder sur les plus ineptes racontars. C'est vite ennuyant et je ne fais que de médiocres efforts pour remonter la conversation. Pourtant, je regrette ce malaise qui s'interpose entre nous, surtout que je ne peux plus atteindre sa franchise.

Il y a trop de choses brisées entre nous pour que notre amitié reprenne. Il y a nos natures dissemblables : son rire aigu, ma tranquillité. Il y a aussi deux gamins mal aimés.

Surpris des réparations apportées à la cuisine ; presque une étable au début, c'est propre maintenant, blanc partout et libre des vapeurs grasses qu'un gros ventilateur aspire. Mais la plupart de ceux qui y travaillent ressemblent encore à une truandaille.

*

The Two Worlds of Johnny Truro, G. Sklar, 1947.

Un roman qui me semble avoir une certaine valeur ; qui ne peut en tout cas être plus mauvais que la plupart des romans américains parus ces dernières années. Mais je ne l'ai que feuilleté. Il m'a été prêté ce matin, comme un mauvais livre. Ici, tout livre où se trouvent ces mots : seins, hanches, cuisses, est aussitôt qualifié de roman pornographique. Personne ne songe que cela implique parfois une turpitude morale chez l'auteur. J'ai eu ce livre à mon tour, d'après la muette entente tenue entres les gars, qui veut qu'un livre passe de main en main, comme outremur on se repasse une fille entre copains. Je goûtais bien ces lectures jadis ; et cette fois encore l'envie a été si forte que j'ai imaginé toute une série d'épisodes obscènes sans même m'apercevoir de l'abjecte rêverie où je retombais. Cependant, je parcourais les pages, et j'ai vu que ce n'était pas un mauvais livre, que c'était même un bon livre. Je n'avais pas tout le temps pour le lire, et je me suis empressé de le remettre au suivant qui attendait avec une impatience que je puis qualifier à mon tour d'onastique. Et quoique je n'eusse aucun souci de sa moralité, je lui ai déprécié le livre en lui disant qu'il n'y trouverait pas autant qu'il y chercherait. Je pense qu'il m'en a voulu d'avoir gâché son plaisir ; c'est-à-dire de lui avoir ôté ce qu'il voulait à tout prix trouver. Oncques ne se vit en moi telle austérité.

Et ce soir, par application, j'ai lu l'Épitre de Paul aux Romains. Certes, il me manque la foi, mais je n'en suis pas moins sensible à l'intelligence et à la sincérité. J'entends Paul où il engage le disciple à vivre selon l'esprit plutôt que selon la chair, celle-ci ne menant qu'à la perdition de la dignité humaine. Ce qu'il dit de Dieu a moins d'effet sur moi. D'abord parce que, pour moi, Dieu n'est pas ; ensuite, il est dans l'erreur, et sa logique à son insu accuse Dieu d'être mauvais. Mais, par contre, toutes ses paroles de maître exhortant à être fervent d'esprit valent d'être entendues et écoutées. Ah ! je n'ai point honte d'admirer l'écrivain ici ; aucune littérature, ancienne ou moderne, ne contient de pages plus belles que celles-ci, où l'apôtre décrit les faiblesses de la chair. Ce conflit de la chair et de l'intelligence, ces angoisses de l'esprit devant les appétits indomptables du corps, moi aussi je les ai connues, qui tiennent en une seule phrase que je citais déjà, au tout premier de ces cahiers, et que je veux citer encore ici : «Je ne fais pas ce que je veux, mais je fais ce que je hais.»

«En effet, nous savons que la loi est spirituelle : mais moi je suis un être de chair, vendu au pouvoir du péché. Vraiment, ce que je fais je ne le comprends pas : car je ne fais pas ce que je veux, mais je fais ce que je hais. Or si je fais ce que je ne veux pas, je le reconnais, d'accord avec la loi, qu'elle est bonne ; en réalité ce n'est plus moi qui accomplis l'action, mais le péché qui habite en moi. Car je sais que nul bien n'habite en moi, je veux dire dans ma chair ; en effet, vouloir le bien est à ma portée, mais non pas l'accomplir : puisque je ne fais pas le bien que je veux et commets le mal que je ne veux pas. Or si je fais ce que je ne veux pas, ce n'est plus moi qui accomplis l'action, mais le péché qui habite en moi.

«Je découvre donc cette loi : quand je veux faire le bien, c'est le mal qui se présente à moi. Car je me complais dans la loi de Dieu du point de vue de l'homme intérieur ; mais j'aperçois une autre loi dans mes membres qui lutte contre la loi de ma raison et m'enchaîne à la loi du péché qui est dans mes membres.

«Malheureux homme que je suis! Qui me délivrera de ce corps qui me voue à la mort?» (R. 7, 14)

Depuis, toute la psychanalyse moderne n'a rien dit de mieux, les mots seuls ont changé pour signifier la même chose. C'est ainsi de moi; je sais à présent ce qui est bon pour moi, mais le plus difficile à présent, c'est de l'accomplir.

Je ne comprends pas que l'on n'ait pas songé à imiter l'oeuvre de Paul, ou du moins à le séparer du reste de la Bible, en l'éditant à part. On l'a fait peut-être mais pas que je sache. Quant à l'imiter — j'entends rendre exactement le style et de son langage et de sa pensée —, Gide est le seul, je pense, qui ait su le faire, qui ait pu le comprendre en cela. *La Porte étroite,* par exemple, tient d'une même morale.

13 mars

Je tiens bon aux grandes règles de ce que je me suis résolu, mais je cède souvent à de petits caprices. La paresse surtout m'est un vice tenace; je tourne, furète, cherche mille excuses avant de me jeter au travail. Et j'ai repris de fumer, une cigarette par ci par là. Je le dis, point pour informer, mais pour m'en faire le reproche à moi-même. Chaque excuse est une erreur grossière. Je ne dois rendre compte qu'à moi-même.

Les lumières étaient éteintes depuis longtemps déjà. Adossé au mur contre lequel mon lit est fixé, je songeais aux plus belles choses que j'espère pour l'avenir, quand mon attention fut prise par l'imperceptible mouvement d'une ombre, sur le plancher, au-delà de la tête de mon lit. Je me suis penché pour voir un cafard énorme, enflé, ventru, aussi gros qu'un méloé. Il avançait péniblement, traînant son lourd abdomen rempli d'oeufs. Il cueillait des miettes, en enjambant maladroitement les inégalités du vieux plancher de béton. Cet insecte m'écoeure. Je le déteste et n'attends que le moment où je pourrai l'écraser. Il s'avance en zigzagant vers ma cellule, et la lumière de veille gigantesquement le silhouette. Je vois tous les détails de sa frêle membrature; quand il ne bouge plus, elle paraît transparente comme une goutte de sang curieusement coagulée; quand il repart, ses pattes longues et grêles se soulèvent hautes et lentes, maladroitement chercheuses. On dirait qu'il nage... De ces insectes, il s'en trouve partout, et je dis que c'est un révulsif que de les voir noyés dans la nourriture...

14 mars

À cause de l'indolence de ma nature, chaque résolution devient stoïque. Mais «Jugez-en vous-mêmes».

Mon application, et ne dure-t-elle qu'une heure parfois, me cause une joie toujours plus grande d'un relèvement moral à l'autre. Ce contre quoi je dois lutter est si ardu que je retombe dans mes habitudes mauvaises sans même m'en apercevoir. Naturellement, chaque rechute m'attriste à neuf. Il faudrait que, près de moi, le maître se tienne, férule en main.

Pourtant, je demande à ma volonté un effort soutenu. S'il n'en dépendait que de ma conduite, c'est-à-dire si je pouvais être seul à la journée longue, avant longtemps certes je serais guéri des vices qui me portent à la fainéantise. Mais le mérite en serait moindre. Et je crois bien que c'est encore une faiblesse que d'avouer ces choses. Il faut penser que je me trouve depuis longtemps dans ce misérable lieu de peine et de honte, sans d'abord m'y défendre de la trêve qu'y offre la rêverie. Maintenant, je m'y trouve enchaîné et, pas plus que Prométhée de son aigle, je ne puis me défaire du piège que présente chaque jour, chaque sortie, chaque rencontre. Du reste, le seul mérite que je puisse en retirer vient de ce que je veux tant m'appliquer, même si mon application est parfois rétrogradante. C'est ce par quoi je me console; à la plus précaire ferveur s'attache un double mérite, et, souvent, le plus souvent même, une bonne disposition un instant encouragée prépare son propre succès, malgré qu'elle vacille au début. Aujourd'hui est fait d'hier, demain d'aujourd'hui; c'est la seule maxime qui compte. Cette ordalie où je m'oblige afin de me disculper du mal, au mal parfois me condamne. Sans cela nul mérite, n'ayant pas à lutter. Et moi, ce n'est pas Dieu qui me juge, mais le Diable.

*

Des photos montrant l'impressionnant spectacle de deux filles nues qui copulent (!) et s'amusent autrement avec un jeune cheval sont depuis quelques jours passées de main en main. Ces filles vont même jusqu'à provoquer l'animal avec leur bouche. J'ai moi-même regardé ces photos avec une curiosité que je voudrais qualifier de perverse, mais je me demande s'il ne faut pas plutôt en être amusé. En somme, je ne cherche pas à tirer morale d'un vice et je ne prends pas ma leçon dans l'air, mais devant moi, dans le fait même. Ces filles nues et joueuses?...

*

Je reprends Schopenhauer, au début du quatrième livre de son *Monde...* J'y découvre une signification nouvelle et qui s'adresse à moi particulièrement. À cette heure où j'y prête un esprit mieux informé, il me semble que s'ouvre le livre. Je note ce passage d'un pessimisme inespérant, mais si vrai: «Nous menons notre vie avec autant d'intérêt que de sollicitude et aussi longtemps que possible, tout comme l'on souffle une bulle de savon aussi grosse que possible, quoique l'on sache parfaitement bien qu'elle finira par crever...» Mais c'est avec cette même lecture que je me relève un peu de ma lassitude. Car j'ai besoin de la lutte. Sans doute, je ne suis pas meilleur que j'étais, mais je suis préparé à le devenir... Et j'ai devant moi de belles heures de tranquillité à mettre à profit dans la lecture...

18 mars

Bout de conversation avec G. C'est presque une fille. Entre nous toujours s'accomode un ton d'intimité chuchotante qui me bouleverse. Je n'en laisse rien voir; mais, en mon for intérieur, je sais que je devrai lutter contre lui, si je ne veux pas aller jusqu'au désir... C'est extraordinaire comme la plus petite confidence me trouble. Et puis, pour la première fois peut-être, j'ai vu ses lèvres. Elles sont minces, bien formées et roses — rose tendre, ah! mais tendre! Elles disent aussi la promesse du plaisir.

*

Une étude sur la philosophie moderne, «La Philosophie peut-elle se passer du philosophe?» par Jean Grenier, parue dans la *Table Ronde,* novembre 1950, correspond exactement à ma pensée. Un passage en particulier signifie tout ce que j'aurais voulu exprimer: La philosophie, «je m'assure que si elle ne répond pas aux questions posées par le coeur, elle donne au moins à mon esprit une satisfaction. Jeune, je ne pensais qu'à être libre. Je suis heureux aujourd'hui de connaître le mur comme surface à déchiffrer plutôt que comme obstacle à franchir. En tout cas je suis heureux d'être arrêté par lui. Le serai-je définitivement ou ne le serai-je pas? C'est une épreuve décisive. *La hora de la verdad;* * celle qui à la fin de la corrida décide de la vie ou de la mort du matador. Être acculé! C'est un sentiment noble que d'en avoir le désir. Et si je suis vaincu, ce ne pourra être que par une force qui m'est supérieure. J'en serai honoré. Tout chemin de la connaissance doit être un chemin de Damas.»

En somme, c'est un parallèle avec l'aventurisme de Gide; la défaite de l'aventurier étant préférable à la stagnation du prudent. Je m'arroge aussi le droit de me préparer à l'aventure; vivre dangereusement, mais inspiré, guidé, soutenu par l'intelligence.

* L'heure de la vérité.

G.! ça, par exemple, je deviens fou. Je suis torturé entre le devoir de le fuir et le désir de lui plaire. C'est enfantin! il faut me combattre en tout, ne pas laisser un instant libre aux instincts. Je voudrais jurer que ce n'est pas du désir que j'éprouve pour lui, mais une fixation qui me tourmente, je crains pourtant que c'est encore la même chose. C'est inévitable, je m'obsède sur des riens.

*

Il n'est pas bon sans doute de juger du milieu où l'on vit; tel ami qu'on croyait intelligent, loyal, admirable, se découvre stupide, cauteleux, vulgaire. Et c'est ainsi que se révèle le vrai visage du monde; on s'y place avec orgueil. En vérité, j'ouvre les yeux à ce qui m'entoure et je m'en trouve profondément désabusé. Mais je n'ai pas le droit de juger les autres tant que je serai comme eux.

Achevé de mémoriser le second discours de Job :

«Oh! si l'on pouvait peser ma douleur!
Et si toutes mes calamités étaient sur la balance,
Elles seraient plus pesantes que le sable de la mer;
Voilà pourquoi mes paroles vont jusqu'à la folie...»

*

Échangé quelques mots avec L. Nous sommes malhabiles à nous exprimer; plutôt que de développer ce que nous pensons, nous coupons par le plus court, par le plus vulgaire, par le plus trivial. Gamins fastidieusement affectés, nous parlons de choses au-dessus de nous, avec des mots toujours les mêmes, et qui suffisent à peine au plus élémentaire échange d'idées. Il en résulte qu'au lieu de nous entendre nous nous disputons.

Il est décidé à se faire transférer dans une autre prison, sous prétexte que, céans, il est contraint, frustré, fainéant par l'habitude du lieu. Je l'encourage, mais je crains qu'il ne puisse pas plus, ailleurs, donner assez de soi pour devenir un autre qu'il ne semble pas pouvoir être. Où que l'on aille, on apporte toujours son Id avec soi.

Pendant que nous parlions, Untel rôdait autour de nous. S'il savait quelle perfidie possible je vois dans son visage. Sa personne m'est vilaine d'une façon que je ne puis exprimer.

À un moment, L. m'a répliqué: Tu parles comme un disciple, mais rien n'empêche qu'avec ta belle volonté tu n'as pas accompli grand-chose jusqu'à maintenant.

Ah! tu es cruel, lui ai-je répondu. Si tu savais tous les vices qui me tenaient, il y a quelque temps à peine, et dont je me suis libéré.

Mais dès que j'eus parlé, je sentis que je mentais et qu'à la vérité je n'avais rien achevé comme il le devinait, et que je me retrouvais le même être veule qu'avant. Le désir est en moi, mais non la ferveur.

Réaliser quelque chose, me dit-il encore, ce n'est pas l'accepter.

Précisément, et c'est là que se trouve notre faiblesse.

*

Un rêve. Aucun détail ne me revient, mais je me suis éveillé en riant et en disant tout haut : «Alors, il ne manquait plus que ça.» Il me semble que ce rêve m'eût révélé quelque chose d'essentiel. À l'avenir, noter mes rêves.

Lourdeur de tête ; fatigue générale ; vertiges légers, fréquents.

*

Ma mère disait souvent à tout propos : il y en a potée... Et notre langage d'ici emploie presque exclusivement cette expression pour indiquer l'abondance. Or, cette expression est plus espagnole que française. Elle s'emploie le plus précisément pour désigner l'abondance d'un mets, d'une boisson, d'une pluie. *Bebo cerveza a pote; llueve a pote; de leche, podra comer a pote.* * Le Larousse espagnol dit : «*Pote m. (lat. potus) vaso de barro de diversas formas y usos. A pote, adv., a pote, abundantemente.*» ** Ne faudrait-il pas écrire selon la grammaire espagnole, comme on écrit : *ad absurdum,* etc., c'est-à-dire sans accent ni e muet ?

*

Voir : *Darkness and Day,* I. Campton-Burnett, 1951
     The Scholar Adventures, R.D. Altick, 1951

1er avril

Premier beau jour du printemps ; un peu frais encore, mais sain, ensoleillé et comme appelant la joie. Dès le lever, je me mourais de l'envie

---

* Il boit beaucoup de bière ; il pleut à boire debout ; il pourra boire du lait jusqu'à plus soif.

** Pote... récipient d'argile de formes variées et aux usages multiples. ...adv., ...abondamment.

de sortir et de courir au hasard. Ma fièvre était telle que j'eusse voulu pouvoir prier et remercier la personnification du Dieu, le Soleil. Mais comme le présent est soumis, je l'ai calmée, cette fièvre, encore que moins pressante elle me suffit. Ce sera un beau jour pour moi.

Conversé un peu avec A.D. Il me prête à nouveau des livres — une exégèse des oeuvres de Platon, et la *Philosophie universelle,* d'Aldous Huxley —, et il remet gracieusement sa bibliothèque à ma disposition. Je ne sais comment le remercier. Il me semble que je lui en veux un peu de lui devoir mes lectures les plus belles. L'opinion d'ailleurs que je m'étais formée sur lui manquait de franchise. Sa jactance me rebutait et faisait de lui un noli-me-tangere frondeur. Mais dernièrement, j'ai reconnu son désir de perfectionnement intellectuel, et son amitié m'est beaucoup plus chère. Il excite en moi l'intérêt que je porte aux questions littéraires. Comme il est difficile d'engager une conversation avec lui, je me contente de le laisser parler et d'écouter, le plus attentivement possible, l'entremêlement de ses propos. Il sait être intéressant dans le domaine de l'esprit, car il eut le bonheur d'entendre des maîtres. Quel plaisir n'ai-je pas eu lorsqu'il me racontait une conférence de Saint-Exupéry; son maniérisme distrait, l'élégance de son langage.

Il vient de présenter, dans le *Foyer littéraire,* une petite revue d'ici, un hommage à André Gide. Son intention était, je suis porté à le croire, la meilleure du monde, mais il n'a pu s'empêcher d'y mettre une prétention et une morale étroite qui est habituelle aux bien-pensants; et par quoi l'hommage qu'il voulait rendre à celui qu'il nomme son maître se termine dans une ridicule phraséologie.

Car il est l'ami des prêtres; et cela me choque un peu, cette amitié employée contre Gide.

*

Nostalgie

        Être ailleurs...   (Charles Péguy)

«Je serai donc toujours triste dans la gaieté,
je ne pourrai donc pas captiver la lumière,
et, dans mon coeur semblable à la rose trémière,
la faire resplendir par un matin d'été?

Je ne pourrai pas goûter la volupté
que l'amour nous promet en sa fraîcheur première,
et m'endormir le soir, à l'heure coutumière,
en parcourant en rêve un pays enchanté?

En tous lieux et toujours, un infini m'appelle,
même dans un décor qui séduirait Appelle,
même dans les douceurs d'un émoi partagé.

Le spectre de l'Ennui, cruellement m'oppresse.
Ah! qui me donnera l'inexprimable ivresse
de me sentir guéri de ce désir que j'ai!

Auguste Bergot

3 avril

Jour triste, irréductiblement. Saleté, neige et pluie. Le sol est une boue visqueuse où il faut vivre seize heures, les murs suintent une humidité grasse. De partout montent des relents de marécage. Je suis au plus profond de cette torpeur habituelle à mes découragements. Il me semble que je suis un reptile. Mon abattement est atroce.

Mon existence se décrit par le mea maxima culpa. Blasphèmes et misère! ces périodes d'excès me ramènent à l'idiotie pathologique d'où, à certains moments de lucidité, j'espérais sortir. Mais j'en suis encore au même point. Tout est à refaire.

J'ai tâché de me convaincre que demain sera meilleur.

5 avril

La lecture de la Bible m'est profitable, la nuit; à ces heures où il me semble que je suis en paix avec moi-même.

6 avril

Je suis dans une grande confusion. Mon être est comme hors de ma portée, et je n'ai plus aucun contrôle sur mes instincts. Pourtant, je ne sais par quel subtil organe, je ressens avec une acuité très vive cette apathie de ma volonté. Je n'y peux mais, et me trouve mécontent de tout, du temps qu'il fait, de la voix de mes voisins, de moi-même surtout.

Ah! comme l'heure est lente à passer.

F-1379 — *Voyageur sur la terre,* J. Green, 1930.

J'aimerais ainsi traduire correctement la pensée fuyante de l'instant. Beau livre.

*

La poésie, la pensée enfin que je cherche, je n'aime pas la dévoiler, la laisser entendre aux autres. Elle me gêne encore. Je veux dire qu'elle m'intimide, car bien que je la tienne pour la seule qui puisse me convenir, mon éducation mauvaise exige devant la bonne pensée des efforts de dissimulation qui me donnent un malaise extrême. Ainsi, dès que je m'approche d'autrui, je perds la voix intérieure qui me guidait, qui m'instruisait, qui me fortifiait. Je suis né pour être seul.

*

Je tombe souvent dans une profonde mélancolie; le soir surtout, après une journée où j'ai été le plus souvent seul et retourné en moi-même. Je tiens alors un dialogue avec ma lassitude et je me redis les à-quoi-bon les plus désespérés. Ces crises, généralement, durent jusqu'au matin. Il me semble que la nuit est venue à jamais, que je ne verrai plus le jour où se calmera ma souffrance et où m'apaisera un espoir neuf. Rien ne peut me sauver de cette tristesse qui, périodiquement, empoisonne mon existence; la lecture m'énerve, toute pensée me fuit, et j'éprouve l'abaissement d'être un idiot. D'aucuns échappent au moyen de la prière; mais, je ne sais plus prier, et veux d'ailleurs me suffire à moi-même. Ce qui m'accable est une tristesse à sec, le spleen d'un idéal possible bientôt, à l'instant même peut-être, si le passé de mes échecs n'intervenait pas implacablement pour empêcher la réalisation de cet idéal qui me hante toujours et vers lequel je m'acharne sans cesse, comme Sisyphe son impossible achèvement.

13 avril

Un rêve. Je voyais rire G. Je ne l'entendais pas; c'était un rire muet. La signification de ce rire, je ne voulais pas me l'avouer avant ce rêve. Je voyais l'intérieur de cette bouche largement rieuse, les palpitations provocantes des muqueuses rouges et mouillées. Un véritable tableau surréaliste.

14 avril

À l'atelier. Il est trois heures de l'après-midi. Les autres fument. Je me suis réfugié dans un coin pour y être seul. Autour de moi tout dénote la prison: lumière jaunâtre, tamisée par les fenêtres sales et grillagées; vieilleries qui traînent partout comme abandonnées par l'usage; ferrailles; odeurs grasses d'huile et d'acide. Implacablement, c'est un lieu de misère. Je souffre sourdement de la laideur qui m'entoure. Laideur physique et d'autant plus choquante, contre quoi toutes les fibres de mon être se tendent. Je me sens repris par une immense lassitude. Retiré dans ce coin d'ombre, j'y cherche le silence tandis que les autres fêtent en tonitruantes palabres les dix minutes de repos. Ah! je sais bien qu'ici je n'ai rien de spécial à dire, qu'aucune inspiration ne soulève mon âme, mais il faut aussi que je maintienne ma ferveur. J'essaye d'apaiser par ces écritures les tumultes de mon égoïsme, pour entendre à nouveau mes voix intimes et échapper à l'effarante réalité du lieu. Autour de ma personne, encline à sa propre discipline, rôdent... Mais quelqu'un vient, qui me croit désoccupé. Il commence à m'entretenir des mauvais repas. Il parlera longtemps et je n'ai pas le courage de le rebuter, bien que j'y songe. Il parle beaucoup déjà, au moment où j'écris vite, et illisiblement pour lui, ces mots...

À chaque jour suffit sa peine, mais c'est une entrave que je m'impose. S'il me fallait dire comment j'attends, et prévois même, les beaux jours où je pourrai partir. Fuir!...

*

E-3289 — *Escape With Me,* Osbert Sitwell, 1939.

Cette lecture me fait du bien. En plus de parfaitement inviter au voyage, Osbert Sitwell amuse par ses observations colorées et pleines d'humour.

C'est tout ce que j'en dis, sans me permettre d'en critiquer le style ou la forme — au fait, un style un peu sautillant —, car je n'en ai pas le droit devant cet admirable écrivain anglais. Ma faim des voyages est éveillée à nouveau. Je me demande avec crainte, maintenant que le monde est policié par des états d'alertes et de guerres froides, si je pourrai jamais contenter cette faim qui me tourmente depuis vingt ans, aller même au-delà des frontières des provinces, comme en ce temps dont parle Sitwell. Il n'y a plus nulle part de liberté sur la terre. Il n'y en avait pas en ce temps-là non plus, mais on y pensait moins.

*

A Rage to Live, John O'Hara, 1949.

Puissant livre que j'ai lu d'une traite, fort avant dans la nuit. Grace est une femme admirable.

*

Ne cherche pas l'occasion, n'y songe même pas.
Ne t'occupe pas d'autrui.
Rassemble en une même intelligence toutes tes instinctives ferveurs.

258

American Hunger, Richard Wright, 1949.

Voir: *Black Boy*

Mon état dans la société est aussi celui d'un nègre. Mais ce qui compte pour l'enfant pauvre, fut-il blanc ou noir ou rouge, c'est l'opportunité qu'on lui donne de s'instruire! Je dis instruire, et non pas le forcer d'ânonner les règles d'un catéchisme. Cheu nous, les petites soeurs grises et autres soutanés de même acabit, doivent encourager l'instruction, et que font-ils? Un sarcasme tue l'enfant de six, sept ans. Pour paraître intelligente et faire rire les autres, une soeur m'a tué, comme elle en a tué tant d'autres avant et après moi. Qu'est-ce qui différenciait mon enfance de celle des nègres des plantations? Rien. Lui, du moins, s'il s'éveille, comme l'a fait Richard Wright, découvrira le génie de sa race.

Peut-on dire à l'esclave: défends-toi de tes chaînes? Eh! c'est pourtant ce que l'on fait, hypocritement.

19 avril

Matinal lever. Dehors, l'air du matin est doux, mais le ciel est fermé à la lumière. Il pleuvra — il pleut déjà, et la grisaille contre quoi se dressent les bâtisses est pénible à voir. Je débute ce jour comme portant sur mes épaules une accablante tristesse. Ah! j'adorerai le soleil des chauds pays...

*

Je passe la plus grande partie de mon temps à lire.

*

Théâtre, André Gide, 1942
Saül, drame en cinq actes, 1896
Le roi Candaule, trois actes, 1900
Oedipe, trois actes, 1930
Perséphone, opéra en trois tableaux, 1933
Le treizième arbre, plaisanterie en un acte, 1935

*

The World's Best, Ed. Whitt Burnett, 1950.

Une grosse anthologie réunissant cent cinq des écrivains contemporains les mieux reconnus. Beau choix — Gide figure en tête de ces écrivains, et parmi les dix premiers sur tous les principaux scrutins —, présentation riche, lectures précieuses.

*

Gong Tsou dit à Fou Tseu: «Il y a le bien et il y a le mal. Mais qu'est-ce qui est le bien, et qu'est-ce qui est le mal? Pourquoi est-ce mal de tuer son prochain si l'on en tire une joie considérable, et si, par surplus, le prochain n'en souffre pas au point de vous égratigner dans un dernier sursaut?...»

*

Nous manquons de tout, et tout à présent nous est nécessaire.
J'ai appris ici à aimer la nature, à désirer la beauté, à ennoblir ma solitude.
J'y ai raffiné mes sens.
Mais je vivrai par revanche de ces jours-ci.

*

N'entends-tu pas le frissonnement des jeunes plantes, le soir, et comment elles se plaignent du froid qui les pénètre? J'ai vu les ailes bleues de jolies hirondelles; aussi verdir l'herbe tendre, et le ciel s'azurer...

*

F-5343 — *Peintres et sculpteurs,* Michel-Georges Michel, 1942.
De Picasso à de Grou et de Rodin à Stein, tous ces poètes étranges du pinceau et du ciseau.
Quant à M.-G. Michel, il me semble profiter un peu de ses fréquentations. Je veux dire qu'il n'est pas un auteur de conséquence, qu'il a eu l'heureuse occasion de vivre dans un milieu intéressant. Certes, il ne manque pas d'intelligence, de ce talent boulevardier surtout, dont le Français semble débordant et dont il fait bonne chère. Mais il ne peut être question que son oeuvre dure.

*

Il m'arrive quelquefois de relire ces cahiers. Je me surprends, à revoir ces inintelligentes écritures, à y chercher un intérêt que je ne me suis point soucié d'y mettre. Un grand découragement me saisit, d'avoir prétendu même tenir un journal qui aurait dit l'application et la ferveur avec lesquelles je purge ma peine. Mais si familier ce découragement, qu'il ne peut rebuter ma résolution de jadis d'inscrire, comme je peux à cette heure, chaque émotion qui me touche un peu plus que celles ordinaires. Bien sûr, j'ai manqué de poésie et n'ai pas trop bien su occuper chaque attente. D'ailleurs, une poésie serait superflue ici. Ce qui importait et ce qui importe encore surtout, c'est de tenir à l'habitude d'écrire. Par exemple, depuis ma claustration, elle m'a sauvé de maints désespoirs. Elle est vitale à la vie comme les fonctions du corps. Ailleurs, quand je serai libre, encouragé par la vie, il sera toujours temps de faire des vers et de la prose nette. L'écriture ne peut que continuer l'action.

*

Tous mes maux viennent de céans ; de l'ennui qu'on y trouve. Un ennui de désespoir, hideux, dégradant, qui me rend l'oeil hagard et le corps las. Aveugle ici, je cherche ma route, et je vais donner contre la duperie de l'heure. Je vais dans cet ennui sans penser, sans motiver le présent. Je fixe avec mon cerveau engourdi, et jusqu'à l'hypnose, un avenir que de longues années vides de sens éloignent irrémédiablement de moi.

J'écris ces misères un dimanche après-midi. Les autres sont dehors. Je suis parfaitement seul. Les moineaux fienteux eux-mêmes se sont tus, ou à peine perceptibles du fond des nids, des pépiements d'oisillons. Un grand vent virevolte et soulève la fine poussière du sol. Les fenêtres poussées puis aspirées par secousses branlent dans leurs rainures usées et tapent avec régularité, rendant un bruit sourd et un son argentin de verres entrechoqués. Je suis rentré de la marche, ayant froid au vent et me trouvant seul sans me soucier de courir aux amis. À présent, bien au chaud, à ma table chargée de livres, j'aime cet instant de bonne solitude. Crissement du graphite sur le papier brouillon, alors que j'écris lentement ces choses simples qui me concernent. J'écris dans la seule joie de cette fonction d'écrire. J'écris tout au bonheur de ma délivrance momentanée. Quand l'heure est chère, il faut l'inscrire.

*

«Mets la plus grande distance possible entre ton passé et toi. Ne sacrifie pas aux idoles.» (André Gide)

Sois aussi insensible qu'une statue, et ne prête pas attention aux émotions vulgaires des autres. Vis avec toute l'intensité d'un dieu : en toi-même. Ne souris pas trop facilement surtout, car un sourire t'engage...

*

André Gide, dans une des dernières pages de son *Journal,* témoigne de son désintéressement envers les morts, tous les morts, fussent-ils des êtres infiniment aimés... Sa femme, par exemple, sur la tombe de laquelle il ne retournera jamais ensuite. Et c'est là un grand point de sa morale ! s'appliquer à la lettre les dures paroles de Jésus : Laisse les morts ensevelir les morts.

261

Ces pages, *Adagio,* parues dans la *Table Ronde,* décembre 1949, sont d'une rare beauté. J'aimerais ici les citer toutes. Il y veut montrer ses raisons de ne pas croire à l'immortalité de l'âme qui, dès qu'elle quitte le corps, ou plutôt, dès qu'elle est abandonnée du corps, s'éteint comme une lumière, se dissipe comme une buée légère. Je le dis aussi. L'âme a besoin du corps pour être âme; l'un ne va pas sans l'autre. Mais cela, j'aimerais l'approfondir encore. Cette indifférence envers les disparus — il faut entendre le rituel qui prescrit visites aux tombeaux, prières pour le salut de l'âme, dons à l'Église pour le rachat, et ces choses; car on doit respecter la mémoire des morts aimés —, cette indifférence, dis-je, dont il s'enorgueillit, m'est aussi particulière. Je voudrais le dire. Quand ma mère est morte, je n'ai pas versé une larme. Jamais je n'ai visité sa tombe. Pourtant, une semaine avant qu'elle n'expire, j'avais été la voir à son chevet de malade. Là, près de cette infirme que je ne reconnaissais plus tant ses traits étaient altérés par la souffrance, agenouillé contre le lit, tenant dans mes mains ses mains décharnées et froides, j'ai pleuré, j'ai pleuré comme un enfant. Elle me regardait sans me savoir son fils... Ah! j'aurais donné ma vie pour elle, et qu'elle ne mourût point... Quand j'ai dû partir, elle venait de sombrer dans un rêve comateux d'où elle ne devait pas sortir. Quelques jours plus tard, je recevais la nouvelle de sa mort. J'ai hésité un instant, puis je me suis détourné de cette carte bordée de noir. Je n'y devais plus revenir. Depuis, j'ai souvent pensé à elle, avec amour, mais je n'ai pas dit une prière, je n'ai pas allumé un cierge, je n'ai intercédé auprès d'aucun saint. Malgré tout, je suis aussi «spiritualiste à un point qui n'est pas croyable».

Ma mère, je crois qu'elle n'est plus que matière dans la matière. Le seul respect que je dois, c'est à sa mémoire...

Mais à cela, je veux ajouter ceci: cette indifférence — je ne peux pas dire ingratitude — envers les disparus, je l'ai appliquée à ceux que je considère comme tels, même s'ils me parlent à l'instant, même s'ils étaient hier encore parmi ceux que j'aimais le plus au monde, si, depuis, ils ont commis contre mon amitié une infamie impardonnable. Que soudain j'ai découvert leur vraie nature sous un masque hypocrite et reconnu qu'elle est ennemie. Envers un ami qui me quitte et que je quitte, pour des raisons toujours suffisantes c'est entendu, je n'éprouve plus rien. Pour moi, l'ami parjure est un mort, et je «laisse aux morts le soin d'ensevelir leurs morts».

*

E-195 — *Nightwood,* Djuna Barnes, 1937.

Prodigieuse lecture!

24 avril

Un rêve. J'étais assis près d'un prêtre — ? Figure représentant la droiture, la Morale je suppose. Il me répétait une litanie de «c'est la volonté de Dieu mon enfant», pour nulle raison que je sache. Puis, à mon grand désespoir — et c'est cette sensation d'angoisse qui m'étouffait que je veux dire —, il me montra un télégramme du ministère de la Justice m'avisant que j'avais été condamné à une peine indéterminée, allant d'une année à la perpétuité. Je ne sais pour quelle faute, et je ne crois pas qu'il en fut fait mention. Mais, et ceci est spécifié, détaillé, grossi: parafe du ministre, papiers officiels, portrait catalogué de ma criminelle personne. Presque chaque nuit, je rêve de quelque situation semblable et qui révèle une même angoisse. Je suis un tourmenté qui veut évincer ses tourments au moyen du rêve...

26 avril

Je me sens joyeux, sans cause. Parce que je me suis levé tôt, peut-être. Parce que ma lecture d'une épître de Paul m'a paru profitable. Parce que le soleil filtre jusqu'à moi et me touche aux mains... Ah! pour de multiples choses qui ne diffèrent ni ne dérangent l'instant anodin, mais qui, chacune d'elles, m'insufflent un peu de joie...

*

F-4612 — *Enfantines,* Valéry Larbaud, 1918.
Recueil de contes de l'enfance, l'âge ingrat, où l'on commet fièrement la paresse et la sottise, mais aussi la joie. Joliment racontées, ces enfantines berceuses.

*

Lourdeur de tête, tristesse, retombement.
Je ne sais pas si je cherche à m'excuser de ma fainéantise, mais il me semble que la température a une influence marquée sur ma conduite. Tout le mois d'avril a été mauvais, sale, pluvieux et venteux; or, de même, j'ai été courbé, indécis, vicieux, le mois durant; ou, parfois, aux radieuses sorties du soleil, joyeux, lyrique et fervent. Ah! quand on est libre, peu importe le temps qu'il fait, pourvu qu'on se rende compte de l'importance de sa vie...
Dans ce lieu de misère, d'attente et de guet, le soleil est un dieu qu'on cherche chaque jour.

*

Je me relis. Ces écritures ne sont pas les bons fruits du travail. Mauvaisement encore, j'y ai déposé mes hontes, mes dégoûts, mes déboires; et mes promesses et mes rechutes. Hélas! aurait-il fallu que rien ne s'interposât entre ces mauvais jours et n'empêchât l'écoulement de ma ferveur, que je me promettais de tant tenir...

Absurdement, j'ai prêté ma vie, à condition payable sur demande; le receveur, hélas! était sans foi...

J'ai jeté mes jours par la fenêtre, comme des sous.

1er mai

Température merveilleuse. Je voudrais bien ne rien perdre de la lumière. Hélas! je ne suis pas encore devenu celui que je veux être; aussi, en plein jour, resté-je comme en pleines ténèbres. Mais que deviendrai-je si jamais je ne recouvre pas ma ferveur? «Oh! Satan, prends pitié de ma longue misère!»

Je participe à tout ce qui se présente: jeux, disputes, imbroglios sentimentaux. C'est le comble de la fainéantise. Je sais bien que je vais au contraire de ce qui serait une bonne conduite; je me sens pris, pourtant, dans un engrenage qui m'écorche à vif si je cherche à m'en libérer. Il me faut suivre le tour de la roue, comme l'âne attelé à la noria sa futile course en rond. Pris dans un épouvantable enchaînement de circonstances, de défaites, de mauvais jours, je suis en retard de toute mon adolescence, et ma vie se perd en affolantes amertumes. Je n'ai plus guère que ces espoirs de recommencement de jour en jour. Encore que j'en réalise l'inutilité, je m'y acharne comme le condamné à l'espoir d'un sursis. Ah! comme je réalise mes manques à cette heure! Comme j'ai honte d'avoir répandu dans les plaisirs les plus bas mes qualités certaines. D'avoir... mais à quoi bon ces regrets sans fin? Il ne me reste que demain.

Je fais trop de cas de moi-même. En me retournant vers mon être, déceler mes défauts; et m'appliquant, mieux réparer les années perdues; tandis que me connaître ne fait que grandir mes craintes et augmenter ma détresse. Plutôt que la maîtrise, ici j'ai trouvé la peur; plutôt que la joie, la tristesse; plutôt que l'amour, la haine. J'espérais la solitude, je suis arrivé à l'abandon.

Pourtant, j'essaye de me comprendre. Peut-être qu'au lieu d'une simple fierté je suis rempli d'orgueil, et que, par cet orgueil mauvais, je me torture maniaquement.

Tout le long du jour, je traîne ces doutes après moi; et même si je reconnais leur inanité, ils n'en sont pas moins des chaînes pesantes que je m'épuise à cacher.

Que puis-je dire de ce lieu, et de celui-ci et de celui-là que je connais, si je ne suis moi-même qu'un pauvre hère? Il ne me reste que le silence, la fixité de l'esprit, la dureté de coeur pour me protéger du mal. Je me tiens en face de moi-même; et voici deux personnages différents. L'un guette l'autre, le nargue et s'en moque; des deux, je ressens le plus intensément les émotions effrayantes du moqué, rarement celles cyniques du moqueur.

Si aujourd'hui est mauvais, demain par contre peut être épuisant de bonheur. Mais, entre-temps, je m'applique mal, et certes chaque recommencement est chargé de regrets.

*

La Philosophie éternelle, Aldous Huxley, 1948. *(Philosophia Perennis,* trad. Jules Castier)

J'achève la lecture de ce petit volume. J'y ai mis du temps; l'ayant débuté d'un esprit dispos, je n'ai pu soutenir ma première ferveur. Des amis sont venus me déranger, et des discussions banales à trancher débandaient ma volonté de l'application, et je me suis moi-même occupé d'excitations étrangères à l'esprit. Mais vaille que vaille, je me suis rendu jusqu'à la fin du volume, ne manquant pas un mot, relisant parfois.

C'est une anthologie des maximes de la plus haute mysticité. Le choix des extraits, essaimés parmi un texte explicatif très intelligent, est tiré des grandes oeuvres des saints les plus remarquables du monde, mais de l'Orient surtout, chez les Sufis de l'Islam et les contemplatifs dévots de l'Inde qui ont le plus intensément cherché Dieu. Cela forme un recueil intéressant mais qui ne me séduit que modérément. Je veux dire: qui n'affecte pas mon sens éthique présent. Je ne suivrai point cette voie d'excès que l'on m'y conseille vers Dieu. Au vrai, elle me répugne; car, de même qu'elle conduit à Dieu, ce Dieu est néant, de sorte qu'il suffit de mourir sur l'heure, où cette intuition est saisie que l'on offre, pour que Dieu soit atteint et que tout soit dit. Anéantir son moi dans la méditation, c'est tuer les dieux que l'on porte, faire l'oblation de sa propre personnalité. Celui qui trouve Dieu n'est pas celui qui Le cherchait. Il a perdu sa mondanité, sa véritable raison d'être. L'individualisme intelligent est de trop de valeur pour qu'il vaille de le rejeter au choix d'une fixation, sainte peut-être, mais aussi nullifiante puisqu'elle rejette en même temps — sans nourrir Dieu — la vie qui lui a été donnée par accident sans la moindre intervention de ce Dieu. Je rêve plutôt d'un dialogue mené selon l'intelligence entre Dieu et Satan, qui l'accompagne nécessairement — comme Faust n'irait pas sans Méphistophélès. C'est-à-dire Bien et Mal, et en faire ressortir les meilleures directives applicables à la conduite de sa vie.

Ce livre enfin me prouve la fictivité de toutes les religions établies et réorganisées depuis des siècles par l'homme. J'y vois même qu'elle est cause du mal, cette particulière religion surtout; et quelle qu'elle fût au début, que l'histoire l'a corrompue. Bienfaisante d'abord et aidant à la survie d'un groupe, les dogmes ensuite l'ont abâtardie et elle n'est plus utile qu'aux intérêts mesquins d'un petit nombre. Elle est devenue un parti, une force policière qui entrave les plus chères libertés humaines. Et, avant qu'elle ne tombe (elle ne tombera jamais mais se confondra en une autre, à la faveur d'une renaissance, comme elle l'a fait plusieurs fois déjà au cours des siècles), le mal qu'elle aura causé sera si grand qu'elle sera marquée pour toujours de la honte des siècles.

Pourtant, même si je n'ai pas la foi et n'en espère aucune, je ne médis pas de ces textes, et mon intérêt à cette lecture, s'il a parfois fléchi, ne s'est pas relâché. Je ne médis pas non plus des saints qui furent ainsi inspirés; mais, et comme j'admire les hommes de science, je les admire de loin, sans chercher à les émuler. L'homme de science aussi a trouvé Dieu; ou du moins le cherche-t-il, le fixe-t-il comme le mystique, au mépris de sa vie, et d'une sainte fixation que je ne puis suivre. L'intérêt que je porte au mysticisme et à la science n'est pas moindre, avec cette différence de l'un à l'autre que je crois aux données de la science depuis le premier jour de ma vie, et à celles des théologiens pas encore.

Il faut lire toute l'oeuvre de Huxley. Sa pensée souvent est difficile, parce que confusément prise dans la mondanité comme dans le mysticisme, mais elle s'informe presque essentiellement des données de la science. C'est pourquoi elle doit être étudiée de près. Il a écrit de tous les genres: romans, critiques, essais, nouvelles. Son intelligence est excessivement subtile et d'une culture universelle. Ici, l'on possède quelques-uns de ses livres.

Voir: *Counterpoint*
Voyage in Central America
Ape and Essence

*

J'ai cessé de chercher Dieu, je suppose que le courage m'a manqué. À cette heure, c'est moi-même que je cherche: Dieu et Satan s'y trouvent en moi. Parvenir jusqu'à eux, c'est partager un magnifique dialogue qui parle de toutes les connaissances.

Mais toutes mes joies durent peu.

Il faut profiter de chaque heure, et ne s'imposer à personne.

14 mai

Des jours encore occupés par le mal. Je me fourvoie dans les plus vulgaires passe-temps. Aucune lecture, aucune pensée, aucune conversation intelligente. Rien que l'animal qui digère, dort et s'amuse des plus médiocres récréations. Ma sensualité déborde de tous les plaisirs.

*

Listening With the Third Ear, Th. Reik, 1949.
Révélateur! et l'auteur est d'une si belle intelligence.

17 mai

Je délaisse trop ce cahier. Depuis des jours je dors. Je souffre de malaises indéfinissables qui sont en moi comme des poids morts. Je vis mollement sans chercher à secouer cette langueur. J'essaye bien de me persuader que ma pauvreté en est cause; que j'étudie mal parce que je n'ai pas les livres nécessaires, quoique ceux que je possède devraient me suffire; que je fume parce que j'ai besoin de la cigarette comme d'un repos, quand la fumée m'écoeure; que je reste au lit parce que je suis malade, tandis que je souffre surtout de paresse... Et ainsi de suite, ad infinitum.

Perversement je m'occupe de G., le seulet et tranquille enfant que voilà. Je l'imagine pourtant intouchable...

Plaisir à gros sel.

Sensorum atrophié par ce plaisir.

Amitiés particulières douloureuses.

Pourtant, idée fixe de régénération en moi.

*

F-768 — *Paroles de médecin,* G. Duhamel, 1946.

Beaucoup de choses dites dans un beau langage, mais rien n'est plus près du journalisme et de l'annotation du carnet. Le moindre événement lui donne dix lignes. Il pourrait mieux. Mais plaisir à cette lecture intéressante, à ces paroles de médecin. C'est d'ailleurs presque tout le bon de ses livres. Là se retrouve toute sa belle culture. Dans la littérature, dans la musique, dans la peinture, c'est à la médecine que l'auteur revient.

*

Si c'était encore possible de me prendre au sérieux, je voudrais que cette page soit un acte de confession. C'est évident que depuis des mois rien ne va plus dans ma vie, quand j'ai perdu le goût même de cette ferveur où je voulais réfugier ma peine. Oh! j'en sais la cause, de cette fainéantise où je me trouve. Sur l'instance d'amis et par stupide orgueil, j'ai commis cette bêtise de me mêler aux jeux que l'on prétend avoir permis en nos murs. Je n'aurais jamais dû. Mais je croyais — comme je déteste ce mode d'excuse du verbe croire — que j'avais moi aussi droit au divertissement. Je veux dire: y prendre une part active. Je prétendais même retrouver dans le jeu l'engouement de jadis, que dans les mauvaises heures je me désole d'avoir perdu. Je réalise trop tard que je ne puis plus redevenir celui que j'étais. Le gamin d'il y a quelques années n'est plus, je devais le comprendre. J'ai ce grand défaut de m'abandonner au courant qui passe et de donner raison au viens-donc des autres. Je cède, quand je ne sais quoi d'intime en moi réagit contre ces futilités. Car il me semble que dans les jeux je cherche, comme les autres, la moindre issue par où crier ma vulgarité.

Beaucoup de cris; à peine une joie.

Absurdement, nous sommes ce que nous sommes, et jamais ce que nous voudrions être.

*

Pour mon malheur, je ne donne pas de suite au désir; mon désir, je ne le force pas, je m'en défends plutôt — et celui de ce soir, la nuit l'apaisera, mais pendant le jour je porterai la charge fatigante de ce désir mort-né. Déjà, j'ai eu des désirs d'amour, et j'imaginais leur belle impossibilité; puis devenus possibles, ils m'effrayaient. J'ai aimé ainsi le tendre B.; j'ai aimé le pervers R.; j'ai aimé le fade L.; maintenant, ce soir, j'aime le chaste G., mais à bonne heure demain matin, il accepterait de subir mon désir, et le chaste gamin que j'aime ce soir, à cette heure du matin, ne serait plus chaste. La possibilité des actes épouvante mon égoïsme, ma seule défense ici.

Je vais à l'écart, paupières baissées, yeux furtifs, inquiet des autres et de moi-même. Je ne sais plus serrer avec franchise la main d'un ami. Étranger! Il faut paraître dur, fermé, et rire méchamment pour se défendre des pleurs. Quelle horreur!...

J'aurais besoin de partir. Toute fuite impossible, je me réfugie en moi-même et m'enfonce dans une mélancolique fierté d'où j'éloigne les êtres que j'aime et me prive de ce que je désire. Bien que cette attitude soit un encouragement à une dégradante neurasthénie, je m'y butte, sachant bien qu'autrement je perdrais le peu qu'il me reste de ma condition humaine. Mais comme il faut de la volonté, des mensonges, de l'orgueil!...

Jours! ô jours! regardez-moi passer!
Quand je meurs d'attendre la vie...

20 mai

Si je ne décide pas de l'heure qui vient, je suis la proie facile du démon. Surpris G., dans sa cellule, pour l'embrasser, lui murmurer de
folles choses, le caresser aux fesses. Il se frôlait comme une chatte; mais,
le pressant aux actes, il m'a repoussé... J'aurais voulu m'écraser de
dépit. Assurément, il n'a pas dit non, mais il hésitait, il craignait les
regards, l'aventure et la séduction. Je n'ai pas insisté; puis, avec un
mauvais rire, j'ai refait mes pas jusqu'en ma solitude de tous les jours.
Je ne sais quelle touffeur attirante m'a jeté vers lui ce matin. L'instant
même n'était pas prévu. Je passais tranquillement, songeant au jour, à la
lecture que je devais achever, aux rayons de lumière qui bondissaient par
toutes les fenêtres, mais pas à *cela*. Retiré dans l'ombre, sa porte de cellule ouverte, il m'a souri; ensuite, c'est l'instinct qui m'a poussé. Eus-
sions-nous été seuls, le même moment m'eut fait commettre violence. À
présent, le rouge est tombé de ma face. Je suis tranquille, encore qu'il me
faille, pour tenir cette tranquillité, une fixité d'esprit qui ressemble à la
folie. Il est bon à cette heure que je réagisse contre cela, car ce n'est pas
une issue.

Après midi dans la cour, je me suis retiré à l'écart pour m'étendre
voluptueusement au soleil, observer l'alentour et rêver un peu. Je tenais
un carnet sur quoi noter quelque aperçu du va-et-vient général. Je n'ai
pas eu à m'en servir. Mais je me souviens bien de l'heure reposante, de la
splendeur du soleil, des souffles frais qui venaient doucement me rafraîchir. Je m'étais étendu à même la poussière du sol, sans souci de mon
costume, ma nuque portant sur un morceau de bois. Je montrais mes
bras, ma poitrine, mes jambes, et je soupirais d'aise, oubliant toutes les
misères de ma peine pour savourer sur l'instant un contentement parfait.
C'est ici que j'ai appris à aimer la nature; j'y souffre tant de ne voir point
la verdeur de l'herbe, de ne pas pouvoir me reposer à l'ombre d'un arbre,
de ne pas entendre sourdre l'eau des roches et de ne pas goûter à sa
fraîcheur, qu'à présent je ne songe que randonnées champêtres, chasses et
pêches en plein bois. À ce point que je passe des heures à la porte de ma
cellule à me réjouir de la bande de gazon pauvre qui s'étend devant ma
fenêtre et tout à la ronde des murs. À travers des yeux mi-clos, comme un
félin, je songe à de passionnantes aventures. Ici, sur ce sol aride et enclos
de hauts murs, je ne vois, je ne veux voir que le ciel libre...

Untel est venu me raconter un mensonge. Je l'ai laissé repartir. Un
autre se tenait derrière moi et soupirait de tendres promesses à son
muchacho. Et J., le vieil enfant malicieux, est venu amicalement me
saluer. A.D. s'est approché aussi, cherchant une conversation. Après

quelques échanges de mots et sur sa promesse de me prêter tantôt un roman de Malraux, je l'ai doucement renvoyé. *Hasta la vista, amigo olvidado; jamás si se puede.* * Hypocrite? oui, peut-être le suis-je, mais surtout je suis pauvre et j'ai l'ingratitude des pauvres qui reçoivent comme ils donnent, simplement, complètement, effrontément.

Ce soir, je suis tranquille, mais infiniment triste.

*

Réaliser un échec, s'y soumettre fièrement, puis repartir sur une autre voie, hasardeuse aussi mais meilleure peut-être. Voilà une belle chose que je voudrais accomplir. Oui, c'est ça; se rendre compte qu'on est acculé au mur par sa faute et que, par ses seuls moyens, il ne reste plus qu'à sortir de l'impasse. C'est ce qui montre la maîtrise d'une volonté. Peut-il y avoir rien de plus beau que de tirer une leçon du déboire et de s'en instruire? Il n'y a qu'un danger à éviter, et c'est la rancoeur; il ne faut pas qu'elle prenne avantage contre la fermeté d'un caractère, car tout ensuite lui devient douloureux. Le moindre heurt écorche à vif l'être déjà meurtri. Mais s'il va sincèrement à la conquête de lui-même, droit en sa conduite, durci contre les sourires et les offrandes, tourné vers un unique avenir, s'anoblissant de son affliction même, celui-là conquiert le monde et chaque jour est sa victoire.

C'est la nuit quand j'écris ces lignes confusément pensées. Je suis à demi-couché sur ma table pour atteindre ma feuille posée dans une tache de lumière qui vient de la lampe de veille. Une foule de sentiments se pressent en moi et j'ai le plus grand mal à les démêler, mais qu'importent style et manière à cette heure où il faut surtout décider de demain. C'est à la nuit que je redis mes promesses; dans la nuit, en sécurité avec le devoir d'être sincère, dans ma solitude.

2 juin

Jours et jours jetés dans la stupéfaction, dans la peine, dans le désoeuvrement le plus abject.

3 juin

Au réveil, la tristesse entrait par toutes les fenêtres. Je la ressentais d'autant. Mais durant la matinée, le soleil a évaporé les minces nuages

* Au revoir ami oublié ; à jamais, si possible.

blancs qui flottaient dans un ciel bas; puis, en élargissant, en dorant tout, m'a réjoui soudainement le coeur. J'ai oublié mes faims et mes difficultés. Il m'a semblé que l'heure était belle puisque je la pouvais tellement savourer. À un moment, ma joie a été si grande que j'aurais voulu la crier aux autres; mais ils m'ont paru trop bruyants. J'ai préféré ne rien dire et goûter seul mon bonheur.

*

Les Noyers de l'Altenburg, André Malraux, 1948.

Devant les livres de Malraux, je suis plus admiratif qu'intelligent. C'est un penseur complet.

L'existence de l'homme est absurde. Il n'y a que l'art qui puisse la sauver de sa basse condition.

*

C'est extraordinaire les secousses d'indolence que je traverse sans me révolter contre moi-même. Justement, j'en ressors et, maintenant que je reprends peu à peu ma lucidité, il me semble que je m'éveille d'un mauvais rêve où, impuissant, je me regardais mal agir.

Par des joies violentes, perverses, exagérées, je me suis dérobé à la solitude où je veux m'appliquer, et qui m'attire, m'appelle, me fixe; à laquelle j'échappe par des subterfuges. Mais, ah! j'étais si las devant ma peine. Je pensais n'en jamais sortir et je me demandais la raison de cet appel urgent que faisait mon esprit à mon corps. Malgré tout, le moindre effort m'est un supplice. Pourtant, ce soir, je me sens vivre, je me touche, je prévois demain et mon émotion est telle que j'ai peine à la supporter aux yeux des autres...

5 Juin

Lettre de L. Il s'y montre encore complaisant et presque niais. Rien d'essentiel. Il s'amourache d'un pâle gamin, triste et mal élevé, qui vaut peut-être quelque chose mais qu'il ne comprend pas et à qui il fait d'effrayantes crises de jalousie. Il m'implore de lui parler de ce petit, comme si je pouvais l'encourager en cela.

*

A.D. est venu me prêter un Gide, *L'Immoraliste,* que je vais lire tantôt. Il m'a promis le *Corydon* ensuite. Comme il est riche! A.D. dont je parle; et grâce à son amicale gentillesse, je puis ici passer en revue la presque totalité de l'oeuvre du maître. J'aimerais connaître les mots simples qui exprimeraient toute ma joie reconnaissante. J'ai dit : merci, tout court, craignant de me laisser aller à de trop quêtantes effusions.

*

L'Immoraliste, André Gide, 1902.

Cette lecture enfin me console et m'encourage. Je l'ai terminée ce matin, tôt dans l'aube, à la terne lumière des lampes de veille. J'y ai trouvé tout un espoir neuf qui m'aidera à souffrir la lenteur de ces jours.

La vie de Michel pose un grave problème que j'aimerais résoudre. Lui, guérit son corps quand j'ai mon esprit à guérir.

*

Lettre à L. Tu veux que je te parle de ton gamin ? Il n'est pas beau, pas bien élevé, et tu perds ton temps.

7 juin

C'est la nuit. Depuis des heures, je cherche vainement le sommeil. Je vais donc rendre compte d'aujourd'hui et ne pas le perdre tout à fait. Car ce jour marque un terme dans ma vie. Encore qu'il m'aie grandement désappointé, il a son importance. J'ai été presque sage tout le jour ; j'ai causé, j'ai ri, j'ai bien étudié. Et ce soir, la folie m'a touché dans le vice solitaire. Me relevant subitement de ma table où j'étudiais une phase de la littérature anglaise, je me suis jeté à corps perdu dans cette idiote frénésie de l'homme seul. Rien ne prévoyait mon acte, qui n'a duré que le temps de le dire. Je ne pouvais même pas m'en défendre. Comment pouvais-je croire ? Le jour s'était passé si aisément. J'y ai été ferme, studieux, sage même. Et, soudain, il s'est répandu cette urgence en moi qui m'a précipité sur le sol comme un épileptique en convulsions... C'est affreux ! Il faut, il le faut, me guérir. C'est une affaire de ma volonté.

Mon retombement dans la minute suivante a été horrible. Le démon ne me quitte pas, qui ricane de mes plus belles résolutions. Que je souffre de ces longues heures d'amertume qui suivent mes rechutes ! Oui, j'y subis le martyre. Tout se disloque en moi et un grand effroi me torture. Après chaque faute, je me replonge dans une tristesse qui me tue. Je n'y connais que la haine ; de moi-même d'abord, des autres ensuite, que je sais comme moi, et sans exception de personne. Oh ! je sais le pourquoi de ces maniaques rechutes ! C'est que le dégoût reste en moi, malgré tout. Il est là, englutant chaque effort, chaque joie, chaque voeu. Il est là dans ma solitude pleine d'ennui...

Les actes partagés avec d'autres étaient de plus belle conséquence. Et c'est pourquoi j'ai tenu une conversation très intime avec G. Il aime le désir que j'ai pour son corps. Par jeu il s'en défend, et par jeu il y succombera...

Dans un journal intime, la phrase la plus simple a son importance. Elle comporte l'aveu. J'affectionne même une syntaxe simplifiée jusqu'à l'excès, aussi longtemps qu'elle ordonne la sincérité. Dire simplement ses fautes afin d'acquérir une fierté disciplinaire, c'est là le difficile. Je veux m'y soumettre entièrement, au mépris même de la forme. Car, dans un sens, la forme du journal ne peut pas être trop exacte; y paraissent grossièrement les fautes de l'homme qui le dicte. D'ailleurs, ce que j'ai à dire à ce journal, je ne le dis que pour moi.

10 juin

«J'ai dit en mon cœur: Allons, essayons de la joie et goûtons le plaisir...» mais je n'ai point vu que cela était une vanité. C'est même la seule ressource de la vie. Avec G., j'ai passé toute une matinée à lui faire l'amour. Il était neuf, et chaque plaisir lui venait comme une douleur surprise. Sa pudeur exaspérante du début, elle s'est vite changée en une joie pâmante.

*

J'accepte l'homosexualité pure et simple, sous toutes ses formes; mais je me refuse à tout détour, à toute supercherie, à toute déviation dans la déviation. Le maladif me répugne. Ici, le plaisir est cru, il est notoire, il est dégradé, c'est-à-dire finançable. Mais on y trouve aussi de belles amitiés.

*

Conversation avec L. Nécessité ici de bander son intelligence dans une discipline personnelle, poussée à bout, afin de ne pas perdre ces mauvais jours. C'est à quoi je m'acharne. L. n'y croit pas. Il dit qu'on n'en peut tirer que des mécontentements.

«C'est en s'observant, dit-il, qu'on se déteste. En pensant ici s'affermir dans le droit chemin, on se dégoûte par ses perpétuelles et inévitables rechutes.»

Je craignais qu'il parlât ainsi; je m'en suis mal défendu. D'une voix pâle et comme repentante, j'ai murmuré: «Se détester est un peu fort, et est-il besoin pour cela de ne jamais s'observer et de continuer à traîner son enfance toute sa vie, parce qu'on croit trop difficile de s'en libérer.

N'est-il pas louable d'entendre l'ordre inscrit au temple d'Apollon : Connais-toi...»

Car le mauvais passé, c'est dans l'étude, l'application, la droiture de l'esprit seule que je le puis racheter...

*

Corydon, A. Gide, 1928.

Quelle coïncidence curieuse que ce livre, ce soir, me tombe sous la main! J'imagine que, par ces mêmes actes, je ne pouvais mieux débuter une lecture. J'ai lu d'un trait, passionnément. Quoique, pour être franc, ce livre ne m'apprenne rien. L'intérêt que j'y ai porté est d'ordre tout littéraire, et non scientifique ou moral. Déjà, je me suis servi des mêmes arguments, avec moins d'élégance et de précision sans doute, à la défense de cet immoralisme. Mais à présent que je les revois, il me semble qu'ils ne sont pas tout à fait suffisants, et qu'il en faudrait encore pour modérer les moralistes, même les plus courtois. Il n'est peut-être pas très important non plus de les mettre de son bord, mais les contredire spécialement n'amène rien non plus. Les droits de chacun prévalent en cela ; on n'y peut mais. En somme, la joie est toute excuse.

Ah! certes, Gide légalise pour soi ; mais c'était fait bien avant d'écrire le *Corydon,* comme pour moi avant que je le lise. Il est utile pourtant de songer à la santé des âmes ; et je ne dis pas en vue du ciel, car il n'y en a pas ; mais la sélection, en quelque sorte, des natures suffisamment fortes pour ne pas dévier dans le dégoûtant une naturelle audace. J'en ai trop connu de ces jeunes à peau blanche qui, pour avoir pris dans certains premiers tâtonnements un plaisir si vif, se sont fait femmes ou moulins à plaisirs. Pour moi, homosexualité veut dire tendresse. Mais elle est de tant de délicatesse que rares sont ceux qui s'y peuvent bien conduire.

Corydon cependant est un beau livre, un livre franc et stylé. Il explique, résume, stabilise toute l'oeuvre de Gide. C'en est le décalogue.

Je me relis. Je crains d'avoir été fastidieux. Je n'ai pas droit à la discussion sur l'oeuvre de Gide. Pour le présent, elle doit être ma source de vérités. J'ai trop à faire à le découvrir chaque fois plus souple, plus intime, plus engageant, et ce n'est pas à moi de le juger sur l'heure. Au demeurant, il suffit de dire que j'ai profité de ma lecture.

12 juin

Grande difficulté à garder en compagnie des autres mon sens éthique du devoir personnel. Il y a une foule de détails à considérer. Et puis, faut-il que je l'admette, je crains encore le ridicule. Il est honni et soupçonné celui qui n'accepte plus de suivre la règle. C'est une entente qu'ils croient sacrée, parler fort et grossièrement pour ne rien dire; hurler des bravades et des turpitudes, n'avoir aucun respect pour l'autre, attendu qu'il se doit d'être comme eux. Ils sont enfants, gouailleurs et malfaisants, lorsque je veux être tranquille et studieux. Mais je m'inquiète de ce que, parmi eux, je n'ose pas lire ou écrire ou parler de ce qui m'intéresse et me paraît le plus important. C'est de là que part cette solitude que j'aime mais que je n'ai pu jusqu'à maintenant dérober à leurs yeux retors. Il faut absolument que j'acquière parmi eux d'imposer ma discipline; de la mettre au jour en dépit de leurs sarcasmes et de leurs objections. Je les ai jugés, pourquoi temporiser encore. Il faut trancher, ne discuter avec aucun. Fais ce qui te plaît...

Chaque retour se fait avec un peu de repentir.

*

Pour tenir contre la paresse, je me guide sur une phrase de Paul, la répète comme une prière, la mastique à fond, afin d'en tirer toute la ferveur. Je comprends tout, mais comme je suis faible! On dirait parfois que je ne suis plus maître de mon corps, et que mon esprit même est sous l'emprise d'une force malsaine et perverse. Je suis loin de mon idéal de vie.

Plaisirs et restrictions.

Retrouver cette joie saine — la joie, la vraie joie est toujours saine — de certains jours passés, et qui me faisait le matin, dès l'aurore, sauter du lit. À longueur du jour, ma tâche en était plus facile. Ne plus, oh! ne plus ressentir l'angoisse de ce cri du poète, ne plus connaître en soi cette effarante sensation de vide, d'inutilité, de néant et de jours irrémédiablement perdus: «*Fugit irreparabile tempus.*»

*

Il arrive que je m'en veux de tenir ces cahiers. J'y vois comme un autre vice. Certes, à les relire, j'ai raison de m'en vouloir. C'est bien cela; j'enrage à sentir qu'ils ne valent rien, même sur le plan de la curiosité. Mais je m'y acharne dans le but de m'y faire la main, arriver à y rendre mes émotions, mes pensées; dédoubler ma vie dans ces pages. Et j'ai la ferme intention de les tenir, ma vie durant. Contiendraient-ils nombre de pages inutiles, je ne m'en plaindrai pas si, parmi elles, une seule approche de la vérité et m'aide. Souvent, je relis au hasard, et il m'est arrivé d'être soutenu par une phrase-désir ou-pensée que j'y inscrivais sans but déjà. Il me semble que cela sauve tout.

13 juin

Passé tout le jour en conversation avec G. Il était tout à fait charmant. Maintenant qu'il y a ce secret entre nous, ses yeux bleus, où brille un reflet vif et joyeux, à demi-voilés, cherchent les miens, et ses lèvres sourient malicieusement aux miennes. Mon désir pour ce beau gamin est grand. Je m'y projette de toute mon âme. Nous nous sommes répandus en confidences; lui, encore discrètement, difficilement; moi, franchement, entièrement. Mais, ah! son corps! que parfois j'effleure d'une main caressante... Sa douce chair blanche et l'entièreté de son désir...

Comme je dois me faire violence pour m'arracher aux charmes de cette petite frappe inquiète. Il y a des heures où je me convaincs que j'ai tort de me refuser à la joie. Pourtant, la joie, la vraie joie, la mienne, celle unique que je désire, ne peut se trouver ici que dans la ferveur du renoncement. Ah! j'y veux saisir la plénitude de chaque heure et m'y courber jusqu'à mon âme. J'y parviendrai, dussé-je y joindre la folie.

14 juin

Jour maussade. Pluie et humidité malsaines. Je passe mon temps à frissonner, même si je suis vêtu comme pour l'hiver. C'est une fraîcheur qui pénètre jusqu'aux os et donne à mon corps une fièvre rhumatismale. Je vais pâle et comme hébété. C'est en vain que je m'acharne à remplir les devoirs que je m'étais dictés pour aujourd'hui. Mon intelligence est morne. À tout moment, je me surprends à rêver. Encore rêver est-il beaucoup dire. Plutôt, je me vois retomber dans une sorte de stupéfaction, et c'est presque une crainte instinctive de choir qui m'en ressort. Aucun effort de volonté n'est possible. Il faut souffrir avec la meilleur patience dans l'attente qu'un instant meilleur vienne me libérer de cette atonie.

*

Qu'est-ce que la littérature? Charles du Bos, 1945.

Pour parler d'un livre de du Bos, il faut parler de lui-même, qui apporte à chaque lecture une intelligence égale, sinon supérieure, à celle de l'auteur. Il écrit uniquement pour révéler, sous la provocation spirituelle d'un livre, la logique qu'il se fait de la permanence divine. Il se tient dans l'adoration perpétuelle de son Dieu; et, ce Dieu, il le met contigence de toutes choses en l'univers, de la littérature même, spécialement voulue de Dieu. Cette littérature est aussi personnellement la sienne, comme ce Dieu est le sien et de son choix. Auprès de quoi, il ne faut pas discuter, et tout n'est que bavardage et traits d'encre.

Je dis par exemple que cet homme est d'une intelligence et d'une spiritualité qui n'ont de pareilles que celles des grands saints. Mais c'est peut-être pourquoi je me trouve, moi, hors de sa sphère. Au vrai, j'ai bien mal lu ce livre chargé des nourritures de l'âme. Je n'étais point en cet état de ferveur nécessaire qu'occasionnent des jours bien tenus.

Il dit de Carlyle, p. 32: «Mais, de force morale c'est tout ce que veut l'homme!» À relire.

*

Mon éducation se fait avec une lenteur exaspérante. Pour le moment, je ne veux d'autre ambition que celle-là. M'instruire selon mes moyens et le plus complètement possible. C'est à cette fin que j'ai fait tant de sacrifices.

*

Trois chapitres de *Life of W.E. Gladstone,* by J. Morley. Un livre énorme de 1500 pages. J'y prends un certain plaisir, surtout quand il est question de la vie studieuse de cet homme d'État. Ses notes de *diarist* particulièrement m'intéressent. J'y trouve aussi le contentement de l'application dans l'étude de la langue anglaise. J'aimerais mieux procéder méthodiquement, lire Chaucer par exemple. Je suis trop pauvre, hélas!

18 Juin

Au lever, me penchant pour me chausser, je fus pris d'une violente brûlure à la tempe droite, comme si un flux torrentueux de sang s'y répandait. La douleur m'a presque paralysé, et j'ai dû me recoucher en attendant que le mal se calme un peu. Il s'est modéré, mais a subsisté. En allant au travail, j'avais la tête lourde et le coeur à l'envers. Tout le jour j'ai traîné cette fatigue après moi. Ma bouche gardait un goût amer, écoeurant de bile et de fièvre. Je voulais vomir et ne le pouvais pas. À tout moment, des vertiges m'obligeaient à m'asseoir. J'étais assez malade pour garder le lit, mais je refusais de me rendre à l'infirmerie, où, d'ailleurs, on ne soulage aucun mal; pas même la plus légère indigestion. Et, plutôt que d'avaler leurs pilules anodines, je préférais endurer. Vers trois heures enfin, j'ai été pris d'un violent haut-le-coeur et vomis à gros jets de la bile, puis une matière grisâtre, mousseuse comme de la bave. À chaque effort, à chaque spasme, mon corps entier se crispait jusqu'à la douleur. Le sang affluait à ma tête et je ne voyais plus qu'à travers un brouillard sombre. Je pensais que mon cerveau allait crever, allait crever comme un abcès rempli de pus. Pourtant la crise a passé, et je me sens presque mieux.

277

J'écris cette page au lit. Il est 5 heures peut-être. On ferme la prison. Tantôt, je vais dormir. Je suis sans forces, baigné de sueur. Tantôt je vais dormir. Dormir des heures durant. Il faut me remettre dans le sommeil; c'est le seul remède. Ah! que la vie est peu de chose, et la vie en prison encore moins. Je me demande quelle stérile espérance me garde vivant en dépit de tout.

19 juin

Éveillé dès l'aube. J'ai pu étudier durant une heure. Mais je reste faible et le moindre mouvement brusque m'étourdit. Je suis tout couvert de sueur, encore fiévreux et ma tête bourdonne sourdement. Depuis cinq heures hier soir, j'ai dormi d'un lourd sommeil, sans rêve. Je ne me souviens de rien, sinon de m'être enfui dans une hébétude presque heureuse.

Repris la Bible au début; premier chapitre de la *Genèse*. Ces récits (il y a trois versions à la suite l'une de l'autre, et chacune différente) de la Création vont dans les détails à l'encontre de la science moderne; mais la poésie qu'ils jettent! Ah! qu'elle est belle, primitive et forte; sincère et exaltante. Je m'en redis des bribes pour la pure sensation d'entendre ces mots couler de ma bouche. Voici que l'Esprit de Dieu planait sur les eaux: «Et Il dit: Que la lumière soit! — et la lumière fut. Il vit que la lumière était bonne; et Il sépara la lumière des ténèbres. Il appela la lumière jour; et Il appela les ténèbres nuit...»

Et surtout, après la tentation, quand Adam et Ève «reconnurent qu'ils étaient nus et eurent peur», cette phrase parfaite qui projette devant nos yeux le paradis même: «Ils entendirent le bruit des pas de l'Éternel Dieu, qui passait dans le jardin, quand souffla le vent du soir...»

Ce Dieu pourtant est jaloux et perfide. Il médite du mal de l'homme, et sa vengeance ressemble à celle du Mauvais: «Voici que l'homme est devenu comme l'un de nous pour la connaissance du bien et du mal. Maintenant, il ne faut pas qu'il avance sa main, qu'il prenne encore du fruit de l'arbre de vie, qu'il en mange, et qu'il vive éternellement.»

...l'homme est devenu comme l'un de *nous*... Ce «nous» est important, il indique l'influence des anciens mythes.

Cette lecture me ramène à mes premières années d'école. Je me souviens des petits contes que les religieuses sortaient de la Bible, qu'elles arrangeaient sous le nom d'Histoire sainte. Elles y croyaient plus que nous, à ces contes devenus niais dans leur bouche, et elles nous en saoulaient à la journée longue, trompant par zèle nos jeunes intelligences. Mais quand surtout elles en venaient à parler des miracles, oh! la la!, quels exemples elles tiraient de la vie: des fadaises à faire crever Dieu de rire.

*

F-5342 — *Cléopâtre*, Auguste Bailly, 1939.

On veut ici émettre l'opinion, très gratuite, que la grande reine n'était pas la dévergondée que l'on pense. Mais était-ce bien la peine d'écrire un livre de plus de deux cents pages? Il n'y a là que la substance d'une jolie conversation, et c'est tout...

21 juin

Levé un peu tard. J'en suis tout mécontent. J'exigerai que cette notion que j'ai de l'éveil redevienne la fonction tout instinctive qu'elle était l'an passé. Il y a, le matin, entre l'aube et le plein jour, des heures enchanteresses, claires et propices à mon contentement. C'est une faute grave que de les perdre au lit. Dès que les premières teintes d'aurore redescendent du ciel, il me faut être debout.

Physiquement, je me sens beaucoup mieux ce matin. Il ne m'a pas coûté de m'asperger copieusement d'eau froide, de me frictionner d'une laine devant la fenêtre grande ouverte, à l'air frais; et non plus, après ces revigorantes pâmoisons, d'allègrement me mettre à l'étude. J'ai fait ainsi une heure de littérature grecque; ah! toute la beauté de ce monde ancien qu'on dit barbare. Comme je suis heureux d'y pénétrer un peu, et je pourrai même peut-être un jour appréhender mieux la grandeur de leur génie. Je ne possède que quatre pièces des grands dramaturges, une de chacun d'eux; mais pour le reste, l'oeuvre essentiellement poétique surtout, rien ne m'est disponible, et je dois me contenter du petit manuel.

Plus j'étudie, un peu mieux je le fais; pourtant, plus malaisée est la tenue de mes jours. Comment expliquer cela? que mon enfance n'avait qu'une notion erronée du monde; que je n'entendais de morale que les défenses de ma mère ou les tergiversations de mes craintes; d'un Dieu, je ne voyais que le symbolisme d'un gentil père Noël; du beau, aucune appréciation non plus, j'étais nu, pauvre et berné. À présent, je m'avance dans un monde nouveau, composite, entier. Ce monde, en s'élargissant, ne m'a pas réduit car j'ai augmenté en proportion; mais, si je porte à mon rôle dans la vie, à ma conduite, à ma personne enfin, un intérêt plus complet, par contre les difficultés qu'elle présente, la vie, me sont plus ardues. Et mon enfance, soumise aux pires excès, ne m'a préparé que pour les hasards de la rue. Adolescent encore, je me suis trouvé seul, sans défense et démuni contre les subtils appâts de la vie. J'étais une proie facile devant le monstre. Je n'avais qu'une bien faible idée de ce que pouvaient être les limites de l'ordre social. Ne connaissant de ce monde que ce qu'il offrait, je n'écoutais que les appétences incontrôlables de mes désirs. Aujourd'hui, ces désirs, je les identifie comme étant ceux du gamin grossier, mais c'est aussi ce que j'étais alors. Hélas! par quels déboires il m'a fallu passer avant de le réaliser. Le monde est infini, que m'offrent les livres; je voudrais y pénétrer tout à fait, et m'y perdre même. Les joies qu'il donne sont si profondes qu'elles ne peuvent être regrettées.

Et peu à peu je retrouve la tranquillité qui était mienne. Je regoûte déjà avec une intelligence plus fine mes heures de recueillement et d'étude. Je voudrais encore, afin de me garder en cette ferveur neuve, ramener à moi tout le passé, m'en instruire, puis le jeter dans l'oubli, comme on doit laisser tomber un livre qui n'est plus d'usage. Il me reste à peine deux années de ces heures closes où je puis, à la seule condition de n'écouter que mon coeur, racheter le passé mauvais. Ces deux années m'appartiennent et ce sont elles qui prépareront ma voie d'avenir; seraient-elles perdues au hasard, comme celles derrière moi, que plus ne m'est besoin de vivre, car cette vie sans raison je la sais par mes sens; mais seraient-elles tenues, domptées, courbées aux actes voulus, alors que d'imprévus! que d'à-venir! que d'impossibles accomplis!...

23 juin

Pluies et amollissante moiteur. Je ne sais pas ce que cette température me fait; elle pénètre en moi, m'alourdit, me rend fiévreux et pâle. Il faut que je dépense un surcroît d'énergie sur le plus léger travail. On dirait, ma foi, que j'ai l'étoffe d'une poupée de laine.

J'ai fait (pour deux semaines) la location d'un dactylographe, sur lequel je tapote pendant des heures. J'emploie exprès ce terme malsonnant, «tapoter», car il décrit bien mon doigté hésitant. Au demeurant, je m'y amuse et, en m'y amusant, je divague un peu. Mais ce sont mes plus belles heures. Ces cahiers, depuis le début, ne servent que pour mon plaisir. Je m'y informe des heures passées, et c'est l'essentiel de ma peine qui s'y trouve. Sans prétendre avoir écrit quelque chose d'utile, je sais aussi que je n'ai pas pensé m'amuser seulement. J'y ai voulu déposer un peu de spontanéité; c'est-à-dire un peu de complexité et de naïveté à la fois. Parfois, bref, j'y ai été diffus à l'occasion; comme ainsi où j'hésitais d'avouer mon besoin d'une amitié. Mon orgueil souvent me dupe et entrave mon grand désir d'être sincère. Impossible alors d'être bref et de ne dire que l'exprès. Je dois maîtriser une gêne inconsciente, difficile. Avant d'exprimer telle pensée-aveu, il fallait bien que je la contourne, que je m'en saisisse, que je la ramène à moi, et pour cela, avant tout, la discerne du milieu d'une confuse agitation intérieure.

Réfléchissant sur toutes mes fautes passées, je suis porté à mettre de l'avant les tendances de ce lieu-ci; tendances qui s'opposent à tout ce qui est la stricte discipline d'un caractère. Ici, on voit mal la droiture d'esprit — car elle s'y peut, malgré tout; on regarde curieusement le lecteur sérieux; on interpelle moqueusement le discret; on soupçonne le solitaire. Il y faut s'enrégimenter, ou gare! Passe encore quand celui-là est connu depuis son arrivée comme un être tranquille et simple. Mais malheur au converti. C'est un fou, un hypocrite, un rapporteur peut-être ; moquons-nous-en au plus tôt, car il est à craindre. Ou, c'est bien pire, et comment expliquer ; ses amis qui l'ont connu dissipé, fanfaron et plaisamment hâbleur souvent refusent de comprendre son besoin inusité de paix et d'application. Ils l'interrogent encore et encore, n'acceptent pas ses hésitantes explications, et ils l'enjoignent de revenir parmi eux partager comme avant leurs plaisirs, leurs désennuis gamins. Ce sont eux, les amis, si souvent par le passé, qui m'ont fait manquer à mes voeux. Par respect pour l'amitié, j'agissais à rebours de mon choix, car ces amis avaient accompagné ma vie aux jours les plus sombres. Pour eux, je faisais don de mon âme, croyant racheter dans le sacrifice encore la despiritualisation de quelques jours. Mais ces jours hélas ! à la fin de l'année, devenaient des mois mal vécus. Je traînais après moi le poids mort de tous mes manquements.

C'est la nuit. Impossible de trouver le sommeil. Je resonge à ce que j'ai écrit plus haut ; cela n'est pas vrai. En voulant styliser, j'ai faussé ma pensée. Je suis le seul responsable de tout et je n'ai pas changé d'un point. Voilà la vérité ; comme elle est brève et simplement dite ! Tout aisément elle coule de ma plume. La Fontaine disait bien que beaucoup de faste entre parmi les pleurs. Et chez les confidences du sentimental aussi ; or, ce soir, en écrivant cette page, je n'étais qu'un fastidieux sentimental. C'est l'achoppement contre quoi, dès que ma pensée mollit, je butte sans cesse. Parviendrai-je jamais à savoir l'éviter et ne reconnaître de mes jours que leur réalité nue ? Comme je le voudrais...

Au demeurant, je ne veux pas dire du mal de l'amitié. Une amitié particulière d'un jeune pour un homme un peu plus âgé est un noble sentiment. C'est même, je pense, le plus noble des sentiments humains. Mais je ne suis pas né pour l'éprouver, comme d'autres ne sont pas nés pour s'en passer. C'est un sentiment qui détruit mon caractère, paralyse même mes facultés attentives. Et je n'y ai plus droit, voulant à tout prix me maîtriser en cela et ne pas me permettre de souffrir un attachement qui entraverait mes plans d'avenir. Je ne veux accéder qu'à la logique certaine du nihiliste. Précisément, je suis un criminel, et que vaut pour moi la morale publique ? et ces sentiments bourgeois qui enlèvent à l'individu toutes ses qualités intéressantes. Je suis un criminel ; ma situation dans le monde l'exige. Et c'est par honnêteté que je suis malhonnête. Il me répugnerait d'agir en certaines choses comme agissent des personnes soi-disant respectueuses des lois.

L'amitié est un empêchement à l'égoïsme.

Mais il faut dire aussi que l'amitié est une autre vocation. Il ne peut être question de s'y forcer. Si je m'y engage, c'est absolument et j'ai peur de cela.

À cette heure que j'ai dégotté ces choses, pourquoi ai-je cédé à cette impulsion vers la confidence rancunière? G., je crois, est derrière chacun de mes actes depuis quelques jours; sa conduite n'est pas qualifiable et je veux me défendre de la peine qu'il me cause.

La nuit est douce et chuchotante. Une lassitude me gagne. Je me penche pour tâcher de scruter un pan du ciel et y apercevoir peut-être une étoile. Mais je ne vois rien. Au-delà des toits, le ciel est fermé; rien qu'une obscurité opaque. Je suppose que de lourds nuages noirs mollement s'y bercent. D'outre-mur, pas une clarté non plus, pas une rumeur, sinon, de minute en minute, le ronronnement d'une auto qui passe. Le village dort, où reposent les familles de nos gardiens. Familles jalousement heureuses, en des maisons closes. Quelle nuit propice! Un crime la dépouillerait de sa tranquillité. Ici, c'est le lieu de l'expiation; elle s'y écoule peu à peu, le jour et la nuit, inaperçue des gens libres; elle y est lente, ah! mais lente comme l'usure d'un monde, et des vies entières s'y épuisent dans un espoir vain... Quelque part, c'est une nuit propice à l'amour; propice à la mort pour les héros de demain; propice à la prière pour d'autres misérables, pour ceux d'ici peut-être...

Ah! Satan, c'est Toi que je prie. Je t'en conjure, viens me visiter et me proposer un marché. Je t'écouterai et te dirai aussi de belles choses. Je t'offrirai mon âme. Tu sais bien que je suis voué à tes oeuvres, et que c'est en cherchant Dieu, le malin Dieu de la *Genèse,* que je t'ai trouvé, Toi, le fier Archange. Que ne m'accordes-tu à présent tes faveurs? Tous deux, tu le sais bien, nous sommes déchus. Pourquoi n'accordes-tu pas à un frère un peu de ta féerique magie? Tu es un monstre peut-être, mais ah! tes chuchotements ont un charme qui m'épuise...

24 juin

Levé avec encore ce violent mal de tête. Le moindre travail aussitôt me fatigue. Je ne sais pas de quoi je souffre. Cette nuit, j'ai mis beaucoup de temps à m'endormir, mais aussi ai-je sombré dans une sorte de coma dès que ma fatigue fut trop grande, et d'où je ne suis sorti qu'à la toute dernière minute avant le déjeuner.

*

Cette prière à Satan, de l'autre jour, je sais bien que tout cela n'est que préciosité, sentiment et littérature. Satan, pas plus que Dieu, n'est possible. Penser à soi est le plus sage. Certains disent: penser à son âme, mais c'est la même chose, et il n'y a là qu'un échange de mots. C'est à moi seul que je dois rendre compte. Je me le redis souvent, mais cet égotisme en vérité me paraît assez simpliste, et surtout ne résout pas le problème que me pose la vie. On a fait de Dieu l'essence même de la vérité. Des êtres intelligents, fort instruits, renseignés par des études théologiques, ont cherché la preuve du divin dans tous les développements de la culture humaine; des poètes bibliquement inspirés. — je nomme Claudel d'abord; eux tous ont, de tout temps, cru en Dieu. Ces artistes, quand je lis leurs oeuvres, touchées du sceau indélébile du génie; quand je regarde le bel exemple qu'est leur vie; quand, surtout, je retrace derrière l'achèvement de leur existence les durs exercices spirituels auxquels ils durent avant tout se soumettre, ah! certes, ma négation se fait hésitante.

Ce matin, j'ai lu la Bible; la vie d'Abraham; ses pérégrinations, ses querelles, ses visions. Tout cela me touche à la poitrine; j'en fais la vraie préhension; je m'émerveille à nouveau de la splendide beauté de cette épique légende. Je mets toute cette partie de la *Genèse* parmi les plus beaux récits du monde. Pour moi qui n'ai pas lu Homère, il me semble que je goûte ici l'oeuvre d'un même génie. Mais je n'ai pas la foi.

*

La température était étouffante dans la cour; la nudité du sol nulle part n'offrant une ombre rafraîchissante. Une sorte de langueur, à laquelle la débauche de mon enfance m'a accoutumé, me portait vers une rêverie sexuelle un peu triste et me rappelait les heures nombreuses d'un passé trop facile à la volupté. Beaucoup de peine à écarter ces rêveries, et pour le faire, je me suis penché vers le seul souvenir pur qui me soit laissé: quand j'avais quatorze, quinze ans, je passais des heures à causer avec ma mère. Seuls, le soir; je m'agenouillais près d'elle, assise dans un fauteuil, ma tête posée sur ses genoux, et je l'écoutais me raconter son enfance, tandis que ses mains distraites peignaient mes cheveux. Même à présent, ces heures sont consistantes de plaisir; en me ramenant aux seules années heureuses de ma vie, elles me sauvent de rêveries idiotes.

25 juin

Demi-congé. J'en ai profité pour avancer dans ma lecture de l'interminable mais toujours intéressante *Life of Gladstone*. Je dis interminable en parlant du volume pour sûr, qui dépasse quinze cents pages. C'est une vie admirablement réussie, occupée d'être meilleure et de se permettre une incessante et exemplaire recherche de l'intelligence. Le politicien, je m'en défie un peu; il était banalement bigot; mais l'humaniste, je ne suis pas loin de le révérer.

Une heure d'espagnol. Mes progrès sont marqués. Je lis presque couramment et saisis même les nuances qui appartiennent au génie propre de la langue. Pour converser cependant, je crains que mes débuts ne soient difficiles. Bien que j'aie tâché par diverses méthodes de délier ma langue — tenant un crayon en travers de ma bouche, comme un mors, et lisant à haute voix —, je n'ai pu y parvenir encore. Il y a pour moi dans la conversation, soit française, soit anglaise, déjà une timidité extrême qui m'embarrasse, un bégaiement. Un langage évidemment ne s'apprend pas sans effort, et même si les premières difficultés d'une leçon parfois me rebutent, je suis content; car, après l'avoir assimilée, qu'elle ait présenté d'abord ces quelques difficultés apparentes et ma compréhension en est meilleure.

28 juin

Aube. Les premières grisailles glissent entre les bâtisses. Posant le livre que je lisais depuis minuit passé, j'ai fait un bond jusqu'à ma porte pour scruter dehors le jour qui, lentement, sourd de la nuit. Ah! celle-ci est mon heure qui prépare le plein jour. J'aspire voluptueusement la fraîche brise; elle apporte une odeur d'eau et de terre, comme si elle émanait du sol même. Au bord des toits, si tôt, les moineaux pépient et gazouillent; ils exacerbent l'aube de leurs chants aigus. Et soudain, le cri strident d'un train qui passe éclate, siffle et s'allonge, puis s'achève dans la douceur d'une plainte. Plainte qui me perce jusqu'à l'âme. Je frissonne de bonheur. Ma joie est grande d'être si tôt levé. Au ras du sol, le long des murs, une blanche vapeur flotte mollement dans l'attente du soleil. Vers le ciel collé à la vitre, je ne vois qu'un brouillement, ou plutôt qu'une teinte d'un bleu épais, dont l'immobilité paraît menaçante. Ce pan de ciel, une croisée de ma fenêtre y donnant, où rarement mon oeil rencontre la palpitante lumière d'une étoile, c'est mon univers. Depuis dix ans, je m'y évade, soir et matin, absurdement, comme un poète. Ah! mais l'émotion que j'en tire n'est pas un vain songe. Je voudrais trouver les mots qui diraient tout: ô souvenirs! regrets! promesses! Ô infinies diversités de mes sensations! Haine! longtemps chuchotée, dans l'ombre... Parfois aussi, prières incertaines que mes lèvres hésitaient à commettre... Ah! des heures, passées en contemplation de cette paume de ciel, dont le vide est effarant. Ces heures, souvent j'y ai mis toute mon âme...

Mais déjà une grande lumière rougit l'horizon. Auréole de feu. Secondes interminables pendant que la lumière s'épanche. Un arbre près du mur, de l'autre côté de ce monde, s'y encadre et revient à la vie. La clarté filtre et s'irradie à travers les feuilles. Elles frissonnent tandis qu'un souffle constant mais doux effleure les hautes branches. Matin!...

Il ne diffère en rien de celui d'hier, venu dans le même décor, et il est tout comme ceux d'avant, pourtant il est neuf pour moi. Beau jour. Dans le présent, j'ordonne et prépare un même avenir.

«Vous êtes le sel de la terre; mais si le sel perd sa saveur, avec quoi la lui rendra-t-on?» (Mat., 5, 13)

*

Voir: *Le Bon Usage* (grammaire française), par Maurice Grévisse, Genthner, Paris, 1946.

*

Temptation, John Pen, 1946. Citadel Press, N. York, Traduit du hongrois par R. Manheim et B. Tolnai.

Quelle extraordinaire lecture je viens de faire! J'en suis tout ému encore. Ce n'est pas mon habitude de qualifier ainsi un livre. Mais voici peut-être le plus puissant livre de la dernière décade. Vrai, poétique, terrible. Je me demande même pourquoi ce livre n'a pas encore été mis de l'avant, au-dessus de la masse de la mièvre littérature historique qui fait présentement fureur. La critique n'en a presque rien dit; et pourtant, moi je dis que ce livre est hors classe, et n'a d'égal qu'un livre comme *Europa,* de Bibeault. Peut-être le livre tend-il à dénigrer l'étatisme et le communisme en faveur de la démocratie américaine; mais cela encore est vrai. Là-bas, on voit les U.S. comme le paradis sur terre... J'ai passé dans cette lecture des heures surchargées de sensations. J'aimerais connaître quelques détails sur l'auteur, apprendre s'il est jeune surtout.

Bela; la scène où sa mère et lui lisent son premier poème.

Her Excellency! quelle femme.

«But I was never a sentimental child. My place in the world seemed quite natural to me. I had the instincts of a young animal. The vileness of men was no source of surprise to me. I took their villainy for granted, as a soldier takes it for granted that the enemy will try to kill him. I was surprised only when someone showed me kindness. Kindness aroused my suspicions, I try to find the hidden, malicious purpose behind it. But I must own that these surprises were very rare.»

2 juillet

Repos des livres. Flâné au lit jusqu'à neuf heures. J'ai mis beaucoup de temps à dormir hier soir. Je nourrissais mon insomnie de tristes mécomptes, me redisais combien j'avais perclus mon être, constatais à nouveau mes gênes, l'extrême abaissement de mon état, et refaisais la pro-

285

messe de racheter le temps perdu. Ce matin, je vais mieux; c'est-à-dire que je suis plus optimiste. Durant ces heures où je broie du noir, ma logique ne va que vers un sentiment de honte, et même si à des moments de lucidité je ne perds pas de vue mon espoir, le même mur m'exaspère jusqu'à la souffrance physique. De ces excès de masochisme spirituel, je ressors tout courbé, indécis, amer. Le matin pourtant m'aide. Et j'y reprends mes promesses. En mon for intérieur, malgré tout, est intacte ma certitude que le jour de ma libération me verra à nouveau maître de moi-même. D'ici là, j'occupe maniaquement le vide des présents jours par ces petits tracas intimes dont je viens de révéler la nature. «*Quaerite, quos agitat mundi labor.*»

Spectacle de variétés. Ma foi, c'est un succès si l'on considère les moyens. Et cela aide à la mentalité du détenu. Moi-même, je n'ai pu m'empêcher d'applaudir.

3 juillet

Passé à la Croix-Rouge rendre ma dîme de sang. C'est la première fois que je m'y décide, ayant à chaque fois auparavant dédaigné d'y aller, à cause de ma vieille rancune envers tout ce qui est d'ordre social. Cette fois-ci, j'ai conclu qu'il y avait une grande part d'hypocrisie dans ma conduite et que, acceptant qu'ici l'on adoucisse ma peine, je me devais de remercier par un acte de si bon aloi. J'ai été surpris vraiment de la gentillesse avec laquelle l'on m'a reçu et traité. Une belle grande fille m'a touché d'une main experte, m'a souri doucement, a murmuré près de moi des paroles de sollicitude. J'ai éprouvé à ce moment une quiétude infiniment apaisante. Mais je me disais: il ne faut pas se laisser reprendre par cela; la gentillesse d'un sourire, la tiédeur parfumée d'une haleine de femme, la suggestive douceur d'un murmure. Je n'y ai plus droit et dois m'en défendre, car ici c'est une surcharge au fardeau de ses rêves. Pourtant, le charme de la minute qui passait m'a conquis.

Je m'efforçais de ressentir cette sensation du sang qui coulait de mes veines dans un tube, mais je n'ai pas pu. J'imagine que la mort par perte de sang doit être paisible. Les nobles Romains savaient l'art de mourir sans trop de peine. Se couper les veines, c'est l'art du suicide poussé à sa perfection même, à sa sensualité experte...

15 juillet

Levé tôt. L'aube est fraîche, dégarnie et heurtée soudain de blanche lumière. Il fera beau et chaud tout le jour. Je vais bien. Je me sens plein d'énergie. Poussé deux heures de latin. Je n'en suis encore qu'aux rudiments, mais comme j'ai hâte d'avancer. Comme un affamé de nourriture, je dévore les règles à longueur de page, sans erreur.

*

Conversation avec L. Je lui dis : Qu'est-ce que tu penserais d'un gars, qui étant assez bien connu et estimé des autres, ne voudrait plus, du jour au lendemain, fréquenter aucun compagnon, participer à aucun jeu, s'écarter en aucune façon d'une ligne de conduite tracée d'avance? Bref, d'un gars qui se retirerait en lui-même et ne se laisserait plus toucher par aucune influence du milieu?

Il hésita... «Ben, ça dépend qui...

— Voyons, nous en avons plusieurs ici qui se sont revirés, comme on dit. On raisonnait qu'ils étaient devenus fous. Croirais-tu la même chose... de moi, par exemple?

— Si tes agissements devenaient comme ceux d'Untel, oui, car de tels agissements sont irréguliers.

— Mais ce n'est pas une raison pour penser qu'il a perdu la carte. Peut-être suit-il une splendide vision intérieure...

— C'est encore de la folie.

— Prenons celui-là, par exemple, là-bas, près de l'estrade — et je l'indiquai du geste... Tu sais qu'il vient d'une famille honorable, a reçu une très bonne éducation et qu'il est d'une grande droiture de sentiment. Vois comment il ne fréquente personne. Comment il est sage, comment il est tranquillement poli et ferme envers chacun.

— Ah! mais il n'est pas si bien éduqué que tu penses. Je le connais. L'an passé, j'étais près de lui, et il venait me déclamer des petites fadaises. Son beau langage est une prétention et n'est pas de moyenne avec sa mentalité. C'est un homosexuel et un niais. S'il est seul, c'est que personne ne s'en occupe.

— Oui, oui, admettons qu'il soit un peu prétentieux...

— Un peu!... Beaucoup.

— Oui, mais ce que je veux te faire remarquer, c'est sa conduite. J'estime que c'est la meilleure à suivre ici. Que m'importe son inversion — j'en suis moi-même —, s'il se conduit comme un homme digne autrement, s'il a conscience de sa valeur d'homme.

— Qu'est-ce que c'est, la valeur d'un homme? Son égoïsme? qu'il excuse...

— Ainsi, s'il m'arrivait d'avoir ce comportement, tu dirais de moi que je fais de la poudre...

— Oui.

*

Journal of the Plague Year, Daniel De Foe.
D'un grand intérêt documentaire.

16 juillet

Terminé la *Genèse*. La vie de Joseph est un des beaux contes de la série d'Aladin, et comme de même source. Émotion intense quand Joseph se laisse connaître de ses frères...

Pourquoi suis-je si triste à certains jours? Quand je n'ai même pas la force de relever la tête; pas de honte seulement, mais un affaissement moral surtout. Parmi les autres, je vais avec peine, effrayé que, soudain, je puisse céder à la crise nerveuse qui rage en moi. Mon être intime est tant exaspéré que ce qui l'effleure le râpe à vif.

Déçu, déçu, déçu de tout; de l'amour, du vice, de moi-même, déçu jusqu'au coeur de l'âme... Jusqu'à maintenant, quoi que je fasse, quelque chose du paresseux passé adhère à moi.

J'étais un fort en thème.

Les jours coulaient entre mes doigts; et je les regardais comme dans un songe, sans rien réaliser de leur perte.

Occuper chaque minute d'essentielles pensées.

Être levé dès la pointe de l'aube.

Si quelqu'un heurte ta fierté, dis-toi bien que ne plus t'apercevoir de sa présence ne le dérangera en rien; qu'ainsi tu seras quitte envers lui et sauf d'une grande honte.

*

Un écrivain anglais a fait récemment paraître un livre sur André Gide, que j'aimerais bien lire. Il y assurerait l'immortalité du maître. «Prior to the time of his death... Gide was the greatest writer then living. He was also the most salutary. He has no modern equal as a giver of sheer pleasure, aesthetic, intellectual and sensory; but he is even more important as a source of spiritual joy, as a heroic guide in the acquisition of personal happiness, virtue and liberty.»

19 juillet

Un gros orage inonde et secoue les alentours. La pluie tombe à torrents. Il fait presque nuit encore. Incapable d'aucun effort, je jongle stupidement, affaissé dans une douloureuse courbature. Avoir peiné tant, pendant des jours, et un seul moment en faute charge de honte des heures nombreuses.

L'étude que je fais de la philosophie peut ne pas être celle des grandes universités, mais elle me suffit. Je n'y cherche pas immédiatement une révélation des choses de l'univers. Mais j'y cherche bien une bonne méthode de culture. C'est pourquoi tout bon écrivain qui montre une certaine vigueur de pensée est pour moi un maître philosophe que j'ai à cœur d'entendre et de suivre. J'en suis encore au stade de l'admiration sans critique.

20 juillet

Névralgie crispante. Quand même, par application, j'ai terminé ma lecture de l'*Exode*. C'est un étrange livre, où l'on assiste à l'organisation d'une religion. Moïse était un habile homme, poète d'ailleurs et visionnaire. Lui, Aaron, Nadab et Abihu, et soixante-dix anciens d'Israël... «après avoir contemplé Dieu, ils mangèrent et ils burent».

Mais, l'Urim et le Thumrim perdus, avec quoi peut-on consulter l'Éternel?...

*

Au cours des dernières pages, j'écrivais à la hâte, au hasard, n'importe quoi. Pourvu que j'emplisse ces pages, pensais-je, il sera toujours bien de recommencer. Et puis, j'avais une impatience de voir finis ces mauvais jours. Je savais que je viendrais à reprendre ma ferveur et que, dès lors, je serais sauvé.

«C'est dans le parfait oubli d'hier que je crée la nouvelleté de chaque heure.» (Ménalque)

Songer à cela:... la nouvelleté de chaque heure!

23 juillet

Levé de grand matin. Lecture de la Bible dans une compréhension toute meilleure. Une joie exhilarante me touche et me pénètre. *Lévitique*. Grandiose ordonnance des lois. Certaines si justement venues qu'on les croirait vraiment dictées par un Dieu. D'autres, méchamment, ne dépendent que des hommes. Il est assez facile de transiger avec les lois des hommes; mais, quand je considère l'immuabilité des lois de la nature, elles seules paraissent comme un chapitre des ordonnances divines. Et c'est à elles seules qu'il faut se soumettre. Les autres sont choisissables par moi, et je n'ai plus à les écouter que selon l'inspiration de ma vision intime.

«Je t'ai prescrit le bien et le mal, qu'attends-tu pour agir. Tu es un homme.»

L'important est de se réaliser, quels que soient les moyens; le reste tient du hasard.

*

Une lancinante douleur à la tempe droite m'empêche de l'application à l'étude. Je pense que cette recrudescence de mon mal vient de mon anxiété. Je crois bien agir; et derrière chacun de mes actes, il y a toujours une foule de doutes abaissants, qui laissent comme des poisons dans mon système.

Blâmes, impatiences, mauvaisetés.

Je voudrais n'être jamais injuste.

*

Comment expliquer les raisons qui me poussent aux excès? Certainement, des raisons majeures, enfouies sous l'entremêlement des complexes, qui s'ébrouent à l'aise dans mon subconscient, m'obligent à des actes qui paraissent n'être que des caprices, tandis qu'ils me sont obligatoires. Il y a cette confusion. J'agis par colère et par vexation autant que par l'acculement où je me trouve. Si je ne m'explique pas absolument, c'est sans doute par instinct, afin de passer outre à la douleur au plus tôt. Pour l'instant, il suffit de me convaincre que j'agis par nécessité. Ne pas se soustraire, c'est légitimer la conduite la plus irrégulière. Mes actes passés, où j'ai cru pouvoir profiter des plaisirs, des mensonges, des heures d'insouciance, étaient des fautes graves qui me faisaient perdre le meilleur de moi-même. Une stupide crainte de déplaire aussi a toujours réduit la valeur de mes actes. Je suis né pour l'aventure; pourquoi ai-je eu la faiblesse de m'attacher aux êtres? aux choses?...

*

Jours et jours mornes et vides. Je m'applique, mais pas suffisamment. Ma pensée est esclave de G., et c'est affreux comme je souffre à cause de cet être joli.

29 juillet

Conversé avec G. Il fallait renouer notre amitié. Combien de réticences il m'a opposées! c'était comme un marchandage de part et d'autre. N'importe, je crois comprendre que ce sentiment que j'ai pour lui, de même il le partage. Par excès d'orgueil, j'ai failli briser une chance unique de bonheur.

Au vrai, me voilà cuit. Je suis complètement, follement, exagérément en amour. Je sens que je ne puis plus contrôler mes sentiments pour cette petite frappe têtue, qui ne veut accepter son rôle que quand cela lui plaît. Mes incertitudes tombent dans la maniaquerie. C'est extraordinaire : par suite d'une gageure, j'ai voulu m'approcher de cet intouchable. Eh bien, il s'est donné à moi, mais en se donnant il m'a si bien pris que je ne peux plus m'en déprendre. Maintenant, il se joue de moi ; il m'exaspère et m'épuise de désirs bafoués. Il me donne le plus invitant des sourires pour ensuite ne plus me voir. Si je boude à mon tour, il s'attriste seul dans son coin. Et puis, ah ! mais je ne sais plus moi ! j'ai peur qu'il m'aime et je sais mal être aimé ; j'ai peur qu'il me déteste et cela me chagrine. L'anxiété me paralyse.

Après quoi, il n'est plus question d'études pour moi.

31 juillet

C'est effrayant comme notre intimité me paraît difficile, et presque bouffonne à cause de son exigeante névrose. Impassible, il se prête à mes caprices ; après, il cherche à railler sur ce qui vient de se passer. Je sens son être à vif, monté contre moi d'une sorte de haine calculée. Je temporise tant que je peux, mais je ne pourrai pas subir plus longtemps sa folie.

Il faut qu'il m'aime. Autrement, mais certaines joies, certains abandons, certaines confidences ne peuvent être possibles sans intention...

Pourquoi me souris-tu
de ton sourire tendre
et presque amoureux ?

Est-ce à moi que tu souris
ou souris-tu à me voir
sourire ?

Ne sais-tu pas que ton sourire
me comble et qu'il t'engage
à moi ?...

2 août

Je ne comprends pas ; ou mieux : je n'ose pas comprendre. Je voudrais oublier au plus tôt. Demain je ne pourrai plus pardonner. Déjà ma haine grandit. Il payera cher ses affronts. Je l'ai fait ce qu'il est devenu : un gamin désirable. Je vais le briser à présent ; le rendre ce qu'il était : un être frustré et plongé dans la stupéfaction.

3 août

Cinglé G. de tout mon sarcasme. Il est bon de se remettre d'une folie. *Desquite es dulce.* *

Je souffre quand même, et je sais que tantôt je vais commettre une bêtise. Je vais vicier une sainte colère. C'est plus fort que moi et je me sens déjà plongé dans les mauvais actes. À cinq cellules de la mienne couche une grande trousse qui donne du goût pour moi, et dont je vais accepter les avances.

Tant pis — après tout, peut-être y trouverai-je de la joie.

21 août

Depuis des jours, j'ai ri et j'ai pleuré — ou presque. J'ai eu de la peine et je me suis moqué. Mais j'ai souffert surtout. J'ai souffert atrocement, dans mon âme. Des jours passés; des jours de haine, de rêves et de honte. Des jours de cellule préventive: au pain et à l'eau; dans la solitude et le silence. Des jours condamnés à moi-même, à ma basse conscience. Ah! que j'ai médité de choses effrayantes! J'ai commis des crimes et j'ai prié; je me suis vengé et j'ai pardonné; j'ai été affolé de ferveur et rempli de dégoût. Des jours de confession.

Je me suis fais surprendre dans une situation «compromettante», comme on m'a dit.

Le raisonnement sur la situation se conclut tout seul. Je n'ai pas besoin d'appuyer. Les faits sont dans ces mots: être surpris. *Flagrante delito.* * Je ne révèle rien; je fais rapport de la cause première de cette punition qui me fut infligée. J'ai subi et la peine et la culpabilité. Pas de faux prétextes. Une situation par laquelle on veut compromettre la dignité d'homme que je tâchais de reprendre.

Mesquinement, et par désir de revanche peut-être, j'ai voulu jouir comme un charretier. Allons, pas de subterfuges; simple réflexe animal. Comme le bourgeois du coin va au bordel quand il est mécontent de son épouse, j'ai été au bordel. Point par goût d'aventure assurément; mais, comme le bourgeois, par protestation comico-lyrique, pour me redonner du prestige à moi-même. Comme l'enfant boudeur brise les jouets qu'il aime. Ce n'est pas moi; c'est mon corps. Terreur des instincts; paresse; maladie. Au lieu de poétiser mon angoisse, comme l'eût fait un artiste, je l'ai ravalée à sa pleine vulgarité, comme une brute.

* La vengeance est douce...

* En flagrant délit.

292

Mais les jours de solitude m'ont redressé, en me purgeant de l'angoisse. J'ai reconnu une défaite; je faisais fausse route. Les pages à venir de ces cahiers diront bien ce que j'ai résolu. En somme, rien n'est changé.

Je vivrai mes jours comme s'ils étaient libres.

En réalité, ils le sont; d'une liberté qui est en moi.

*

Pleine nuit. Travaillé toute la journée à mon espagnol. Profitant de mon état d'esprit, j'ai pris quelques notes pour *L'Ennemi des lois,* chapitre que je projette. Impossible de dormir. En plus de l'insomnie, j'ai retrouvé une literie grouillante de punaises. Ces bestioles, que j'attrape par dizaines, sont grosses comme des mouches; gonflées à éclater, elles bavent le sang et ne peuvent fuir. Toute vermine me jette dans une rage folle. Enfant, je fus deux fois mordu par des rats; j'en fais depuis des cauchemars effrayants, peuplés de ces vilaines bêtes. Même répugnance pour ces punaises.

*

J'étais avide de possessions.

Je voulais bien fuir, mais il n'y avait pas d'issue.

Et je me heurtais aux hasards.

*

Le repentir est une seconde faute, disait Spinoza. Je le crois aussi. Cette honte d'il y a quelques jours, je n'en veux pas prolonger l'horreur. Passer outre, c'est ce qu'il y a de mieux à faire.

Tout est faux, excepté pour un être sa légitime défense.

*

Si j'étais un artiste, je peindrais la vérité sous la forme d'une femme ayant double visage.

*

Comme presque tous ceux d'ici, je suis un être humilié. Et c'est honteusement vrai, cela. Je ne cherche plus à expliquer mes actes qu'en me complaisant dans une sorte de névrose abaissante, de toute susceptibilité.

Toute obligation me pèse, toute fréquentation m'épuise. Avec les autres, je ne puis être naturel, maître de moi. Il me faut retenir une sorte d'hystérie, qui monte en moi, m'étouffe. Je suis tombé dans un tel état d'infériorité que je ne peux plus décider de ma part.

Je m'enlise dans mes défauts comme dans un sable mouvant.

Il me semble maintenant que je ne serai jamais un homme.

C'est le présent — la pauvreté surtout — qui m'accable.

Toute critique à mon égard m'affecte beaucoup.

*

Je me demande si je n'étais pas heureux d'être surpris? heureux de ce qui m'arrivait? Odieux, cela; il ne faut pas oublier le partenaire qui m'avait désiré. Je suis loyal avant tout.

Ici, point de soûleries pour apaiser la douleur — il faut se jeter dans les actes bizarres, complexes, inexplicables, presque.

Ce qui nous manque aujourd'hui nous fait rêver de demain. Mais le rêve nous enlève encore quelque chose; il gaspille l'heure présente, l'heure merveilleuse qu'il occupe de mensonges.

*

Je me tenais à la barre des accusés. Le prétoire était bondé de monde. De hauts lustres jetaient dans la salle une clarté éblouissante. Juste en face de moi, un peu en contrebas, une fille journaliste était assise et me regardait fixement. Je remarquai qu'elle avait de beaux genoux. Soudain, je m'entendis interpellé, et, avec la vague sensation de vivre un rêve, je me tournai vers le juge. Il lisait tout haut quelque chose, mais le sens de ses paroles ne me parvenait pas exactement. J'étais comme frappé de stupeur; encore qu'il me semblât que l'on exigeait quelque réaction de ma part, je n'en fis aucune, car je ne pouvais comprendre de quoi il s'agissait. Puis, je m'aperçus que le juge me souriait; son fin visage n'avait plus rien de sévère, et je compris que cet homme était bon. Doucement, il me souriait. Une sorte de lucidité me revint alors, et je saisis le sens des paroles qu'il prononçait tout à l'heure, comme si elles eussent mis tout ce temps à me parvenir. Sa voix était extraordinairement chuchotante:

«Pourquoi est-ce que vous avez commis une si mauvaise action? Dites-moi?

— Je... Je ne sais pas», balbutiai-je.

Il me parla encore, lentement, amicalement et avec une tendresse presque paternelle. C'était comme s'il m'avait touché à l'épaule. Une intolérable détresse me submergea. Je me sentis prêt aux larmes. Dans un

294

flot de paroles incohérentes, je tentai de lui expliquer les difficultés de mon enfance; comment, peu à peu, j'avais été bousculé dans les actes...

Je commençais à peine à parler que, de cette foule curieuse derrière moi, fusa une rumeur ricaneuse qui accrut ma détresse. Je bafouillai quelques mots encore; puis, rempli de confusion, de fierté aussi, je me tus. Le juge alors se dressa sur son siège. Il était en colère. Après avoir imposé silence, il s'écria: «De quoi riez-vous? de quel droit vous moquez-vous? La culpabilité de cet être n'est-elle pas aussi la vôtre?» Il parlait d'une voix dure, tranchante et sans appel. Il prenait ma défense comme un père celle de son enfant. Une infinie reconnaissance me bouleversa et un voile de larmes embua mes yeux...

Mais je n'en appris pas la fin; à ce moment-là, je me suis réveillé. J'avais rêvé. Bien sûr que j'avais rêvé. Pendant mon sommeil, s'étaient meurtries mes paupières, ce qui explique mes yeux remplis de larmes. En me réveillant, je reconnus mon lieu de demeure: les pâles lampes de veille fixaient des ombres en les projetant sur les murs de ma cellule; des ombres minces, tendues, parallèles et transversales, et qui montaient une garde attentive autour de moi. Je me surpris à songer à mon rêve; il n'est point valide, ai-je pensé, mais la question qu'il pose n'est pas mauvaise: Pourquoi suis-je ici? Moi? et les autres? En toute sincérité, je n'y puis répondre, et peut-être que ce n'est pas à moi que la question doit se poser.

*

À propos de G., Gide ne me conseille-t-il pas: Tout ce qui t'est charmant t'est hostile... Délivre-toi!»

*

Je relis avec un certain plaisir la *Littérature anglaise,* de Taine. C'est un magnifique travail. Mais je suis au regret de ne pouvoir lire dans les textes mêmes les oeuvres dont je prends justement connaissance. Quelle richesse poétique recèle le génie de la race anglaise! Et je ne parle pas des grands poètes seulement, mais parmi les *poetas minores* déjà se révèle tout l'accent lyrique des grands. J'ai terminé ce soir le chapitre concernant Sydney, le gentilhomme aventurier et poète. Il connut la prison, où il sut poétiser ses actes, ses émois, ses amours. Ne trouvai-je pas ce fragment d'un splendide poème qui parle tout comme le voudrait parler mon coeur? Sentiments excessifs mis à part, car je n'ai rien à faire de Stella, il faut tout de même reconnaître l'attrait que prennent certaines émotions à être dites. Je sens en mon être la même ferveur que celle-ci, douce plainte:

«My youth doth waste, my knowledge brings forth toyes,
My wit doth strive those passions to defend,

Which for reward spoyle it with vaine annoyes,
I see my course to lose my self doth bend,
I see and yet no greater sorrow take,
Than that I lose no more for Life's sake.»

*

C'est à cette heure que je réalise la valeur des sous, moi qui ai toujours dédaigné en amasser.

25 août

Mes relations avec les autres se sont toujours tenues sur le plan de la sympathie; rarement dans une franche camaraderie; jamais une amitié vraie. Je suis craintif quand il s'agit d'avoir confiance; je soupçonne aisément la franchise d'un sourire; et surtout je crains d'importuner les autres. Il ne convient pas à tous d'être simple, et je ne puis l'être envers les autres. Je veux plaire, mais déplaire aussi, afin que l'on ne devienne pas trop familier avec moi. J'aime l'amitié, quoique j'aime la liberté plus encore. Tout cela pour dire ma difficulté d'être dans ce lieu où l'on se doit l'un à l'autre une certaine confiance que je n'y peux avoir. J'interroge trop l'amitié; car voici mon grand défaut: je doute des autres.

G. Chez lui, l'excès est aussi de mise.

Je ne suis pas de ces êtres à passions diverses qui défendent leurs passions avec des innocences satisfaites et tout à fait hypocrites.

*

Je ne veux pas médire. G. est un être intelligent. Il est joli. Il est honnête. Sa franchise a quelque chose de brutal. Il est propre de sa personne et réservé de tenue. Il leur est de beaucoup supérieur.

J'aurais dû surtout rendre compte de nos conversations.

*

«Le dire est aisé et vient presque naturellement, mais le faire n'élude pas le labeur ouvrier de la matière résistante et les mauvaises volontés autour de nous, et l'inertie opiniâtre du corps.» (Jankelevitch, *Traité des Vertus)*

26 août

Grippe tenace et de mauvaise saison. Difficulté à respirer ; poumons douloureux. Mes yeux sont grands de fièvre. Travaillé un peu quand même à l'étude du style. Je m'applique autant que je peux, si je sais bien qu'au plus fort de mon application je perds mon temps. Il y a trop de pensées mauvaises qui me poursuivent présentement et me dérangent du vrai travail. En me détournant d'un seul point je perds une somme énorme d'intelligence.

Toujours avoir présent à l'esprit la dure entreprise que sera demain.

Autrui est dangereux. Le raisonnement est tout simple ; mais je ne suis pas sûr si le danger ne vient pas aussi de ma part. Je suis autrui moi-même.

Trop moral, je perds des occasions de plaisir.

Ma vie a été presque toujours craintive.

J'ai manqué d'harmonie. Je vivais dans un dualisme boiteux, dont la partie morale avait comme opposé une extrême immoralité. Mes excès étaient vulgaires. En vérité, je ne pouvais vivre sans l'assentiment de mon esprit ; mais, par contre, un grand orgueil me poussait dans tout ce qui payait d'audace. Je surpassais même mes excès. J'osais plus que quiconque tout en donnant à mes actes une apparence de légitimité, tout à fait factice, et dont j'étais le premier à me moquer. Mais on ne se ment pas à soi-même sans payer cher une telle duperie. J'ai été faux ; de cette fausseté je profitais de certains plaisirs, dont on tire généralement vanité ici.

Après mes premières lectures, je me suis tourné en moi-même et, par une conduite strictement ordonnée d'avance, imaginé de devenir meilleur. C'est-à-dire aller de la fausseté de mon entourage à la sincérité de mon moi. Dans le sens d'une éthique, c'était progresser ; c'était avancer, pénétrer, recevoir une culture ; mais, au sens brutal de la vie, c'était descendre, c'était se soumettre, c'était se convertir. Instable déjà, j'allais d'un excès à l'autre avec passion, et dans l'un comme dans l'autre, j'étais coupable de n'être pas moi-même. Une telle confusion mène à ces déboires que je me dois à présent de racheter. J'ai été maladroit surtout.

27 août

Tout le jour : tranquillité, application, austérité. Il me semble qu'une sorte de contentement déjà me récompense. C'est ça. Retrouver ma paix intime. Je n'ai pas encore passé au-delà de la peine ; non, mais je pense qu'en mettant le raisonnement dans ma vie — à chaque heure opposer une bonne raison à mon angoisse — je pourrai m'acquitter du passé. Satan, reconnais donc ma ferveur.

*

297

Schopenhauer m'enseigne que le monde est la représentation de ma connaissance. Je dois accepter cela; c'est le premier concept qui m'est révélé de la nature de la connaissance. Mais ce concept s'applique avant tout à la représentation de l'univers, immédiatement perçu par tout être sensible; ensuite à la représentation venant uniquement à l'homme, qui peut, grâce à son intelligence, raisonner sur la nature de cette représentation.

Or, de là, j'en déduis que cette dernière représentation, la perception mienne, rationnelle qu'elle est, ne dépend que de moi. Certes, je ne puis la falsifier, puisque les lois sont extérieures à mon être; mais je puis en ignorer certains aspects qui, si je les acceptais, me seraient désavantageux. Il y a la façon dont j'envisage les choses, qui m'aide. L'ignorance totale est cette soumission dont parle le mystique. Moi, je la veux partielle, raisonnée, ordonnée à mes besoins. Cette re-création est d'ailleurs l'ordre du génie. Ce que j'en dis est encore complexe, mais ce m'est comme une certitude intuitive. Il m'appartient de «détruire» choses et êtres préjudiciables à mon égoïsme. Il entre passablement de stoïcisme dans tout cela. Par exemple, ces mots de Marc-Aurèle supportent mes dires: «Suis-je malheureux parce que cette chose m'est advenue? pas du tout. Je suis heureux, malgré que cela me soit arrivé, parce que je ne suis pas écrasé par le présent et ne crains pas l'avenir. Une telle chose eût pu advenir à n'importe qui, mais n'importe qui n'eût pas été libre, comme je le suis, de la douleur.»

29 août

Ma grippe s'arrange. Je suis presque mieux. C'est assez difficile de pâtir de la maladie ici; mais dès que la crudescence du mal est passée, on reprend vite confiance; on se sent fort du mal vaincu par sa seule volonté propre.

*

Avec G., j'ai été faible parce que sincère.

Que de jours vitement perdus! Le présent? je l'ai gaspillé depuis dix années en arrière.

*

F-2020 — *Le Repos de l'équipage*, J. Kessel, 1935.

Ma première lecture complète depuis des jours. Je ne pensais jamais trouver un tel romanesque chez cet auteur que j'imaginais proche de Koestler; aussi tranchant et de même pessimisme. Court récit d'un amour à trois; beaucoup d'honneur et de bravoure; enfin tout l'ordinaire imbroglio de ces récits. Mais brièvement conté, bien délié et assez intéressant. Ne pas oublier que, cette crainte du jeune Herbillon, je la ressens ici, un peu surprise à cause des circonstances. C'est un cas de à la guerre comme à la guerre.

*

G. Malgré la nouvelle gentillesse de son sourire, je ne puis l'approcher avec la même sincérité d'avant. Je vois derrière son sourire une pareille moquerie que je cherche à mettre dans le mien.

«Qu'un homme soit malade au moral, dit le docteur Pierre Janet, en son *Automatisme psychologique,* que, par suite de fatigue physique ou de travaux intellectuels excessifs, ou bien qu'après de violentes secousses et des chagrins prolongés il soit épuisé, triste, distrait, timide, incapable de réunir ses idées, déprimé en un mot, et il va tomber amoureux ou prendre le germe d'une passion quelconque à la première et à la plus futile occasion.»

Et cette phrase explique bien un peu mon étrange faiblesse.

Je ne vis que de pur égoïsme.

14 septembre

J'ai vécu une journée ardente. Avant d'en retracer les faits, j'ai relu les quelques pages précédentes; ce que j'ai inscrit depuis ma sortie du solitary, ce n'est pas très passionnant. Comme je ne me reconnais plus dans la souffrance. Ces pages qui marquent mon déséquilibre mental, je voudrais les brûler et les oublier avec ce qu'elles signifient. Ah! Ce serait volontiers facile de les brûler, mais comment oublier la peine profonde par quoi j'ai passé, et que je n'ai même pas eu à coeur de dire entièrement. Cette douleur, elle est en moi, complète et paralysante. Je ne réalisais qu'une chose: je souffrais et ne devais rien laisser paraître de cette souffrance.

Durant mes jours de solitary, j'ai beaucoup songé à mes relations avec G. Je voulais porter tout le blâme de ce qui s'interposait entre nous. Que j'étais injuste en prenant au sérieux des actes qui n'étaient qu'un prétexte, qu'une expérience. Et j'étais résolu de ne plus l'importuner; de n'être plus avec lui qu'un simple camarade, sans trop d'intimité. Le même soir où je suis revenu à ma cellule, il est venu en souriant m'offrir quelque chose à manger; poliment j'avais refusé, mais il était parti, laissant là le mets. Le lendemain, je l'ai remercié, sans plus. Puis, j'ai continué d'agir comme je me l'étais promis. Je ne lui parlais que rarement, et brièvement afin d'échapper au charme de ses yeux rieurs. Je lui avais demandé de ne pas me sourire avec trop de douceur et de ne plus me bouder surtout. Bref, d'être normal comme je tâchais de l'être. Les jours ont passé, tandis que je tenais à mon affolante attitude d'indifférence. Lui se comportait avec toutes sortes d'excès; se promenant parmi les autres pour se laisser prendre aux fesses; je vais faire la rue, me confiait-il; puis, tantôt seul dans son coin, il boudait férocement. Je le laissais faire, mais je souffrais. Un matin, il fit exprès pour m'enjamber, de sorte que je me brûlai la lèvre. «Oh, je te pardonne ça, lui dis-je en souriant. Tant de fois déjà je t'ai pardonné; je peux bien le faire encore cette fois-ci.»

S'ensuivirent quelques petites agaceries; puis, je murmurai: «Tu sais, ce matin, quand tu es venu chauffer ton fer à souder près du mien, j'ai vu une drôle de lueur traverser tes yeux; une lueur bleue comme ce feu devant nous. Et j'ai songé à l'enfer. Ah! l'intimisme, ce n'est pas joli.»

Il m'a souri et a donné des hanches contre moi, comme pour dire: Allons donc!

Je n'aurais pas dû; ah! comme je n'aurais pas dû me laisser reprendre par l'infinie douceur de son sourire. Je m'y leurrai; je le crois amical, il n'est qu'égoïste; c'est le sourire tendre que se fait Narcisse rêveur. C'est à lui-même qu'il sourit. Mais comment le croire si malin — ennemi, ce sourire, quand il vient d'une bouche si aimée?

*

Nous avons repris nos caresses.

Ce matin, en arrivant à l'atelier, il changeait de chaussures quand je me suis approché. J'ai dit: «Oh! oh! pieds nus; *Pieds nus dans l'aube,* tu as lu ce livre? c'est Félix Leclerc qui...

— Non, et je ne veux pas le lire», répondit-il brutalement.

Quelques mauvaises humeurs de la nuit le tourmentaient, je suppose. Et je n'en fis pas plus de cas. Mais quand je voulus, ainsi que de coutume, le prendre par le bras pour l'embrasser:

— Laisse-moi, dit-il d'une voix lourde, haineuse. Laisse-moi. Crois-tu que je veuille toujours t'embrasser!!!

Et c'est pourquoi j'ai vécu une journée ardente...

Tout cela est absurde.

21 septembre

Je passe des heures à rêvasser. C'est effrayant l'insensibilité qui m'a saisi. C'est à peine si je ressens l'ennui de chaque jour. Je suis troublé d'hébétude. Jamais je n'aurais pensé qu'un être pût occuper si uniquement ma pensée. Je me croyais égoïste et je me retrouve un pauvre sentimental qui écoute chaque pâmoison de sa tendre âmette.

Si j'insiste tant sur cette épreuve de ma vie, je me dis que c'est pour mieux la surmonter. Je ne veux pas l'oublier ; je veux la vaincre. Je veux rester le plus fort.

Ne pas croire que j'ai raison de revanche.

J'ai ouï dire qu'Untel de mes amis a eu des relations avec G. Mais cela non plus ne compte pas... Le présent est nul.

*

Je voudrais pouvoir ne prêter à ce qui m'entoure qu'une attention mi-détachée, mi-sarcastique, mi-sérieuse. Ne pas m'attacher surtout ; à nulles gens, à nulle chose. Ne me prêter à rien que je n'y aie étudié mon attitude.

Reprendre Bible et sagesse. Dans la tranquillité et le silence où je me trouve, cela vaut la plus belle ferveur.

25 septembre

Levé tôt. Je vais bien. J'ai fait quelques exercices qui m'ont dégagé de la fièvre. Puis, longtemps, j'ai vu l'aube palpiter jusque dans mon coeur.

*

Conversé avec A.D. Il est rédacteur du *Bulletin* et projette d'en faire une grande réussite. Gentiment, il m'offre d'y participer et m'assure qu'une page entière, deux même, est à ma disposition. Cette offre me contente, mais aussi me gêne un peu car je n'ai rien fait depuis des mois. Je n'ai pas tracé une ligne qui fut intelligente pour le moins. À la publication de ce mois-ci, j'ai apporté une nouvelle tirée d'un rêve que j'ai noté dernièrement. Je dois me mettre à la tâche ; il faut que je commette une poésie, imagine un conte, travaille un essai.

J'imagine un conte qui ferait allusion au voyage de la princesse Elizabeth, et que de ce voyage résulteraient pour les prisonniers, les bienfaits d'une grande faveur royale. Il était une fois une princesse... Or, il advint qu'un jour elle fit un grand voyage dans une province lointaine de son royaume...

*

Relu une page de *Si le grain ne meurt,* où s'organise le premier voyage en Algérie. À relire lentement ces pages, je retrouve une sorte d'apaisement. Présentement, j'ai peu de choses, mais l'avenir ! ah ! que je saurai l'enrichir de tous les désirs longtemps assoiffés d'attente. Sur le plan moral, Gide développe l'analyse de la dissociation qu'il faisait alors de l'amour et du plaisir. Pour lui, entre ces deux sentiments, point de relation. Je crains de ne jamais pouvoir me rendre à cette dernière logique. Il y a des sens à la pensée, une association trop étroite pour qu'il soit possible, sans danger, d'enlever à l'un les attributs de l'autre. Aimer quelqu'un, c'est s'associer parfaitement avec lui dans le plaisir.

*

Il y a des êtres et des choses dont la fréquentation et l'usage n'apportent qu'un déficit de l'intelligence.

*

Où cueillir cette ferveur que je n'ai plus en moi? Le difficile est de surmonter mon dégoût, mon chagrin, ma fatigue. Je ne crois plus à rien de ce qui est la cause de l'heure présente; l'enthousiasme criard des autres, je le trouve faux sans bon sens ; les petites occupations de chaque jour ne sont plus que les épisodes d'une routine ennuyeuse autant qu'inutile.

J'ai surtout manqué de fierté.

Et toute ferveur en moi est tombée comme un vêtement.

26 septembre

C'est congé aujourd'hui, et l'on tient ici une fête champêtre. Je n'y participe aucunement. Je suis monstrueusement occupé de moi seul; de ce que j'ai été; de ce que je suis; de ce que je puis devenir. Mes fautes sont presque impardonnables. Il faut que je les reprenne toutes, une à une, comme un écolier apprend par coeur une règle de conduite.

Mais qui donc hésiterait à choisir entre ces deux règles de conduite:

Solitude — ferveur intelligente
Compagnonnage — facile complicité.

*

J'exaspérais mon esprit par le désordre de mon corps.

*

J'ai été profondément marqué par mes lectures; mais jusqu'à quel point la littérature a affecté mon esprit, c'est ce que j'ai négligé d'expliquer. Je me souviens de mes enthousiasmes du début, quand je partageais avec Untel une amitié basée sur des échanges de conversations sérieuses. Il lisait alors les *Cahiers* de Barrès, et se plaisait à m'en citer de longues phrases. Je l'écoutais avec plaisir parce que j'ai toujours aimé les choses de l'intelligence, encore que, dans ce temps, je ne lisais que les tranches des feuilletons et les romans de la collection du Masque. Curieusement, c'est par vice que je suis parvenu jusqu'à Barrès. Ce camarade m'ayant raconté une anecdote osée qui se trouve dans le troisième tome des *Cahiers*, je fus intéressé et pris ce livre qui devait être ma première lecture véritable. Depuis, ah! depuis, je crois avoir beaucoup lu, mais pas assez pour ma faim.

*

G. Il serait prêt à me sourire, à me parler, à se donner à moi si je daignais répondre à ses peureuses avances. Mais il est trop tard pour revenir maintenant.

Je note cela à l'atelier, après qu'Untel fut venu s'asseoir près de moi. je lui dis:

— Tu parais nerveux, qu'est-ce qui te trouble?

— Rien. Je trouve la journée un peu longue depuis qu'on ne sort plus.

Chaque jour, un groupe de notre atelier va travailler à la réparation des toits. Je n'y vais pas afin de n'y être pas seul avec G. Ce matin, il pleut et personne n'est sorti. Il se mit à me raconter en confidence, l'air content:

— J'ai pincé G., tu sais...

Chaque détail m'était une torture.

*

Le Dernier Pas. Sur la prison planait un silence terrible, plein d'attente et comme happé par la stupeur. Chacun écoutait, songeait, restait aux aguets de sa propre crainte. Dans une salle à l'écart, pour la première fois peut-être depuis des mois, le veilleur avait cessé l'aller-venir méthodique qui le menait de la cellule du condamné à un casse-tête chinois étalé sur une table, tout près. Mais ce soir, on prétendait s'affairer trop depuis une heure, et l'on donnait une allure louche, précautionneuse et nécrosante à cet affairement.

Auprès du condamné, d'une voix basse, un jeune prêtre timidement l'invitait au repentir.

Il n'entendait pas. Il paraissait ne rien entendre. Son crime, ç'avait été une maladresse que, depuis longtemps, durant les heures affreuses de la première attente de la mort, il n'avait pu se pardonner à lui-même et qu'il avait tâché d'oublier dans une jonglerie tricheuse sans fin, qui l'immunisait contre l'effroi de l'heure présente. Il voyait et revoyait les quelques rares beaux moments de sa vie. Au vrai, il l'avait ratée, sa vie; il l'avait semée d'erreurs. Comme chez tous les maladroits, chaque échec avait trouvé en lui son excuse, dans la promesse du lendemain, et il avait pris l'illogique habitude de dire: c'est le dernier pas seul qui compte.

Il en était là. On lui liait les mains, l'emmenait. Dehors, la nuit sombre et sans étoiles le surprit; par réflexe animal, il huma longuement les senteurs d'eau qu'apportait un vent léger. Sur les murs des bâtisses, tout à la ronde, se plaquaient des taches de lumière et des dégoulinures de salpêtre. À quelques pas, devant lui, se dressait la potence. Comme un mât cassé, ou comme un bras gigantesque, elle semblait offrir quelque chose. Il hésita, et son pied levé dans la marche resta suspendu l'espace d'un instant. Le prêtre à ses côtés posa une main encourageante sur son épaule...

La trappe chuta avec un claquement métallique. Dans une hideuse crispation de tous ses muscles, le pendu se tordit, ses pieds bondirent en l'air, puis peu à peu se détendirent. Sa tête curieusement cagoulée restait penchée, convulsée contre l'épaule, et semblait être un paquet de soie chiffonnée. Il tournoyait lentement, lentement...

Le dernier pas avait certainement compté.

*

F-1522 — *Thuy-Kiêou,* suivi de *Fragments de Journal,* Hoang-Xuan-Nhi, 1942.

Poétisation d'une belle intensité de souffrance. C'est beau, plus beau que je ne saurais le dire. Magique perfection de la phrase donnant toute la fine intelligence de l'oriental. Mêlées au modernisme; je veux dire: interprétées dans un style moderne, les vieilles moeurs chinoises prennent une nuance délicate et vibrante de beauté poétique. Je retiens ces bribes qui chantent la diversité de mes désirs quand, chaque matin, à l'aube:

«La cloche sonne, effaçant mainte nostalgie dans notre coeur;
En vain notre âme voudrait avoir la légèreté d'un papillon qui vole!
Ah! l'océan de nos nostalgies ne saurait se dessécher,
Et la source de nos désirs ne saurait tarir!»

Dans le *Journal,* je trouve deux conseils: Ne rien devoir à la fatigue, et Ne jamais écrire quand le cerveau est déficient.

C'est-à-dire: être maître de soi au moyen d'une hygiène physique et spirituelle.

1er octobre

Repris ma Bible. Apaisement dans la parole des anciens. Même et surtout si l'on ne croit plus que Dieu s'y trouve. Je suis au pénitencier avec l'état d'esprit d'un homme qui se voudrait au monastère.

4 octobre

Malade. Suées abondantes, vomissements bilieux. Épouvantables maux de tête. Une simple indigestion n'amène pas des troubles si graves.

5 octobre

Je vais mieux, malgré un mauvais sommeil. Au petit jour, lu quelques pages du premier *Livre de Moïse*. J'aime le texte, mais je ne puis y prêter cette attention parfaite d'auparavant.

8 octobre

Congé. Je trouve d'assez mauvaises excuses pour feindre de me reposer. Rien à lire, rien à faire, le dégoût s'acharne sur moi. Cette impardonnable nonchalance, qui me détourne de tout ce qui intéresse les autres, fait que je reste tranquille au-delà de l'ennui.

9 octobre

Je composais une page d'échos pour le *Bulletin*. Untel m'aidait; c'est-à-dire qu'il tapait sur la machine les phrases-choux que je lui dictais. Or, j'étais devant lui, inquiet de ma prose, du ton forcé de mon style, et pas loin de penser qu'il pût se moquer de moi. Je suis excessivement craintif quand il s'agit de me jauger au terme des autres. Sans exception, je les crois tous supérieurs, à moins que je ne surprenne chez eux quelque tare mentale qui, le plus souvent encore, me choque plus qu'elle ne me supériorise. Il me peine de trouver un homme indigne à lui-même; ou plutôt, à la valeur que je me fais de l'homme. Or, peut-être que c'est à quoi j'ai toujours manqué: ma dignité d'homme, et c'est pourquoi je souffre tant aujourd'hui de vouloir racheter ces manquements. En tout cas, je faisais l'échotier lorsque, me fiant à celui qui m'aidait, je le priai de m'indiquer une phrase. Il chercha longtemps pour finalement me sortir une petite phrase épaisse, enfantine et absolument banale. J'en fus très peiné. Dire que depuis des heures je suais sang et eau dans la crainte d'être inapte. Bon Dieu! mais il devait m'admirer!... Il est peut-être bon de ne pas s'en faire accroire, mais une gêne excessive est une maladresse qui cause beaucoup de retard et marque un irrespect envers soi-même.

*

Contre tout avantage je préfère le silence et la pauvreté à l'erreur.

Les honneurs ne me plaisent point.

Entendre une fanfare non plus, si elle joue pour moi.

Tout acte révèle, s'il est vu en sa secrète tendance, la vraie nature de celui qui agit.

*

Tous les jours chez un certain groupe se tiennent des séances de pédagogie religieuse, des conférences, des forums. Et c'est extraordinaire les inepties qui se disent au nom du Christ, lui qui fut si raisonnable. J'ai peine à croire que l'on puisse être tellement niais ; ou, si l'on veut, crédule à ce point, et que de telles énormités ressassées par tels prêtres puissent être encore crues, voire écoutées seulement. C'est pénible de penser que ces gens en robe profitent si effrontément de la naïveté des foules. Que, pour l'apparat, des sommes énormes sont dépensées qui pourraient suffire à mieux loger des centaines de familles. Et tous ceux d'ici, qui eussent pu être sauvés par une sociologie religieuse un peu plus honnête... Les mea culpa de l'Église, des gens d'Église plutôt, se prononcent plus fort qu'ils ne sont sincères. Que peut valoir un sermon devant l'immense détresse du menu peuple...

*

Repris mes plus vilaines habitudes.

J'ai manqué d'application et de méthode.

14 octobre

Dans la cour, seul, vers la fin de la récréation ; je marche en songeant de quelle façon je pourrais réorganiser mes habitudes les meilleures, en sorte que les plus vilaines ne reprennent point sur les bonnes. Comment, sans trop de ferveur, à quoi se heurte la faiblesse de mon caractère, je pourrais parvenir à ce recueillement, à cette vie réglée que je me promets depuis le début de faire mienne. Tout cela ne dépend que de moi. Soudain, je remarque l'étrange coloration que jette à l'entour le soleil couchant. Un étrange éblouissement de lumières teintées me submerge de joie. Déjà ne paraît plus le soleil, mais par-dessus le mur une vague infinie de rayons bistrés et posant sur tout une splendeur orientale. Plus rien ne se voit de la pauvreté du lieu. Je marche; que dis-je? je flotte dans un monde en rose...

Je me suis désolé en vain.

*

Un bonheur provoque toujours une jalousie.

17 octobre

G. a changé d'allure avec moi. Il se fait plus effronté, m'aguiche comme une femme. Il vient à ma table quérir un outil; il me croise, puis s'asseoit près de moi, sa jambe appuyant contre la mienne. Je me montre poli, impassible à ses malhabiles nargues. Je ne voudrais pas créer une scène, mais je crains qu'il cherche délibérément à me faire grimper. Et c'est bien extraordinaire comme cette personne peut me troubler, même encore que je me garde contre lui. Il me faut éviter la crise nerveuse. En lui se trouve toute la névrose de la nymphomane. Je voudrais bien être assez lucide pour le voir nu dans son âme.

*

Quelle délicatesse, quel tact et quel bon goût je trouve chez Gide. Cela m'apparaît à chaque phrase de son autobiographie. Dînant chez Anna, il s'exclame: «Mais Anna, je vais te ruiner!» ce dont il est tout confus en rapportant le souvenir. Grands dieux! combien de telles étourderies j'ai dites. Il est vrai pourtant que pas une Anna ne s'est penchée sur mon enfance. J'ai à reprendre tant de choses...

Mon ambition serait d'atteindre une aussi belle justesse de pensée en l'appliquant à des actes osés. Ce que pense Lafcadio, le commettre...

*

Avant le sommeil, je suis hanté par le souvenir des choses que G. m'a faites; elles étaient vilaines, quelques-unes; mais d'autres! ah! si gentilles et accompagnées d'un si tendre sourire. Cette fois, par exemple, où il vint m'offrir un bol de café; il se tenait devant moi, comme gêné de son audace, me disant pourquoi je devais accepter. Et cette fois surtout, quand il m'offrit sa jolie personne... Pourquoi en-dessous de cela tant de sournoiseries?

Je le déteste et l'adore à la fois.

*

C'est toi seul qui fais ta joie, ta paix, ton bonheur.
Tout t'appartient en propre.
Autrui est sans importance; tu y supplées.

27 octobre

Mauvais jours. Las, découragé, confus, et je n'y puis rien. Quand je prends la plume, c'est avec un sursaut d'énergie, espérant par là trouver l'expression dont j'ai besoin, comme un coureur la force d'atteindre son but. Mais je reste banalement écrivailleur, et mes jours sont de même médiocrité.

*

G. se glisse soudain contre moi et me souffle cette confidence: «Il ne faut pas que tu cherches à me comprendre, à me corriger.» Il y avait comme une plainte dans sa voix. Il souffre donc, lui aussi...

Il y a dans nos chicaneries une sorte d'affection maladroite et cruelle. C'est par là que nous nous éloignons de plus en plus l'un de l'autre.

Près de moi, il me dit: «Si je suis peu démonstratif, ce n'est pas que je ne ressens pas d'émotions, tu sais. J'aime aussi.»

Oui, il se sert de moi comme d'un refuge. Il éprouve bien pour moi une certaine reconnaissance; j'ai tant fait pour lui; mais ma présence entrave sa perversité. Il ne peut aimer, il ne peut se donner qu'à moi, et c'est un pervers à fixations périodiques. Quand ça lui prend, il ne peut résister. Autrement, cela ne lui dit rien.

23 décembre

Rêvasseries plutôt que méditation. J'enrage d'impuissance contre l'ankylose de mon esprit. Lu un peu la Bible; mais je ne pénètre pas dans le texte; je reste outre l'intelligence. Je ne songe plus qu'à une vie monastique et bien tenue.

24 décembre

Lassitude profonde et maladive. Ma fixation amoureuse n'a plus sa raison d'être, mais je continue de m'en faire dupe. J'éprouve tant de tristesse de ne pas pouvoir fermer mes mains sur ce bonheur possible.

25 décembre

Triste, ô triste jour dépourvu d'espoir même.

28 décembre

Je continue de rêver. Personne mieux que moi ne sait quelle perte je fais de mes forces ; mais je n'y puis rien, c'est comme une hémorragie de l'âme ; les spasmes affaiblissants sont plus forts que ma volonté et je ne les puis retenir.

Commis un drôle de rêve : je riais de me voir fou, et ma folie était de rire sans cesse.

*

Je n'ai pas encore osé ; tous mes actes sont en prévision de mon engagement prochain dans la plus stricte, la plus sauvage, la plus exagérée des disciplines. Je vais être seul, studieux, frugal. C'est inutilement que j'ai tenté de saisir un possible bonheur. J'en devais être indigne.

*

G. Chacun de ses actes, chacune de ses paroles, cherche le point par où me blesser, et mon amour est tout tissé de haine. Il faut fuir, oublier... Ah ! que je souffre dans ma jalousie. Surpris un sourire : celui, catin, suggestif, invitant de G. et répondant à celui miré, poseur et ridiculement fat de Untel...

Au vrai, ma lassitude est effarante. Je ne peux pas y échapper. J'y suis comme condamné sans retour. Mes quelques études — la seule fuite qui me soit permise — en elles-mêmes ne sont pas un remède ; mais, à contrecœur, une punition que je m'inflige pour avoir été faible, dupe et maladroit. Toutes les rancunes accumulées durant les dernières années me défendaient pourtant d'oser un acte aussi grave : aimer. Et puis, j'accepte bien plus que je ne décide ; d'où l'intensité de ma souffrance.

Ce soir, afin de prolonger un peu ma veille, car je n'avais d'abord goût pour rien, j'ai lu la *Table Ronde,* de septembre 51. C'est une revue toujours intéressante. Et voici que je suis tombé sur quelques fragments d'une étude de Camille Belgnise, auteur qui m'est inconnu, mais de bonne marque. Ces fragments tombent à point pour alléger un peu ma propre souffrance, composés qu'ils sont dans la solitude et le renoncement. Ce qu'ils me révèlent de l'amour — l'amour vrai, pur, intense — aidera à ma propre ferveur. J'en reparlerai quelquefois.

*

Tard dans la nuit. Je ne trouve pas le sommeil. Ma pensée s'attache à une désespérante certitude de défaite à nouveau. Je ne peux pas comprendre si je m'interroge; les deux opposés à la fois répondent à mon inquiétude. Ses actes, à G., contredisent ses paroles. Près de moi, il répond bien à ma supplication, mais c'est pour ensuite donner des fesses contre les mains tendues d'un autre. Pour éviter une scène, je me sauve; il me court après; «Qu'est-ce qui te prend? tu es bien sauvage...» et d'autres merveilles du même genre. C'en est risible. Pourtant — et je veux y croire —, il doit y avoir quelque chose de bon en lui, quelque chose de fidèle, d'affectueux, que j'aimerais tant toucher, afin d'y appuyer ma bonté, ma fidélité, mon affection. Mais je suis à bout de patience.

Aimer est une grande faute.

*

Je laisse ici un passé.

* * * * * * * * * *

ACHEVÉ D'IMPRIMER À MONTMAGNY
PAR LES TRAVAILLEURS DES PRESSES
DE L'IMPRIMERIE DES ÉDITIONS MARQUIS LTÉE.